MEDIAEVAL CATALAN
LINGUISTIC   TEXTS

MEDIAEVAL CATALAN LINGUISTIC TEXTS

Edited with Introduction,
Notes and Vocabulary

BY

PAUL RUSSELL-GEBBETT

THE DOLPHIN BOOK CO. LTD.
OXFORD
1965

TO MY WIFE

81321

PC 3825

PREFACE

THIS collection, the first of its kind in the field of Catalan, provides the student of Romance philology with some four score medieval Catalan texts, duly edited, punctuated, annotated and glossed, and preceded by a brief introduction to the history of the language in which they are written. I have not sought to print new material, but to re-transcribe and gather together in a small compass selections of linguistic interest from the hundreds of literary and non-literary texts already published; many of them were first edited as much as fifty years ago, by historians rather than philologists, and in journals which are now not easily obtainable even in the Peninsula. For obvious reasons I have weighted the anthology heavily on the side of the non-literary.

Usually I have been able to consult the original, or photographic copies, of the source used, and in such cases each text as edited is followed first by an indication of the present whereabouts of its source, and then by details of one or more previous editions. Where it has not been possible to consult the original, or where it has been thought unnecessary to do so, details are given first of the edition used, and then of the present location (if known) of the original manuscript, etc. The seventy-nine texts are arranged in an approximately chronological order, the date preceding each of the passages being the supposed date of its first redaction; where a later copy or version is used its date is given in the footnote to the text concerned. The place of origin of each passage, and points of linguistic interest not touched upon in the Introduction, are dealt with in the Notes following § 79, while the place-names occurring in the texts are gathered together in a separate list preceding the Glossary; they are in most cases equated with their modern form and localised in their *comarca*. Two maps are provided.

The Glossary incorporates all forms not found with the same or a very similar sense in modern Catalan, and gives an English translation of each; in the case of Latin words there occur in the glossary only those forms whose meaning might remain obscure after consultation of a standard Classical Latin dictionary. The works utilised in the elaboration of the Glossary are included in the Select Bibliography (following the Notes), where are also to be found explained all abbreviations employed in the introduction, footnotes, or elsewhere in the book.

It will be apparent that this anthology could not have been prepared without the assistance of many scholars; this assistance, frequently enlisted, has been courteously and uncomplainingly given, and I am glad to acknowledge my debt and express my deep gratitude to those many teachers, librarians, archivists, and private individuals who have given unsparingly of their time. I owe especial thanks to Dr. J. M. Batista i Roca of the University of Cambridge, who first interested me in Catalan and guided my early steps; to the late Professor I. González Llubera for his encouragement throughout the preparation of this book and for his transcription of § 37; to Dr. Federico Udina Martorell of the Archivo de la Corona de Aragón for resolving problems of transcription; to Dr. Robert Pring-Mill of the University of Oxford for the selections from the works of Ramon Llull; to Dom Anscari Mundó of Montserrat for providing me with a transcription of a part of the *Forum Judicum* not reproduced in *Serra d'Or*, Any II (1960), 23; to Francesc de B. Moll not only for his having completed the *Diccionari Català-Valencià-Balear* before I had to compose the Glossary but also for his help in clearing up problems of interpretation; to Mr. J. L. Gili, the publisher of this volume, for his patient advice and forbearance; to colleagues and students of my own and other universities for counsel and inspiration — and to the authorities of the University of Nottingham for financial assistance.

PAUL RUSSELL-GEBBETT
University of Nottingham

Editor's Note. References to books and articles in the notes will be mostly in the form of short titles; full titles will be found in the Select Bibliography.

INTRODUCTION

'El català és una llengua romànica, resultant de l'evolució local del llatí parlat en el país en temps dels romans. Ocupa una posició central entre les llengües de la família romànica.' [1] 'Se trata de una lengua hispánica con mayoría de rasgos lingüísticos ultrapirenaicos.' [2] These two quotations concisely define the Catalan language, the circumstances of whose birth, propagation and evolution in the eastern regions of the Iberian Peninsula it is the aim of this introduction briefly to examine. [3]

1. *Some historical considerations*

At the close of the third century B.C. there would appear to have existed in the area which was to become continental Catalonia three main pre-Roman ethnic groups: a post-Capsian, a Pyrenean, and an Iberian. The post-Capsian tribes (the Sordones of Roussillon, the Indigetes, Ausetani, Lacetani, Laietani and Cossetani) were established in north-eastern Catalonia from the Mediterranean scaboard as far as the Ripollès and Berguedà; the Pyrenean group (the Ceretani, Bergistani, Andosini and the unknown tribes of Pallars and Ribagorça) occupied north-western Catalonia and evidently spoke a Basquetype language or languages; the Iberians (the Ilergetes, Ilercavones, Edetani and Contestani) held an area approximating roughly to the modern West Catalan linguistic domain, with

---

[1] Coromines, *Llengua catalana*, p. 17.
[2] Badia, p. 30.
[3] For a detailed description of the Catalan linguistic domain see Badia, pp. 50-62 (map p. 51), with minor corrections in Coromines, *Studia*, p. 124.

the exception however of the territory held by the Basque-speaking tribes north of the Montsec and in the Pyrenean area eastwards to Andorra and beyond. [4] The picture which emerges shows two significant features: there seems to have been in pre-Roman times an ethnic link between Roussillon and north-eastern Catalonia proper (i.e. between the Sordones and the Indigetes), and there seems also to have existed a broad ethnic division between east Catalonia and west Catalonia (post-Capsians and Iberians respectively), although in the extreme north the Pyrenean tribes provided a link. Scholars have seen here a possible explanation of why Roussillon is Catalan-speaking, and of why Catalan now is characterised by one basic dialectal division: East Catalan, West Catalan. [5]

With the coming of the Romans in 218 B.C., Latin was implanted in all that area of the Iberian Peninsula which is now Catalan-speaking, with two exceptions: modern Roussillon, i.e. the *département* of the Pyrénées-Orientales (Fenollet, Conflent, Rosselló, Cerdanya Francesa and Vallespir), and the region north of the Montsec (Pallars and Ribagorça). The former was romanised no less thoroughly than the Catalan seaboard and immediate hinterland about a century later than these, the latter catalanised rather than romanised probably no earlier than the ninth or tenth century of the christian era. [6]

---

[4] The Montsec range runs due east-west at the southern limit of the Conca de Tremp; it represented a formidable barrier against the romanisation and islamisation of the regions north of it (and in pre-Roman times, it would seem, against their iberisation).

[5] See Sanchis, *Factores*. This is a thorough study, admirably illustrated, developing suggestions advanced by P. Bosch i Gimpera, "Lingüística i etnologia primitiva a Catalunya," *Miscel·lània Fabra* (Buenos Aires, 1943), pp. 102-7. The basic East Catalan — West Catalan dialect division mapped in Badia, p. 73, coincides broadly with the ethnic picture drawn by Pidal, *Atlas*, Map II, bottom left. This atlas, and that of Vicens, provide useful general maps. See also refs. in Note 16.

[6] Alonso, pp. 82-3; Sanchis, *Factores*, pp. 168-9; Coromines, *Toponymie*; Sanchis, *Parlars*, pp. 28-9. For a broad view of the survival of pre-Roman languages in the Pyrenean area see Pidal, *Orígenes*, pp. 460-72, map facing p. 464.

It is generally agreed that administrative divisions in the Roman Empire tended to follow the outlines of existing ethnic (and so possibly, but not necessarily, linguistic) blocs, but this policy was not obviously adhered to in north-eastern Spain. Augustus divided Spain (27 B.C.) into three provinces: Lusitania, Baetica, Tarraconensis. These in their turn were subdivided into juridical convents, and that of Tarraconensis, one of the seven into which the province of the same name was subdivided, was in shape very similar to modern Catalonia; Ferran Soldevila describes it as 'una entitat que, en una forma o altra, relliga i plasma Catalunya, si bé encara no amb el seu nom.' [7] But he continues: 'Els seus límits no comprenen, però, totes les terres catalanes... No en forma part el Rosselló, que resta enclòs dins la Gal·lia Narbonesa; tampoc no en formen part les terres ponentines, que són adjuntades al convent jurídic cesaraugustà.' Moreover, modern Catalonia from the river Xúquer (Cast. *Júcar*) southwards formed with the Balearic Islands part of the *conventus carthaginensis*. [8] The ethnic frontiers of the three pre-Roman tribal blocs were thus to some extent ignored: Roussillon was separated from north-eastern Catalonia; the territories of the Basque and Iberian tribes (except the Lleida area and that south of the Xúquer) were included in the same convent as those of the post-Capsians; the region of Lleida belonged to the Saragossan convent, the area south of the Xúquer to the Carthaginian convent. Later modifications in provincial frontiers saw all the Valencia area south of Castelló incorporated with the Balearic Islands into Carthaginensis. None the less, we must surmise that within Tarraconensis 'Roma reconeix les comarques, fixa les tribus, els *populi:* prepara així l'eclosió dels comtats medievals.' [9] What nascent linguistic diversity there was in Catalonia is likely

---

[7] The first mention of the name *Cathalonia* occurs in 1114, in a text of Italian provenance; its origin is unknown. For a concise discussion of the various etymologies proposed hitherto see Coromines, *Llengua catalana,* pp. 67-83.

[8] Soldevila, p. 13; Sanchis, *Parlars,* pp. 29-33; Vicens, Map XIX

[9] Soldevila, p. 14.

to have been reinforced by probable Roman acceptance of the primitive ethnic boundaries within Tarraconensis, while what regions of linguistic unity existed seem not to have been profoundly disturbed by the establishment of new frontiers dividing them, e.g. by the exclusion of Roussillon, Lleida, etc. from the *conventus tarraconensis*. In the extreme north-east communications between southern Gallia Narbonensis (Roussillon) and the area south of the Pyrenees were excellent (across Cerdanya, along the Via Domitia, by sea), so that relations between the two in all probability continued close; surely close too were relations between the regions north and south of Castelló (i.e. between Tarraconensis and Carthaginensis), since the same considerations apply: excellent communications by land and sea, and a shared ethnic background. [10] Likewise it seems probable that the Basque-speaking tribes of the north-west were but little affected linguistically by their inclusion in the juridical convent of Tarragona: they stood apart from the main routes linking north-east Tarraconensis with Gallia Narbonensis (and with Italy), and acquired their 'Latin' considerably later than the regions to their east. [11]

In the fifth century the Visigothic 'allies' of Rome confirmed the frontiers of the Tarragonese juridical convent, but renewed the bonds between its north-eastern area and Narbonensis. By the last quarter of that century the Goths had occupied the whole of the Iberian Peninsula except for the extreme north-west (the Swabian kingdom) and the Cantabro-Basque redoubts; they held vast territories in southern Gaul, and their capital as from 418 had been Toulouse. Frankish pressure brought a reduction of the Visigothic domain north of the Pyrenees to Septimania (southern Narbonensis) only, Clovis having taken Toulouse in 508; the capital of the Visigothic kingdom was removed to Narbonne, and in the latter half of the sixth century to Toledo — via Barcelona and Seville — but

---

[10]   Sanchis, *Parlars,* p. 33.
[11]   See Lapesa, p. 72.   For late latinisation in the Pyrenean area see Note 6 above.

Septimania remained under Visigothic rule until the destruction of the Toledan kingdom by the Moors. Thus, at the beginning of the formative period of the Catalan language, Septimania was united politically with Tarraconensis; an important span in the bridge between this province and Narbonensis had been rebuilt, and the cultural traffic across it was to run henceforth for many centuries in a predominantly north-south direction. A period of strong Provençal influence upon nascent Catalan had begun. [12]

Following the Moslem incursions into Spain and the south of France, Septimania was liberated by the Franks, who, pursuing the reconquest southwards, freed Girona in 785, repopulated somewhat precariously the region of Vic, Cardona and Casserres in 798, and liberated Barcelona in 801. [13] Catalonia north of the Llobregat (*Catalunya Vella*) had by the dawn of the ninth century been reconquered and resettled, and divided for administrative purposes into counties: Girona, Empúries, Barcelona, Ausona, Urgell and Cerdanya; these formed with

---

[12] 'Nos hemos fijado en la orientación de nuestro dominio hacia el sur de Francia, orientación multisecular, reiterada y, por lo mismo, eficiente, y de ella procede la alteración esencial que sufre lo que podía haber sido el sistema evolutivo exclusivamente iberorrománico del catalán, que en cambio es, desde entonces, más bien galorrománico.' Badia, *Fisiognómica*, p. 21. For an outline of the Vulgar Latin of Tarraconensis as it probably was during the Visigotic period see Lapesa, pp. 72-3; Badia, pp. 32-4; Moll, pp. 36-41. It is upon this Latin, not greatly discrepant from the Visigothic *koiné*, that southern French influence was henceforth to be exercised.

[13] The Franks were assisted in their task by the *hispani*, christian refugees from Moslem-occupied territory. They seem to have settled primarily in Septimania (but also in the regions south of the Pyrenees) during the course of the 8th century, and especially after Charlemagne's unsuccessful sortie against Saragossa in 778; thence many are surmised to have returned southward with the Reconquest. The *hispani* have been credited by some scholars with the implantation of their own language in Roussillon (Septimania south of the Corbières), by others with the propagation of the 8th-9th century speech of Roussillon in the newly-liberated territories south of the Pyrenees; they have thus been seriously implicated in the largely otiose discussion of whether Catalan is an Ibero-romance or a Gallo-romance tongue. On this whole question see Moll, pp. 24-36, and Badia, pp. 24-30, both of whom summarise admirably the stages of the debate. For the latest pronouncement on the subject see Montoliu, pp. 5-16.

Septimania the Marquisate of Gotia, while Pallars and Riba-
gorça — never conquered by the Moors — were incorporated
into the Marquisate of Toulouse. In 864 the Catalan counties
of Gotia were detached from Septimania to form a separate
entity, the Marca Hispanica, Pallars and Ribagorça remaining
for another twenty years under the mantle of Toulouse. [14]
A gradual weakening of Frankish royal power, and an increas-
ing independence of action of the Catalan counts (born of
the circumstances of life in a frontier region), coupled with a
growing malaise in the relations between the predominantly
Gothic population of Catalonia and their Frankish liberators,
led at the end of the ninth century to the virtual independence
of the Catalan counties. By the time of Guifré I *el Pilós*,
Count of Barcelona between 878 and 897, the title and attri-
butes of a count 'ha deixat d'ésser una funció personal indivi-
dual... per a convertir-se en familiar, patrimonial; s'ha fos en
el patrimoni privat de la família.' [15] When Guifré died in
897, having united under his rule the counties of Barcelona,
Urgell, Cerdanya, Besalú and Girona, and having retaken Mont-
serrat and pursued without Frankish aid the reconquest as far
as the Camp de Tarragona, he bequeathed his domains to his
sons. [16] A Catalan dynasty was thus firmly entrenched in
north-eastern Spain at the close of the ninth century, and within
this area the primacy of Barcelona was securely established.

---

[14]   The Marquisate of Gotia, although a part of the Carolingian
Empire, remained populated and even administered primarily by Goths,
Frankish colonisation being minimal south of the Loire. See Solde-
vila, pp. 29, 32, 37; Abadal, p. 221; Montoliu, pp. 12-13. Pallars and
Ribagorça were independent of Toulouse by 884 (Sanchis, *Factores,*
p. 170).

[15]   Abadal, p. 245.

[16]   See Abadal, map facing p. 80, for the situation in 878, and San-
chis, *Factores,* p. 165, for a map of the territorial division made by
Guifré in 897. Larger scale maps illustrative of this period of history
are to be found in Abadal, C*atalunya carolíngia, II, Els diplomes caro-
lingis a Catalunya,* 2 (Barcelona, 1952), between pp. 482 and 507, and
Catalunya carolíngia, III, Els comtats de Pallars i Ribagorça, 1 (Bar-
celona, 1955), between the title-page and the introduction, and on pp. 13*,
21* and 27*.

But Frankish influence at this stage in the development of Catalonia had been crucial. A fully developed feudal system modelled upon that of southern France characterised Catalan social and political life, [17] and with it a natural Frankish juridical influence. The restored church, dependent upon the Narbonese see, had adopted the Frankish rather than the Mozarabic liturgy, and Catalan monastic foundations maintained close contacts with similar communities north of the Pyrenees. [18] The Carolingian script had ousted the Visigothic, and Catalan documents were dated up until 1180 by the years of Frankish kings' reigns. [19] Carolingian coinage was current. Three centuries of Visigothic rule on both sides of the Pyrenees, and two hundred years of Frankish dominion, had reinforced the centuries-old bonds between Catalonia and southern France precisely 'en la época más crucial para el establecimiento de unos rasgos idiomáticos que, todavía vacilantes, podían cristalizar en cualquier dirección... por ello, y pese a los antiguos lazos del latín tarraconense con el hispánico común (que sólo podían determinar algunas bases léxicas, pero nunca los criterios gramaticales), la constitución de la lengua catalana se hace sobre todo bajo el signo de galorromanismo, de suerte que... la mayor parte de tratamientos lingüísticos del catalán son también comunes al provenzal.' [20]

To return to the year 897. Guifré I's tripartite division of his territory among his sons took the following form: to Guifré II — Barcelona, Ausona and Girona (now East Catalan-speaking); to Miró — Cerdanya, Conflent and Besalú (now rossellonès-speaking); and to Sunifred — Urgell (now West

[17] For a brief study of Catalan feudalism see Font Rius, pp. 79-91, and for more detailed information Balari, pp. 335-520. For the technical jargon of Catalan feudalism see Rodón, and the fascicles of the GMLC.

[18] Abadal, facing p. 144, maps monasteries founded from the Visigothic period to the end of the 10th century.

[19] The act of consecration of the cathedral of Urgell (§1) is in a predominantly Carolingian hand, already in 839. Documents dated by Frankish kings are §§2, 3, 5. After 1180 dating is by the incarnation of Christ, or by his birth: §§22, 25, etc., and not by the Era (A.D. 38).

[20] Badia, Fisiognómica, p. 20.

Catalan-speaking).²¹ Not unnaturally, scholars have been led
to suppose that this division brought about the present dialect
distribution in Catalonia north of the Llobregat, but it is a
supposition rebutted by Sanchis Guarner, who sees here the
influence of the linguistic substratum.²² The two points of view
are not incompatible: Guifré I's partition must have recognised
existing ethnic (and by the ninth century probably also linguis-
tic) frontiers, and thus reinforced them. Thereafter the two
dialects which had a frontier with Moslem-occupied territory
were propagated southward with the Reconquest, blotting out
the Mozarabic speech of the regions they occupied.²³

The Reconquest proceeded slowly, hampered by lack of
Frankish assistance, by disunity among the Catalan counts, and
by Moorish retaliatory measures. Count Ramon Berenguer
el Vell of Barcelona (1035-76), in alliance with Urgell, expanded
the Catalan territories in a primarily westward direction, an ex-
pansion designed not only to weaken the power of Moslem
Lleida but also to prevent southward movement on the part of
Urgell and Pallars, and perhaps also to forestall eastward move-
ment by Aragón.²⁴ In 1050 Camarasa (Noguera) was taken,
and Àger (at the foot of the Montsec) secured; in 1063 Pilzà,
Purroi and Estopanyà (all in Baixa Ribagorça) were freed;
by 1070 Cervera (Segarra) was Catalan. L'Espluga de Fran-
colí and Barberà (Conca de Barberà) were repopulated in 1079,
Tarragona taken in 1091 (restored *c*. 1116), Balaguer (Nogue-
ra) in 1106, and Tamarit de Llitera in 1108 — while Huesca
in 1096, Barbastro in 1101, and Saragossa in 1118 fell to the
Aragonese. In 1149 Lleida succumbed at long last to the
Catalan-Aragonese confederation established in 1137, while in
the preceding year Tortosa had fallen, so that by mid-century

---

²¹ See Note 16 above.
²² *Factores*, p. 160.
²³ On the Mozarabic of Valencia and the Balearics see Pidal,
Orígenes, p. 434; Sanchis, *Valencia*, pp. 99-144; Galmés; Moll, pp. 51-
3; Sanchis, *Parlars*, pp. 103-47 (and passim); Griffin. For a broad
view of the Mozarabic dialects of the Peninsula see Pidal, *Orígenes*,
pp. 415-40 (and passim); Zamora, pp. 13-46.
²⁴ See Soldevila, pp. 77-81, and Vicens, Map XXXIII.

the line of the Ebro was reached — three hundred years after that of the Llobregat; [25] two centuries later the frontiers of peninsular Catalan had been definitively fixed, and the language implanted overseas. Between 1152 and 1153 Miravet (Ribera d'Ebre) was liberated, and the Arabs of the Prades and Siurana mountains (Priorat) subdued; in 1210 Adamuç, Castellfabib and Sertella were taken, in 1233 Borriana and Peníscola, in 1238 Valencia, in 1244 Xàtiva and Biar, in 1266 Murcia (only to be handed over to Alfonso X *el Sabio* after being settled with Catalans), and in 1304 Alacant, Elx and Oriola were confirmed as a legitimate part of the Catalan domain. Outside the Peninsula, Mallorca fell in 1229, Eivissa in 1235, Menorca in 1287, and Alguer (Alghero) was settled by Catalans in 1354. [26]

2. *The two main dialects of Catalan*

In the light of the foregoing historical outline let us now recapitulate the factors which may be deemed to have conditioned the distribution of the two main dialects of Catalan, and outline the main distinguishing features of these dialects.

East Catalan is spoken in that region occupied in pre-Roman times for the most part by post-Capsian tribes, less celticised than those north of the Corbières (the northern limit of *rossellonès,* a sub-dialect of East Catalan), [27] and probably but

---

[25] Reasons for the slow rhythm of the Catalan reconquest are adduced in Soldevila, pp. 89-90.

[26] Of the Catalan conquests in the Mediterranean, after she had reached the limit of possible expansion in the Peninsula and adjacent islands, only that of Sardinia concerns us directly here; it was only in Alguer (Alghero) that Catalan took permanent root. For a summary of Catalan expansion overseas see Soldevila, *España,* pp. 297-411, map p. 385; Vicens, Maps XLI, XLIII-VII, and pp. 14-16.

Meanwhile contacts with southern France had remained close. An outline of Catalonia's attempts to form a Pyrenean empire is provided by Soldevila, *España,* pp. 233-96 (map p. 385), and Vicens, Maps XXXIV and XXXV and p. 12. Catalonia's southern French policy, steadfastly pursued until 1258, reinforced early Provençal influences upon Catalan.

[27] This clear-cut linguistic frontier is described in detail in Badia, pp. 50-3 (map p. 55), and Sanchis, *Factores,* pp. 153-7 (with map).

little 'iberised' except in the case of the Cossetani of the Camp de Tarragona, where lies the present southern frontier of the eastern dialect. [28] In the north-centre and north-west of the dialect's domain Basque-type tribes (Ceretani and Bergistani) were established, but these were probably romanised earlier than those farther west (the Andosini and the tribes of Pallars and Ribagorça). Romanisation in east Catalonia was rapid and thorough. From pre-Roman times until the latter half of the thirteenth century contacts with the regions north of the Pyrenees were especially close, and, as one might expect, Provençal traits are particularly obtrusive in medieval *rossellonès*. [29] It is in this eastern area, on both sides of the Pyrenees, that the *hispani* found refuge; of their linguistic influence nothing certain is known, but they would appear to have been one more factor common to east Catalonia and southern France — a factor apparently lacking in the West Catalan domain. [30] Arabic and Mozarabic influences upon East Catalan are minimal, and so is the linguistic influence of Aragón; the whole of east Catalonia was reconquered before union with Aragón in 1137, and before Arabic influence had time to operate strongly. The frontiers of East Catalan were determined above all by geographical features; these appear to have conditioned the pre-Roman tribal frontiers, and these in their turn were susceptible of perpetuation by later administrative or ecclesiastical divisions.

The main distinguishing criteria of East Catalan now are: the evolution of stressed Latin Ē and Ĭ to an open *e* [ẹ] via a tonic neutral vowel [ə], the early relaxation of atonic *a* and *e* to [ə], and the closing of atonic *o* to [u]. It is notable, however, that the Balearics still maintain the tonic neutral vowel from Ē and Ĭ, and do not close atonic *o*. Majorca was reconquered and repopulated by elements known to be for the most

---

[28] The frontier between East Catalan and West Catalan is described in Badia, pp. 71-2, and Sanchis, *Factores,* pp. 158-60 (with map).

[29] These traits appear to have receded since the late Middle Ages; see Coromines, *Vidas,* pp. 126-32, and Sanchis, *Factores,* pp. 156-7. Basic handbooks on the medieval language of southern France are those of Crescini, Grandgent, Anglade and Ronjat.

[30] For the localisation of the fugitive *hispani* see Griera, pp. 4-6.

part of east Catalan extraction, and the island's language is
fundamentally an East Catalan conserving a number of traits
current in the medieval period but now obsolete on the main-
land. [31]   Such are: the tonic neutral [ə] < Ē and Ĭ, e.g. [vostə́]
< VŎSTRA MERCĒDE, [fə́] < FĬDE — as against standard
(East) Catalan [bustę́, fę́]; a labiodental v, e.g. [ví] < VINU,
[fávə] < FABA — standard [bí, fáƀə]; the lack of a verbal
desinence in forms of the first person singular present indica-
tive, e.g. cant < CANTO — standard [kántu]; the maintenance
of the verbal desinence -am, -au < -AMUS, -ATIS of the
present indicative where standard Catalan has -em, eu (with
open e); the retention of the desinence -às < -ASSEM, etc., of
the imperfect subjunctive — standard -és (with closed e); the
maintenance of the desinential vowel -a, etc., in the present
subjunctive of third and fourth conjugation verbs, e.g. crega
< CREDAT — standard cregui; the preference for a definite
article es, sa < IPSU, IPSA — standard el, la; and the placing
of direct object before indirect object pronouns, e.g. la'm
dónes, as against the standard me la dónes.   Although the es,
sa article was obviously avoided in writing as being a vulgar-
ism, most of these traits of modern mallorquí are standard in
medieval Catalan; some examples from our texts are: prase
[prə́zə] < PRĒNSA, § 55; vos (confused with fos), § 72:1;
coman < COMMANDO, § 23; estau < STATIS, § 72:2;
donás < DONA(VI)SSET, § 27; tenga < TĔNĔAT, § 23;
sa < IPSA, § 47, and condemned in § 76; and prec vos, seiner,
qe la·m fazats tornar, § 23.

Our only text of Majorcan provenance reflecting at all faith-
fully the pronunciation of the writer is § 57, where spellings
such as pla < PLĒNU, and avar < HABĒRE clearly betray
the writer's puzzlement in the face of the tonic [ə].   Once the
archaising nature of mallorquí is understood the dialect pre-

---

[31]   On Majorcan generally see Badia, pp. 75-6; Moll, pp. 17-24;
Griera, Dialectología, pp. 107-47; Moll, Parlars; Moll, Mallorca; Veny,
XLII, pp. 7-13. Space does not permit here of a consideration of
departures from the general pattern of Balearic either within mallorquí
or in menorquí and eivissenc.

sents few problems, the principal one being whether or not in 1229 a Mozarabic dialect was extant on the island, and if so, whether or not it had any effect upon the Catalan imported ~~as~~ from that date. The general consensus ~~of opinion~~ seems to be that is is unlikely that any Mozarabic-speaking christian nuclei were left in the Majorca of 1229, and certainly no sure examples of Mozarabic influence upon *mallorquí* have been found; what little knowledge we have of Majorcan Mozarabic, dead or dying in 1229, is provided almost solely by the pre-Catalan toponyms listed in the 'llibres de repartiment'. As for Arabic influence, given the length of time the Moslems held the island, this is naturally more discernible in Majorcan than in East Catalan proper. [32]   Like *mallorquí, alguerès* is a variant of East Catalan, implanted in Alguer in the mid 14th century. Even though at the present time *alguerès* is by far the most aberrant of the dialects of Catalan, medieval Catalan texts of Sardinian provenance do not reveal any obviously dialectal traits not shared with the East Catalan of the Peninsula; they are yet another illustration of the surprising unity of the medieval written language. [33]

West Catalan presents a more complex picture than the eastern dialect. At the present time West Catalan is still spoken in those areas occupied in pre-Roman times by Iberian tribes, except for the area north of the Montsec where were established apparently Basque-speaking peoples (a situation analogous to that obtaining in Aragón). In Roman times the modern West Catalan domain — with the exception of the Lleida area and that south of the Xúquer — was included in the juridical convent of Tarragona, but geographical and ethnic factors must have militated against linguistic unity with the more heavily romanised east. After the Moslem occupation of

---

[32]   For Majorcan Mozarabic see the works listed in Note 23 above, and Veny, XLIII, pp. 58-9. On the Arabic element in Catalan see Sanchis, *Valencia,* pp. 75-98; Badia, pp. 42-4; Moll, pp. 47-51; Veny, XLIII, pp. 59-61.
[33]   See Badia, pp. 65-7. For a basic bibliography and brief characterisation of *alguerès* see Badia, p. 77, and Sanchis, *Factores,* pp. 184-5.

the Peninsula, and as in the case of the East Catalan domain, contacts with southern France were close; Pallars and Ribagorça, never occupied by the Moslems, were incorporated into the Frankish Marquisate of Toulouse, while Urgell formed with the eastern Catalan counties part of the Marquisate of Gotia. Pallars and Ribagorça were 'latinised' very late, from the Urgell and Lleida regions, and were cut off from southward expansion in the Reconquest — thus becoming of little consequence linguistically — as a result of Barcelona's farsighted thrust westwards along the southern side of the Montsec to Pilzà (1063). It is Urgell's participation in this venture which has been held to account for the propagation of West Catalan in Baixa Ribagorça and Noguera, and later on in the Lleida region. It may be that the linguistic substratum of Lleida (Iberian) bore some relation to that of Urgell (Basque-type), but none with that of any east Catalan element in the re-population of the area. [34] Another factor which may have contributed to the implantation of West Catalan rather than East Catalan in zones reconquered and repopulated after 1137 is the influence of Aragonese, whose phonetic evolution shows affinities with West Catalan; [35] this may be due to a shared substratum, Pyrenean in the north, Iberian in the south — linking Saragossa, Lleida, Tortosa and Valencia. It is likely that in any mixed repopulation by east Catalans, west Catalans and Aragonese the dialectal peculiarities of the formers' speech would succumb to the joint pressure of West Catalan and Aragonese; this, as much as an Iberian substratum, may account for the West Catalan of Lleida, and similarly for that of Valencia. [36] Two other factors may also have been of account: Mozarabic influence, and Arabic influence. In Lleida and Tortosa there may well have been extant still in 1148-9 some romance-

---

[34] See Sanchis, *Factores,* p. 161.
[35] For basic information see Manuel Alvar, *El dialecto aragonés* (Madrid, 1953), and Zamora, pp. 160-226.
[36] In Valencia the west Catalans and Aragonese were given 985 houses, and the east Catalans 630; see Sanchis, *Factores,* pp. 177-8 (Sanchis' figure for west Catalans should be 388).

speaking christian nuclei (if not a century later in Valencia), and the increasing density of Arabic toponyms as one moves southwards bears eloquent witness to heavy islamisation. [37]

There remains only the question of the West Catalan linguistic frontier with Aragonese. In the extreme north, Alta Ribagorça, where an early non-romance tongue subsisted before late 'latinisation', a linguistic band frontier coincides broadly with what Menéndez Pidal has seen as a primitive ethnic frontier. This band frontier (which becomes a line frontier south of Tamarit and Binéfar), clearly dates back to before the Reconquest, although its precise antiquity is still a matter of debate. [38] The line frontier (dating from the Reconquest) is prolonged further south, to the limits of the Catalan linguistic domain. [39]

The principal distinguishing features of West Catalan are as it were the reverse of those characterising East Catalan: in the western dialect stressed Latin Ē and Ĭ remain as a closed *e*, atonic *a* and *e* are clearly distinguished in pronunciation, and atonic *o* does not close regularly to [u]. West Catalan is in these and many other respects more conservative than the standard dialect.

3. *The evolution of the Catalan language*

We must now consider some of the more intimate physical and psychological processes whereby medieval Catalan evolved from the Vulgar Latin of north-east Tarraconensis. Since, however, our texts have been selected to illustrate this evolution,

---

[37]   See Notes 23 and 32 above. What points of resemblance there were between Mozarabic and Catalan would have been greatest between the *western* dialect and Mozarabic. For Arabic influence in the Valencia area see Sanchis, *Valencia,* pp. 75-98.

[38]   See Pidal, *Orígenes,* pp. 460-72, map facing p. 464; the extensive bibliography in Badia, pp. 53-7, with maps pp. 58 and 63; Sanchis, *Factores,* pp. 168-76.

[39]   For the minor band frontier area between Valljunquera and Aiguaviva see Sanchis, *Factores,* pp. 175-6.

and since the Notes to the Texts have been designed to point out departures from the basic characteristics of Old Catalan, it is not intended here to do more than provide the student with a brief outline of the development of those features most characteristic of the medieval language.

In Visigothic Spain, after some six centuries of romanisation, the imported Latin — which had not at first been significantly different from that of the rest of the Roman Empire — had developed certain regional idiosyncracies, certain traits distinguishing the speech of one province (or convent, or diocese, or *comarca)* from that of another. [40] Of these regional idiosyncracies some were modified or rejected, others accepted and propagated and developed, until a more or less coherent series of phonological, morphosyntactical and lexical patterns emerged. It is from these patterns, constantly evolving, each varying according to the factors at work in its formation, that the new Hispanic languages, among them Catalan, were born.

Judging by the earliest texts, already in the later Vulgar Latin period a number of important linguistic changes had occurred in the Latin of north-eastern Tarraconensis, sufficient to bestow by the turn of the eighth century a clearly Catalan appearance upon the proto-Romance of that region. Thereafter, at least until about 1300, the language evolved with great rapidity, and by the dawn of the fourteenth century it is in only a small number of relatively minor traits that it differs from the Catalan of the classical period — or even from that of today. As Coromines has said: 'Si dejamos a un lado la poesía, de lengua forastera y artificiosa, [41] su literatura en prosa, desde las Homilías de Organyà y el corpus luliano hasta *Tirante el Blanco,* en un espacio de unos 300 años, y en una producción diversa y de las más copiosas, presenta un lenguaje uni-

---

[40] For those characteristics of spoken Latin common to all the Romance languages (with minor discrepancies) see Grandgent, *Vulgar Latin;* Bourciez, pp. 1-284; Elcock, pp. 1-169. For Hispanic V.L. in particular see references in Note 12 above.

[41] Early Catalan verse was written in Provençal. Our § 32 (13th century) and § 43 (13th-14th century) are included because of their relative lack of Provençal traits.

forme, con muy escasa evolución cronológica... Pero mucho
más llama en ella la atención la ausencia de variantes dialec-
tales, ausencia que es total si prescindimos de pormenores de
ningún relieve, y que además sólo pueden hallarse en los bre-
vísimos textos primitivos y en algún autor valenciano del si-
glo xv. Por lo demás impera en todas partes un idioma idén-
tico: el lenguaje de la Cancillería de Aragón.' [42] Catalan, then,
evolved rapidly and in the literary language at least with a
striking uniformity. The most important of its phonetic and
morphosyntactical peculiarities will now be outlined. [43]

I. PHONETICS

1. *The evolution of stressed vowels*

Before the appearance of the first written texts V.L. tonic
[ę] < Ē, Ĭ had evolved in north-eastern Catalonia, although
probably not in the west, to [ə], which was duly exported to
Majorca in the thirteenth century and has there remained; in
continental East Catalan, however, it has evolved further, to
[ę]. The evolution of Ē to [ə], to a sound for which no ade-
quate symbol existed in the Latin alphabet, is naturally not
easily discernible in the written language; it is possible that
the *Gavarreto* (modern *Gavarrós)* of § 1 may conceal a pronun-
ciation [ə] behind its *e,* but the only sure examples of the
sound are provided by such late forms as *pla* < PLĒNU, *vau-
ra* < VIDĒRE, in § 57 (a text of Majorcan provenance, whose
MS. is dated 1380), or by e.g. *antra* < ĬNTRET in § 55 (from
Empúries, 14th century). More or less contemporaneously with
the development of Ē to [ə], tonic Ĕ and primary AĬ both

---

[42] *Vidas,* p. 127. It is of course evident that beneath the basic
uniformity of the written language dialectal variation did exist, as Coro-
mines demonstrates in his study.

[43] Sparing reference will be made in the notes to works on the
history of Catalan; the main sources used in the preparation of the
following brief study, which makes no pretensions to being an historical
grammar, appear in the Select Bibliography.

became [ẹ] over most of the domain, [44] coinciding in the west
with [ę] < Ē; the reduction of AĬ is found in the earliest texts:
§ 1 *Ferrera* < FERRARĬA, § 5 *apers* < * APPARĬOS, and
cases of *ei* in verbal desinences may be attributed to Provençal
influence (e.g. § 12 *atendrei*, § 15 : 6 *dezebrei, tolrey*). Secondary
ai, e.g. from —ACT—, early became *ei*, and this diphthong
was common still in the thirteenth and fourteenth centuries
in spite of earlier cases of monophthongisation (§ 14 *pled*
< PLACĬTU, § 22 *fet); hence § 48 *treyt* < TRACTU and
leyt < LACTE, § 51 *feyta* (but also *fet*).   Cases of maintenance
of *ai* also occur, e.g. § 14 *fait*, § 21 *faites*, but these (like
ei from primary AĬ) must be attributed to learned pressure,
to French influence, or to conservative spelling habits.

Ĕ + yod and Ŏ + yod became respectively in the preliter-
ary period *i* and *u(i)*, presumably via *iei* and *uei*; [45] hence al-
ready § 1 *Pujo* < PŎDĬU, § 7 *ui* < HŎDĬE, and § 5 *cigas* <
*CĔĬAS, § 10 : 4 *estiris* < EXTĔRĬUS. Somewhat less com-
monly Ē + yod and Ō + yod also closed to *i* and *u(i)*, but
without diphthongising: § 20 *macip* < MANCĬPĬU, § 15 : 9 *con-
duit* < CONDŬCTU, while primary Ī and Ū remain with the
same value as in Latin. [46]

The back vowels Ŏ and Ō, unless followed by a palatal
element, develop straightforwardly throughout the Catalan do-
main to [ǫ, ọ] respectively, [47] although two late changes may
be noted.   The first of these changes occurs in the development
of VŌCE, CRŬCE and DŬCE to *veu, creu* and *deu* via the
OCat. forms in *ou* still common in thirteenth century texts;
Coromines calls these examples of the shift *ou* > *eu* 'antiquís-
sims', and attributes them to a dissimilation of the *o* from the

---

[44]   For a detailed discussion of the evolution of Ĕ see Badia, pp.
130-4.
[45]   On the question of conditioned diphthongisation in Catalan see
especially Kuen, VII, pp. 93-9; Badia, pp. 134-7, 144-6; Coromines,
Studia, pp. 125-7.
[46]   See Badia, pp. 141-3 and 147-8, for full details of the evolution
of Ē and Ō followed by a palatal element.
[47]   For minor variations see Badia, pp. 144-51, and Coromines, *Lleis*,
pp. 206-12.

implosive *u*. [48]   Since the modern *e* of these words accords
dialectally with the result from Latin Ē, i.e. [ə] in the Balearics,
[ę] in ECat., and [ẹ] in WCat., the process would appear to
have been [oŭ] > [əŭ], whose [ə] then suffered the same fate
as that from Ē; the neutral vowel, if not proper to WCat.,
would have been recognised there as an ECat. aberration for
[ę] and corrected accordingly.   Examples from our texts are:
§ 35:1 *crou*, § 35:2 *vou*, § 48 *crou*, § 59 *veu*, etc., while the
crou < CRĒDO, *fou* < FĒCIT, *doute* < DĒBĬTU of § 39
reflect a near equivalence of [əŭ] and [oŭ] in the thirteenth
century; this may well have existed in the early twelfth cen-
tury if we may trust the *fuit* (for *fecit*) of § 10:6, but the
document is extant only in a thirteenth century copy.   Related
by some scholars with the *ou* > *eu* shift are forms of the type
fonei < FENŬC'LU and *rostei* < * RESTŬC'LU (i.e. a shift
oi > *ei*), but these have been shown by Coromines to be
of more recent origin and of more restricted currency; he
attributes them to analogy or to other sporadic phenomena. [49]
Hence in our texts § 52 *joneyls* < GENŬC'LOS may be due to
a metathesis in a derivative form such as *agenollar-se* (> *ajo-
neiar-se*), and § 55 *avoyla* < OVĬC'LA may simply represent
by its *o* a pronunciation [ə].   Another late change, perforce
later than that of *ou* to *eu*, is the evolution of Ō to [u] in
rossellonès (as also in southern Gallo-romance, where the change
was probably generalised in the mid fourteenth century); this
development, except where the Ō is in contact with a pala-
tal element, is not documented in our texts.   Primary Ū, as has
already been said, develops to [u], and not as in Provençal
to [ü].

There remains Latin tonic A, resistant to change in Ibero-
romance.   In OCat. the *a* remained with the same value as
in V.L. except when in contact with a palatal element (see AĬ,
-ACT- above), [50] or with a velar element (e.g. AU, UA), or,

---

[48]   *Studia*, pp. 127-8.
[49]   *Studia*, p. 128.
[50]   As in Castilian, a number of palatal elements leave the *a* unin-
flected; see Moll, pp. 80-1.

at the end of the medieval period, when occurring in the desinences *-am, -ats* < -AMUS, -ATIS, or *-ás* < -ASSEM, etc.

In popular usage the diphthong AU is generally agreed to have reduced in the preliterary period to [ǫ], and cases of its maintenance in our texts are attributable to learned or Provençal influence; hence § 5 *alaudem* < ALŌDEM (a hypercorrection), § 19 *chausas*, § 20 *pauc*. In *rossellonès* the maintenance of the diphthong would appear to have been proper to the speech of that region.[51] Secondary *au*, usually evolving from *a* followed by an implosive fricative or velar, naturally tends to remain as such: § 73 *digau* < DICATIS, *paraules* < PARABŎLAS, *haurá* < HABĒRE-*HAT. Like primary AU, the diphthong UA showed an early tendency to reduce to *uo* and *o* — as it still does in vulgar speech; this is reflected in our § 6 *quamu* < *QUŌMO, § 7 *quantra* < CŎNTRA, § 15:11 *quars* < CŎRPOS (all hypercorrections), and in § 69 *gorda* (for *guarda*), § 72:1 *cotre (quatre)*, § 76 *gont (guant)*.

In the verbal desinences the medieval language shows throughout the domain a maintenance until a late date of the *a* in *-am, -ats* or *-au*, and *-ás*, etc., and this vowel still characterises these desinences in the Balearics and in part of WCat.; elsewhere, however, the tonic *a*, 'por una serie de analogías cruzadas',[52] has become an open or closed *e* according to the dialect (ECat. or WCat.). This pronunciation with *e* is censured as dialectal in § 76 *anem per anam*, and some few examples are to be encountered in our texts: § 21 *donessem*, § 39 *pagés* < PACA(VI)SSET, § 41 *passesen, mostrés*, § 60:1 *donés;* examples of *-am* > *-em* are rare, those in § 74 *(anem, cantem)* appearing to be from -A(VI)MUS — a Provençal evolution —, and it may well be also to the preterite tense that the item in § 76 refers.[53]

---

[51] Coromines, *Vidas,* pp. 143-5; cf. our § 40 *causes*, § 45 *gaus* (Lat. AUSET), § 49 *paubres*, etc. Fouché, *Phonétique*, pp. 41-3, attributes the *au* of *rossellonès* to Provençal influence.

[52] Badia, p. 308, whom see for details.

[53] Some other Provençal-type preterite desinences in our texts are § 20 *lexet*, § 21 *aneren* and *laisset*, § 43 *aportet*. The imperfect subjunctive in *-és* < -A(VI)SSEM, etc., was also proper to Provençal.

2. *The evolution of unstressed vowels*

Following a common tendency of western V.L. generally, the atonic vowels continued to weaken, and, except for *a,* to be elided at an early date when intertonic and final.

Atonic *e* was probably already in the preliterary period lost when final, unless required as a support vowel; hence § 1 *Kasamuniz* < CASA MENNĪCI or MANNĪCI, § 7 *fidels* < FĪDĒLIS, § 14 ·*m,* ·*s* < MĒ, SĒ when enclitic, but § 18 : 1 *sofere* < SŪFFĔRRE, § 19 *entendre,* etc. Postonic internal *e,* prone to loss in V.L., none the less frequently remained in Catalan until the elision of a final *e* or *o,* and especially when in contact with -N- : § 7 *nomen,* § 10 : 5 *termen,* § 20 *nomená* (but naturally, given the resistant -*a,* § 3 *femna*). In any position where it remained, through learned or other influences, *e* was early confused in ECat. pronunciation at least with atonic *a:* § 5 *enapo* < HANAPPU, *exada* < *ASCĪATA, *chavago* < *CAVĬCU, or § 18 : 1 *enar* < AMNARE, § 27 *tere* < TĔRRA, § 48 *mara* < MATER, *jova* < JŬVĔNE. When in contact with a palatal element or in hiatus the *e* was prone to close : § 10 : 3 *civada* < CĪBATA, [54] § 10 : 4 *ixir* < EXĪRE, § 14 *siria* (MCat. *seria*), § 35 : 1 *ixilen* < EXĪLĬENT, § 45 *rial* < REGALE, § 76 *giner.*

Atonic *o* was also prone to early loss when final or intertonic; when it remains as a support-vowel it normally appears written *e.*   Hence § 1 *Argilers* < ARGILLARĬOS, § 7 *mens* < MĬNUS, § 21 *pres* < PRĒNSOS, § 26 *natds* < NATOS, and as a support-vowel or to mark the plural of words ending in a sibilant § 8 *ample,* § 18 : 1 *mases* < MANSOS, § 22 *liure* < LĪBĔRO, § 28 : 2 *condemne* < CONDĒMNO — but also § 15 : 11 *vostros quars,* § 17 *sedaços* < SETACĔOS, § 28 : 2

---

[54]   For CE⸺ see Coromines, *Lleis,* pp. 212-3.

absolvu, § 39 *salvus,* § 61 *lagramosos,* § 64 *sotsmesos.*[55]   Forms such as § 13 *Franculi,* § 33:1 *pugut,* § 39 *vulia,* show (like *absolvu* and *salvus* above) the tendency of atonic *o* to assimilate to a closed element, but the general ECat. (not Balearic) closing of every atonic *o* to [u] is not documented with certainty until the 16th century.   The common modern dialectal diphthongisation of absolute initial atonic *o* to [ə̯u] in ECat. and to [au] elsewhere is found censured in § 76 *aulor per dir olor o odor;* it is rare in medieval sources, cases such as *aucell* in § 59 representing a maintenance of *au* rather than a diphthongisation of the *o* of MCat. *ocell.*   Atonic *o* may of course be retained through learned pressure, by analogy, in Castilianisms *(animo, estrado* in § 79), or in *pallarès* (late romanisation).

Atonic *a* was, as usual in Romance, resistant to loss; in the normal phonetic development of Catalan it remains in all positions, although like the other atonic vowels it is subject to a number of possible modifications.   In a postonic closed syllable, e.g. ́AS or ́ANT, it closed early: § 5 *lurices* < LORĪCAS, § 8 *Ribeles,* § 10:1 *viles, fragien* < FRANGĒBANT; in the absolute final position it also appears at times to have become confused in pronunciation with postonic *e:* § 8 *proclame,* § 14 *pagine,* § 18:2 *valie, monede,* § 19 *degre* < DĒBŬERAT, *pogre* < PŎTŬERAT. Similar spellings with *e* are found when the *a* is pretonic *(enapo, enar,* etc., mentioned above), and are especially common in late ECat. texts of a non-literary nature: § 60:1 *seber, heveu* < HABĒTIS.

Atonic *a,* like *e* and *o,* may of course be inflected by some classes of yod, or when in hiatus, or it may show other sporadic developments as a result of assimilation, dissimilation, metathesis, etc.   Atonic *i* and *u* of V.L. normally remain as such.

---

[55]   For the maintenance (or restoration) of postonic *o* see Coromines, *Lleis,* pp. 213-24.

3. *The evolution of initial consonants*

The initial consonants and consonant-groups of Latin are normally maintained in Catalan with much the same value as they possessed in the parent language. Those which do evolve, and whose development is of particular interest, are B- and V-, Ć- (and S-), Ġ- and J-, and L-.

B- and V- remained clearly distinguished in OCat., the *v* retaining the dental quality it still has in the Balearics, Alguer, the Camp de Tarragona and most of Valencia. Spellings with *b* for *v* as e.g. § 2 *bos, bindere, binea,* and § 7 *buegan,* or with *v* for *b* as in § 27 *del vispe,* or § 67 *ve* < BĔNE, *veure* < BĪBĔRE, are rare; only the last example, from a not over-reliable text, may be deemed to reflect the late confluence in a pronunciation [b] characterising the major part of Old Catalonia and the *apitxat* of Valencia. [56]

Ć-, which evolves in V.L. to [tš] or [ts], remains apparently with this latter value until towards the end of the medieval period, when it is confused with [s] < S-. Early examples of *s* for *c,* or of *c* for *s,* occurring after alveolars or dentals are not of great probatory value, e.g. § 18:1 *e·l sensum;* neither are cases of *c* from Arabic [ṣ], e.g. § 25 *cetres, cerons.* Unequivocal examples of the change occur towards the end of the thirteenth century in § 38 *sivada, sebes, cisena,* or in § 40 *cipies* < SĒPĬAS, § 41 *seguea;* all these texts are from the north-east of Catalonia, significantly perhaps in that confusion of *c* and *s* in Provençal occurs earlier than in Catalan. [57] Further examples from our texts are § 44:1 *ceda* < SĒTA, § 61 *çocha* < SŎCCA, § 76 *servell per cervell, e los semblants.* Primary initial *s* had a sporadic tendency to palatalise to [š]: § 76 *xiular per siular,* a tendency it still possesses when preceding a front vowel.

---

[56] For a brief characterisation and bibliography of *apitxat* see Badia, p. 79. V- became [b] in Gascony and Béarn in the Middle Ages, but not commonly in other Provençal dialects.

[57] Grandgent, p. 43, dates it 'just before and during the literary period'. Coromines, *Vidas,* p. 148, considers Provençal confusion normal by the end of the 13th century.

Ǵ- and J- remain in Catalan regularly; at an early stage in the development of the language they, and with them DĬ-, became [dž] and later [ž] in the modern standard language. It is difficult to date the change from the affricate [dž] to the fricative [ž], in that the spelling has at all times followed the etymology of the words involved, but the WCat. domain still shows a preference for the affricate. Examples from the texts include § 14 *gitar* < *JECTARE, § 18:1 *jova* < JŬGA, § 20 *gens* < GĔNUS, while orthographically less common are § 29 *jet* < *JĔCTET, § 35:1 *jens,* § 72:2 *gosticia.*

L-, although early evidence of the development is rare, palatalises regularly in MCat. to [ļ]; the palatalisation is apparent in § 34 *lloch,* § 63:2 *llensols,* § 63:4 *llevens,* § 75 *llur, llana,* and regularly throughout the passage. In spite of undoubted palatalisation by the thirteenth century the conservative spelling *l-* remains common up to and beyond the end of the Middle Ages, e.g. § 76 *lesta la letra per dir legida.*

In comparison with other Peninsular languages Catalan stands out by its acceptance of F-, and of the groups PL-, CL-, FL- (except in Pallars, Ribagorça and Llitera).

4. *The evolution of intervocalic and Romance final consonants*

The voiceless occlusives -P-, -T-, -K- voice already in Catalan V.L. to [b, d, g]; thereafter, if they remain intervocalic, they become fricative [b, d, g] and remain stable in the medieval language: § 5 *chavago* < *CAVĬCU, *cubos* < CŪPOS, *escudella* < SCŪTĔLLA. However, through elision of a final *-o,* or *-e,* the *b, d* or *g* (occlusives still) may become final and unvoice, an unvoicing which seems to have been general by about 1300; some early examples are § 14 *pled* < PLACĬTU (hypercorrect), § 15:10 *deincebs* (id.), § 18:2 *fermat,* § 23 *prec, loc* — contrasting with the earlier § 10:4 *Tallad* < TALĬATU, § 11 *cubs* < CŪPOS, etc.

The voiced -B- and -V- coincided in Catalan V.L. in a result [v], which evolved late to [b] in Old Catalonia. In the medieval language the [v] is stable when remaining intervocalic (except in desinences of the type -ĒBAM, -ĪBAM, or when in contact with a back vowel, e.g. § 49 *noembre,* § 53 *trautz* < TRĬBŪTOS), but in Romance implosive or absolute final position the consonant vocalises to [y̨]: § 11 *bous* < BŎVES, § 12 *deu* < DĒBET, § 15:4 *auré* < HABĒRE-*HAĬO, § 24 *malautia* < MALĒHABĬTU-ĬA, § 41 *freulea* < FLĒBĬLE-ĬTĬA.

-G- becomes fricative in V.L. and then normally remains unless in contact with a back vowel: § 3 *juvo* (= MCat. *jou)* < JŬGU.

A consideration of -D- brings us to one of the most characteristic features of Catalan; this consonant, like -Ć - and -TĬ-, evolves to [đ] and is then elided when intervocalic, vocalised when implosive or final. Coromines traces the development of the three consonants thus: -Ć- and -TĬ- > [dz] > [đ], so coinciding with the result from -D-, a confluence which Alarcos considers to have been complete before the twelfth century. Thereafter the evolution is as follows: 1) if the [đ] becomes final it vocalises to [y̨], presumably via [v/ƀ]; 2) if it remains intervocalic and precedes the stress it is elided; 3) if it follows the stress in an intervocalic position it vacillates between loss and a reinforcement of the [đ] to [z], the normal result from -S-. Some examples of the various stages of these developments are: 1) confluence of -D-, -Ć -, -TĬ- in [đ]: § 14 *pedo* < PEDŌNE, § 15:1 *dedebré* < DECĬPĒRE-*HAĬO, § 19 *rado* < RATĬŌNE; 2) elision before the stress: § 18:1 *rembre* < REDĬMĒRE, *faie* < *FACĒBAT, and § 26 *rao* < RATĬŌNE; 3) elision after the stress: § 24 *seen* < SĔDENT, § 27 *dien* < *DĪCENT or § 44:1 *jahen* < JACENT, § 18:1 *folees* < FŎLLE-ĬTĬAS; 4) maintenance after the stress: § 18:1 *Belevezer* < BĔLLU-VĬDĒRE, § 40 *sosha* < Ar. SAUDA, § 76 *perea e probea per dir peresa e pobresa;* 5) vocalisation in final or implosive position: § 24 *peu, palau,* § 27 *fi·o* (= *fiu·o)* < FĒCĪ HŎC, or *delme* (= *deume)* < DĔCĬMU, § 44:1 *noure* < NŎCĒRE, § 66 *coure* < *CŎCĒRE. Not unnaturally there are a variety of spellings of OCat. reflecting more or less felicitously what must have been difficult to reflect at all — stages in the change of final [đ] to [u̯]: § 12 *veds* < VĬCES, § 18:1 *fet* < FĒCIT (cf. the ultracorrect *Det* < DĚU in § 30), § 19 *paz* < PACE, § 21 *fedz* < FĒCIT. From all the foregoing it is apparent that during the twelfth century elision of the [đ] was common, and that in the same century the final [u̯] also existed. The *Gerat* < GAIROALD of § 18:1 suggests a value [u̯] for more than one OCat. *-t (fet* above, or *pret* < PRĔTĬU in § 18:2), and the *fuit* (for *fecit)* of § 10:6 suggests a value [fóu̯] already in 1117.

Related with the vocalisation of the heirs of -D-, -Ć- and -TĬ- in final position is the evolution of the desinential -ATIS to *-ats* and then *-au*. In spite of the rarity of vocalised forms before the end of the fourteenth century (§ 60:1 *heveu* < HABĒTIS, *escrivau* < SCRĪBATIS) there seems no doubt that the vocalisation had already occurred at least sporadically in the late twelfth century. The forms § 15:7 *comonreds* and § 15:11 *aveds* accord with § 12 *veds* < VĬCES, the *podez* and *saludez* of §§ 21 and 33:2 accord with § 19 *feuz* < FEUDU and *paz* < PACE, the *fazçad(s?)* of § 26 (where I can see no *-s)* accords with the *vid* < VĪDĪ of § 23; the parallels may not all be exact, but they are not without interest. The failure of the past participial and substantival -ATOS, -ATES to evolve to *-au* must be attributed to analogy with singular forms in OCat. *-d* (occlusive) > *-t.*

Leaving aside fine distinctions, the basic evolution in literary Provençal of -D-, -Ć- and -TĬ- is to *z,* pronounced [dz] or [z], which is *maintained* when intervocalic, vocalises to [i̯] when implosive, and unvoices to [ts] or [s] when it becomes an absolute final. The sibilant -S- becomes [z], [i̯] and [s] respectively, thus partially coinciding with the above developments, while the desinence -TIS becomes naturally [ts] or [s]. From this it follows that late maintenance in Catalan texts of an intervocalic [z] < -D-, -Ć- etc., or the occurrence of an implosive [i̯] where OCat. normally has implosive [u̯], or the loss of intervocalic [z] from -S- (i.e. its showing the same evolution as -D-, -Ć- etc.) — these traits plus the conservative spelling *-ts* of the verbal desinence well into the fifteenth century must all be suspected of showing the influence of Provençal. Examples from our texts are not difficult to find.[58]

The behaviour of -S- and -CĬ-, whose development in Catalan one might expect to show some affinity with that of -Ć- and -TĬ-, is relatively straightforward. The basic evolution of -S- is to [z], unvoicing to [s] as a Romance final: § 14 *romasés* < REMANSĬSSET, § 17 *camisas* < CAMĪSĬAS, § 37 *coze* < CAUSA; there are rare cases of an evolution -S- > [z] > [đ], most commonly through a dissimilation, whose [đ] then disappears like that from -Ć-, -TĬ- and -D-: § 49 *espoelissi* < SPONSALĪTĬA, § 63:3 *todores* < TONSŌRĬAS. When [z] < -S- becomes final it is not confused with a final [đ]; it never vocalises. The evolution of -CĬ- (and with it of -ᶜᵒⁿˢTĬ-, -ᶜᵒⁿˢĆ- and -ᶜᵒⁿˢCĬ-) is to OCat. [ts] and, later, [s]; this development is identical with that of -CĬ- etc. in Provençal, where however the result [s] is reached earlier than in Catalan. The general de-affrication of [ts] in Catalan may be tentatively assigned to the late thirteenth century, so that early cases of spellings with *s* or *ss* may be suspected of being due to Provençal influence. Examples showing a pronunciation [ts] are: § 10:5 *faça*, § 14 *dreçar*, § 15:7 *valença*, § 19 *forza* and *força*, § 22 *faççatz*, § 25 *cedaz;* showing a pronunciation [s] are: § 16 *galidansa*, § 25 *bassi*, § 35:1 *descals*, § 37 *fassas, dres,* § 38 *fogasses,* § 63:2 *llensols*. As is evident from the above examples, [ts] in final position does not vocalise; like its intervocalic twin it evolves to [s], to confluence with the result from -SS- (or from -S- as a Romance final).

The groups -SĆ-, -SCĬ-, STĬ- and -X- evolve regularly to [š] via [iš]: § 3 *aixata* < *ASCĬATA, § 20 *pux* < PŎSTĬUS, § 23 *dixren* < DĪXĔRUNT, § 27 *vexels* < VASCĔLLOS; a spelling with *is* is common in Provençal influenced texts (reflecting the typical literary Provençal development), e.g. § 21 *pois, conoiserien, dis.*

---

[58] See §§ 21, 36, 41, 43, 50, etc. For a full discussion of the developments treated above see Coromines, *Studia,* pp. 129-34; *Lleis,* pp. 224-30; *Vidas,* pp. 148-51; Alarcos, pp. 8-17.

The nexi -BĬ-, -VĬ-, -DĬ-, -GĬ-, -Ġ- and -J- all evolve via
V.L. [j] to OCat. affricate [dž], and later, at least in ECat.,
to the fricative [ž]; [59] as a Romance final the [dž] unvoices to
[tš]. When these groups are preceded by a consonant (except
N) the result is similar. Some typical examples are: § 19
agen < HABĔANT, § 1 *Pujo* < PŎDĬU, § 20 *dejuná* < DE-
(JE)JUNAVIT, § 17 *choreg* < CORRĬGĬU, § 37 *veyg*
< VĬDĔO, § 43 *verger* < VIR(I)DĬARĬU. [60] At times a
V.L. [j] was absorbed by a palatal vowel, or vocalised when
implosive: § 10:4 *geriar* < WERRA-ĬDĬARE, § 18:1 *cuidá*
< COGĬTAVIT, § 27 *foread* < FOR(AS)-ĬDĬATU. A Ro-
mance [dj], e.g. in -ATĬCU > [adjo], also reached the stage
[dž] — but naturally later than did primary -DĬ-; judging by
OCat. spellings its affricate articulation was more stable than
that of [dž] from primary groups: § 15:7 *missadges*, § 15:8
estadga, § 34 *salvatges*, § 38 *solatge*, § 39 *jutgar* < JUDĬCARE.
There are, however, some spellings analogous to those from the
primary nexi: § 15:8 *messages*, § 27 *jugad*, § 34 *fortmages*,
§ 38 *forestage*.

The groups -NĬ-, - NDĬ- and -NĠ-, -GN-, all palatalised in
the preliterary period to [ɲ], which has remained stable up to
modern times; some OCat. examples are § 7 *sengore*, § 20 *ver-
goina*, § 37 *tany* < TANGIT, § 38 *seyor* (a common spelling in
the north-east), § 42 *poin* < PŬGNU. A secondary [ɲ] also arose
through palatalisation of -NN- (with some exceptions, notably
in *pallarès*), e.g. § 38 *any* or *ay* < ANNU, but the group -MN-
did not share this development; according to Coromines this
latter group simplified to [n], or commonly to [ɲn] after a tonic
A, so that in § 15:2 *don* < DAMNU and § 18:1 *enar* < AM-
NARE the *n* would represent an [n]. [61] Secondary -M'N-

---

[59] For a structuralist analysis of the de-affrication of this sound see
Alarcos, pp. 23-4.
[60] Badia, pp. 184-7 (map p. 185), gives precise details of the present
dialectal distribution of affricate and fricative resolutions of these nexi.
[61] *Studia*, pp. 136-7.

developed as in Castilian to *mbr*: § 21 *fembres,* § 47 *combregá* < COMM(U)NĬCAVIT.

Simple -N- normally remains when intervocalic, but is elided early as a Romance final consonant: § 8 *té* < TĔNET, § 11 *vi* < VĪNU, § 13 *Franculi* < FRANCOLĪNU, § 18 : 1 *pa* < PANE. Roussillon was in the medieval period a focus of resistance to this elision, hence § 40 *coton, lin,* and § 49 *girman, plen, man* < MANU. The Girona area also showed a repugnance to the change. When followed by *s* (i.e. in the Romance final group -*ns*) the *n* is normally maintained in both OCat. and MCat., but OCat. shows frequent cases of loss: § 27 *contençoz,* § 35 : 1 *pelegris,* § 36 *ges* < GĔNUS, § 40 *rocis.* The pattern shown in § 40, *coton* but *rocis* (the reverse of the medieval and modern standard), was not unknown in the east and south-east of the Provençal domain.

It is convenient to include here other Romance final nexi involving liquid consonants. The simplification of -*nt(s)* to [n(s)] and of -*mp(s)* to [m(s)], not practised in the Balearics nor in most of Valencia (New Catalonia), occurs in the plural forms as from the twelfth century: § 18 : 1 *clamans* < CLA-MANTES, *temns* < TĔMPOS, while in the singular the reduction is not uncommon as from the thirteenth century: § 35 : 1 *concebimen,* § 44 : 1 *declinan,* § 48 *aytan.* These reductions are earlier in Provençal than in Catalan, and so are common in §§ 36, 41, 49, 50, etc. — but again especially in the plural forms, which show the normal fate of tri-consonantal groups. Some other simplifications of final groups are reflected in § 38 *pors* < PŎRCOS and *Querals* (beside *Queralbs),* § 40 *cers* < CĔRVOS, § 44 : 1 *frans* < FRANKOS, § 49 *aquetz* < *ACCU-ĬSTOS,* § 53 *lus* < *ILLŪROS and *menos* < MĬ-NŌRES, § 69 *espes* < SPĒRES.

Like -NĬ-, the group -LĬ- (and with it -C'L-, -G'L-) became [ḷ] in V.L., and then either remained as such or evolved further to [j]; this result, now occurring only in areas of ECat., [62] was

---

[62]　Badia, map p. 208.

evidently more widespread in the medieval language. Some examples of the development of -LĬ- etc. are § 3 *relia* < RĒG'LA, § 11 *reia* (id.) and *maiola* < MALLĔŎLA, § 15 : 11 *fillg,* § 25 *tayar,* § 63 : 3 *vey* < VĔC'LU. A palatalisation of -LL- developed much later, perhaps in the late twelfth century, although in our texts unequivocal examples of its palatalising occur only in the mid thirteenth century: § 31 *aqueilla,* § 34 *peyll,* § 39 *casteyl.* Although it is unusual to find OCat. texts distinguishing at all systematically between the results from -LĬ- and -LL- (and in ECat. at least they must have sounded different), there is in some texts a tendency to employ a spelling *yl* for [ļ] < -LĬ-, and *l* or *ll* for [ļ] < -LL-. [63] Our § 63 : 3 (Vic, 1444) distinguishes clearly between the two varieties of palatal because it comes from an area which practised the development of primary [ļ] to [j]; hence *tayadors, vey, fforroys* < FERRŬC'LOS, as against *escudel(l)es, coltell, anell, payella.* It should be noted that in contact with Ī or Ē the -LL- simplifies to [l] in Catalan.

The secondary Romance groups -T'L-, -D'L- and -J'L- evolved first to [ll] and then either remained as such in most of New Catalonia, or evolved further to [ļļ] — the standard MCat. result; forms occurring in our texts would imply that palatalisation was earliest in the -J'L- group, but confluence appears complete by the thirteenth century. Examples: § 10 : 2 *baglia,* § 19 *badle,* § 21 *bailes,* § 29 *batle,* § 38 *balle;* § 28 : 1 *espalla,* § 49 *espatleres,* § 70 *espales,* § 79 *espatles;* § 48 *veytlen,* § 51 *vetlava* (from, respectively, BAJ'LU, SPAT'LA, VĬG'LA-RE — or derivatives).

The Latin L must have had from an early date in north-eastern Tarraconensis the velar quality it possesses in the modern language, a characteristic counteracted by palatal elements in most of the examples dealt with above, but accentuated in both Provençal and Catalan when the L was implosive; hence

---

[63] Coromines, *Vidas,* pp. 139-41, discusses the problem at length. For a structuralist analysis of the iotacism of the primary palatal see Alarcos, pp. 37-9, who sees it as conditioned by pressure from the secondary palatal < -LL-.

a natural tendency towards the vocalisation of the lateral in primary, and even secondary, -L^{cons}- groups. Examples are legion: § 17 *fauces* < FALCES, § 18:1 *autre* < ALTĔRU and *outra* < ŬLTRA, § 25 *coutel* < CŬLTĔLLU, § 34 *douç* < DŬLCE, § 45 *autzina* < ILĬCĪNA. The velar quality of the *l* is clearly reflected also in common regressive forms of the type § 27 *delme* (= *deume*), § 30 *mels* (= *meus*), § 41 *rail* (= *raïu* < RADĪCE), § 56 *narils* (= *narius* < NARĪCES); the *l* of these forms may perhaps be interpreted as born of a reaction against vocalisation, since in MCat. the consonant is in most cases restored (*falç, altre*). A Latin -L- that remains intervocalic is maintained regularly (leaving aside dissimilations and metatheses), and it is also maintained as a Romance final.

The vibrant -R- (and -RR-) is regularly preserved in Catalan except when it becomes final; in this position, like Romance -*n,* it is elided — but, as in Provençal, much later than the nasal. As in the reduction of some other final nexi, it is in plural forms that the elision is first found, e.g. § 34 *dinés* < DENARĬOS, § 53 *lus* < *ILLŪROS, § 63:2 *cantis* < CANTHAROS, § 66 *carres* < CARRARĬOS, while as an absolute final the *r* is written regularly in the fifteenth century. [64] None the less, § 76 condemns *punxor* for *punxo* < PUNCTĬŌNE.

Such are the salient features of the phonetic development of Catalan; there remain only a few traits worthy of remark, and these will be summarily dispatched.

The group -CT- evolved early to [i̯t], and then, after a front vowel or *a,* to [t]; these evolutions remain stable in MCat. Examples are § 2 *licteras* (for LĬTTERAS), § 10:1 *redretum* < REDĪRĒCTUM, § 14 *pled* < PLACĬTU, § 15:9 *conduit* < CONDŬCTU, § 18:1 *nelet* < NEGLĒCTU. Late maintenance of [i̯] after *a* or a front vowel is attributable to Provençal influence, as are cases of [tš], e.g. *destrig* in § 27.

---

[64] Final *r* is still pronounced in most of Valencia, whether or not is it followed by *s.*

Two other groups involving vocalisation of an implosive consonant are -S'N- and -SM-, e.g. § 20 *almoines* < *ALMOS'NAS, § 40 *raymes* < Ar. RIZMAS and *eymina* < *ESMĪNA; again the difference in evolution between implosive [s] or [z] from -S- and implosive [đ] from -D-, -Ć-, -TĬ- is notable, the former vocalising to [i̯], the latter to [u̯] — DĔCĬMU > *deume*.

The groups -TR-, -DR-, -BR-, and -BL- (and their Romance counterparts -T'R-, -D'R-, -B'R-, -B'L-) present a rather complicated picture, but the basic evolution of these groups would appear to be as follows. The primary groups become respectively *dr, ir, br, bl,* and the secondary ones *r, ur, ur, ul,* so that the general picture is one of vocalisation of the implosive consonant in the secondary groups, and of maintenance (except for -DR-) in the primary nexi. [65]

Romance -N'R- and -L'R- show in OCat. and in Provençal a reluctance to intercalate a glide *d,* and this *d* is still lacking in some dialects (especially in the Pyrenean area, where even an original D, e.g. in the group -ND'R-, may be elided). Examples: § 27 *divenres* < DIE VĔNĔRIS, § 28:2 *tenrán,* § 47 *tendria,* § 73 *volries.* The elision of an original D duly appears in the northern area, §§ 40 and 45 *penre* < PRĔNDĔRE. Unlike the above, the group -M'R- acquires a glide *b* as from the earliest texts.

The groups -MB- and -ND-, whose reduction to *m* and *n* in the north-east of the Peninsula is well known, have indeed become thus simplified in MCat. Cases of -MB- > *m* in OCat. texts are few, in that words bearing -MB- are not numerous, while -ND-, occurring much more frequently, is often found maintained in early texts; the maintenance has been commonly attributed to Provençal influence. Examples: § 9 *chomanna* < COMMANDAT, § 10:5 *emende, emena, con(d)amina,* § 14 *manná,* § 18:1 *vené.* The group -LD- also reduced spora-

---

[65] For a full discussion, particularly of -TR- and -T'R-, see Coromines, *Lleis,* pp. 201-5.

dically to [ll] or to [ʎl]: § 1 *Kaldegas,* but *Calleges* in a later copy; §§ 25 and 42 *caulera* < CALDARĪA. [66] A Romance final *n* < -ND- normally remains, unlike the primary -N- when final, but its loss is stigmatised in § 76 *Galcera per dir Galceran.*

II. MORPHOSYNTAX [67]

1. *Declension*

Unlike OProv. and OFr., Old Catalan shows relatively few cases of maintenance of the nominative case; they occur sporadically, amid almost universal examples of the accusative, in formulaic phrases (e.g. in feudal oaths) and in Provençal-influenced texts. Hence § 9 *fideles* < FĪDĒLIS, § 14 *mos dons* < MĔUS DŎMĬNUS, § 20 *mals,* § 38 *rasi,* § 42 *alcuns.* Examples of misuse of the nominative desinence are additional evidence of its being foreign to Catalan: § 33:1 *del vostre humils capela,* § 43 *veé un… vergers.* The common OCat. *Deus, hom, res* and *senyer* — if this is not vocative — are other examples of the nominative case retained, *res* still in MCat.

The genitive case survives in the names of the days of the week, e.g. § 10:5 *die lunis* and *die mercoris,* § 74 *digous* < DIE JŎVIS, in *lur* < *ILLŪRU, and sporadically elsewhere.

As in Provençal, the dative case is represented in some early OCat. texts by *cui* < CŪĪ; this form was early confused with *qui* and *que,* and hence supplanted by *a qui:* § 10:2 *ille homine*

---

[66] Coromines, *Lleis,* pp. 228-30.

[67] In this section, as in that on Phonetics, mention will be made only of those features of most immediate interest to the student; much information on morphosyntax may be gleaned from the relevant sections of the historical grammars (especially Moll's) and other studies already alluded to. To these should be added the following works: Bastardas; Fabra; Par; Fouché, *Morphologie;* Par, *Qui y que;* Badia, *Complementos;* Badia, *Subjuntivo;* Badia, *Demostrativos.*

CUI Bonifilius la jaccirá, and *ad ipso suo filio de Raimundo comite QUE ille dubitará suo comitatu*, § 7 *a son sengore AD QUI se comanda*. Other examples are § 14 *a chuit*, §§ 16 and 20 *a cui*, § 39 *un cavaler QUE el pare de Corrali avia fet gran be*.

2. *The comparative adjective*

With the abandonment in V.L. of most of the synthetic forms of the comparative adjectives (in -IOR), Tarraconensis evidently vacillated between PLUS and MAGIS as a replacement for the desinence; our texts show a predominance of derivatives from PLUS: § 20 *pus car*, § 35:1 *pus pijors*, § 51 *pus beyla*, § 70 *pus prim*. The substitution of *mes* < MAGIS for *pus* is late in the comparative adjective, although elsewhere it is documented early and rapidly gains ground: § 18:1 *a mes*, § 39 *com mes... mes*, § 56 *mes que* (cf. § 28:1 *plus que*, § 42 *plus de*), § 61 *valria mes* (but *pus coents*). Provençal commonly shows a similar functional division.

3. *The pronouns*

The subject pronouns develop to *jo, tu, el(l), el(l)a, nos(altres), vos(altres), el(l)s, el(l)es*. The form *eu* < *EO of §§ 12, 35:1, 41*, etc. (and the *ey* — for *eu* — of § 50) are attributable to Provençal influence, while the agglutination of *-altres* (acc. case) to the OCat. *nos* and *vos* (nom.) is a late phenomenon, being the generalisation of a turn which had originally an adversative connotation as in MFr. *nous autres, vous autres*. To judge by § 76, *nosatres per dir nosaltres*, it might appear that the agglutinated form was common in speech in the late fifteenth century.

The basic structure and most common spelling of the OCat. object pronouns was as follows:

DIRECT OBJECT	INDIRECT OBJECT	TONIC FORMS
me	me	mi
te	te	ti, tu
lo	li [68]	el
	(h)i < ĪBĪ (pronomi-	
	nal adverb)	
la	li	ela
	(h)i	
se	se	si
(h)o < HŎC (neuter)		
nos	nos	nos
vos	vos	vos
los	los	els
	(h)i	
	(l)lur < *ILLŪRU	
les	los	eles
	(h)i	
	(l)lur	
se	se	si

To these must be added the pronominal adverb *ne* (or *en*) < ĪNDE. [69]

In enclisis the atonic forms elided *o* or *e* following the normal phonetic development of Catalan. [70]

In pronominal nexi the normal OCat. procedure is that the direct object precedes the indirect, except that the neuter *(h)o* and the pronominal adverbs *(h)i* and *ne* are regularly placed last; hence § 6 *A VOS ENDE atenderé*, § 15:1 *nu·LS EN de-*

---

[68] Possibly also *le*. Our earliest texts show *len* (transcribed here *le·n*) < ILLĪ ĪNDE, as opposed to *li·o* < ILLĪ HŎC and *li* < ILLĪ. The tonic dative *lui* < ILLŪĪ (cf. below *cui* < CŪĪ) occurs rarely in OCat., where it appears to be a reflection of southern French influence (e.g. § 10:3 *a lui et suo filio*, § 21 *per colpa de lui* and, in the feminine, *no poc çonoisser en lei* < *ILLAEI).

[69] For a full study of the usage of *ne* and *(h)i* see Badia, *Complementos*, and Moll, pp. 354-6.

[70] On enclisis and proclisis see Coromines, *Studia*, pp. 147-8.

debré, § 10:3 *LO·I atenda*, § 14 *no·L·I vol redre*, § 8 *LI·O defenescha*, § 12 *T'O tenrei*. Some other typical examples of standard OCat. pronominal nexi are § 10:5 *LO LI emende*, § 18:2 *portaren LO-SSE·N*, § 10:6 *fenex-LA-LI*, § 15:3 *ajudaré·LS TE a tener*, § 39 *liurá·LS-LUR*, § 47 *liuram LOS LOS*, § 15:10 *LES ME rechirás*, § 29 *LES VOS agessem retudes* (all of which show the accusative preceding the dative), and § 48 *qerit-LI·N*, § 7 *LOS EN daré* and *non LA VOS ENDE faré*, § 15:1 *jurad LUR EN e*, § 15:11 *e·US O atendré* (showing the dative preceding the pronominal adverb or the neuter form < HŎC). [71]

4. *The possessives*

The medieval language employed two patterns of possessive adjectives differing only in the singular; they were *mo(n), ma, to(n), ta, so(n), sa, nostre, vostre, (l)lur*, and *meu, mia, teu, tua, seu, sua, nostre, vostre, (l)lur*. The latter series, normally preceded by an article, was also used pronominally. Elements from the two adjectival patterns are frequently found intermingled within the same OCat. text, e.g. § 18:1 *de son pare, per les sues folees, per lo feit seu* (also *per lo feit d'el*), *de son poder*, or § 19 *sa dominicatura, la sua dominicatura, unum seu parent, a ssa mort, sso badle*, or § 23 *mon loc e la mia rado*. In the case of *(l)lur* the anteposition of an article appears later (understandably in that it derives from the same source as the ĪLLU article): § 8 *illorum cavalers*, § 14 *lor dret*, § 15:4 *ad illorum ben*, § 26 *ab lurs sols z ab lurs raids*, but § 39 *la lur terra* (and *lurs gens*), § 44:1 *les calitatz lurs*, § 47 *la lur mort*, § 48 *a las lur mides*. It is possible that the tendency to antepose the article in the case of *(l)lur* may reflect the gradual ousting of the

---

[71] For a full treatment of the MCat. object pronouns see Badia, pp. 264-75.

short (atonic) *mon, ton, son* by the full (tonic) *lo meu, la mia* or *la meua,* etc. The *la meva, la teva, la seva* of MCat. arose late, through analogy with the masculine *lo meu,* etc.; the first examples occur in the north-east of the domain in the late thirteenth century — § 41 *la seua gloria,* § 45 *que ... sia seua,* §49 *los tortz meus e lexes meues.* A similar process of analogical creation occurs in Provençal.

5. *The definite article*

Early Latin documents and toponyms of Catalonia show (as do some Romance texts and modern Balearic) that an article from the weakened V.L. demonstrative ÍPSU was at least as widespread as one from a similarly no longer locative ÍLLU; the eventual triumph of this latter must be attributed to the influence of the official language. Examples of derivatives of ÍPSE include § 18:1 *Zamorera, zos porcs e·z bous, zo mas, Za Corit, z'aver seu,* etc., § 20 *za paraula,* § 47 *en sa mar, en es dos,* § 76 *ça casa per la casa, es pa per pa,* but in these Romance texts, as opposed to those written in Latin in the tenth and eleventh centuries, such forms are greatly outnumbered by derivatives of ÍLLE: *lo, la, los, les.* Like the direct object pronouns *lo* and *los* the masculine articles early elided the atonic *o* in enclisis, whence through reinforcement of the remaining velar consonant (e.g. in nexi like § 10:6 *fenex li·l comte),* or through faulty separation of *del* or *que·l,* arose the MCat. *el, els* (and also the MCat. reinforced enclitic pronouns *em, et, el, es, ens, els).* The reinforced enclitic articles, now general except in *lleidatà,* are found sporadically in our texts as from the thirteenth century: § 23 *els clams, el meu,* § 39 *el fil,* § 47 *es dos,* § 76 *es pa;* they occur earliest after a word ending in a vowel.

6. *The demonstratives*

The triple gradation of Classical Latin adjectival and pronominal HÍC, ÍSTE and ÍLLE — replaced in V. L. by a gradation ĪSTE, ĪPSE, ĪLLE — subsisted in Old Catalan; the weakened Latin demonstratives were reinforced with a prefixed *ACCU and evolved to *(aqu)est, aquex* and *aquel* (forms such as § 12 *celes*, § 19 *cels*, § 20 *aicels* and *aizela*, § 27 *acel* being Provençal-type solutions from *ECCE-ĪLLE). However, since our texts show no examples of *aquex* before 1323, and the first example quoted by Moll is of 1300, it is tempting to suspect that the early language had a dual system, akin to that of the Provençal *koiné*. Some examples from our texts are § 7 *de esta ora*, § 9 *ad achel en atendré o·d achella a qui tu o dubtarás*, § 12 *de achelas alods et de la onor que odie abes*, § 23 *per aquest portador d'estes letres*, § 27 *faré veritad cela que sent ecclesia vula*, § 48 *aqexa pedra qe·us sta devant*, § 54 *partex-te d'aquex mal*, § 60:2 *he demanats aquexs II carlins*. Modern Catalan has rejected the (late?) medieval triple gradation for a dual one: standard *aquest* and *aquell*, or dialectal *aqueix* and *aquell*. [72]

7. *The relatives*

The two basic OCat. forms of the relative pronoun, whether tonic or atonic, were *qui* < QUĪ and *que* < QUĔM/QUĬD; they were clearly distinguished in the majority of early texts, *qui* representing the subject case (no matter whether the antecedent was masculine or feminine, singular or plural, animate or inanimate), and *que* representing the oblique case. In some texts, however, and from an early date, *que* is found for *qui*, which it eventually displaces in MCat. except when governed by a preposition (e.g. *amb qui*), or when the antecedent is a demonstrative pronoun or the definite article *(aquell qui, els qui)*, or when the antecedent is merely implied (*qui* = 'he who, whoever'). As an interrogative pronoun, inherently tonic, *qui* has at all times been employed to refer to people, and *que* (MCat. *què*)

---

[72] See Badia, *Demostrativos*. It must be admitted that the earliest texts in this collection do not lend themselves by their subject-matter to the use of *aquex*.

to refer to things. Early examples of OCat. usage are § 7 *membra QUI ... si tene*, § 10:1 *memoria QUI est facta*, § 13 *reger QUI excurrit*, § 15:4 *fills QUI sunt*, and § 7 *kastelos CHE vos mi comendates*, § 8 *monstre...ipso termine KE proclame*, § 10:1 *conveniences QUE...faciunt;* showing *que* for *qui* are e.g. § 10:2 *illa frabezim QUE facta est*, § 18:1 *clerges QUE·i solien estar, Joan de Sen Climenz QUE ere natural*, § 20 *les obres QE son feites*, § 31 *filla QUE fo*. These latter two examples recall a tendency of some writers to employ *que* (< QUAE?) with feminine antecedents, e.g. Llull, § 35:2 *lo concebimen QUI es fet, lo loquitiu QUI especifica*, but *la concepcio QUE es feta, l'altra QUE es defores;* indeed Anfós Par has pointed out that Bernat Metge regularly makes this distinction according to the gender (although our § 61 provides an example of *qui: moltes ... QUI no merexerien).* To sum up what has been said above about *qui* and *que* we cannot do better than examine this same text of Metge, wherein are to be found examples of most of the tendencies outlined: *be es orp QUI per garbell no·s veu* (antecedent implied), *cuydats...que yo no sápia A QUI anats detras e A QUI volets be e AB QUI parlats (qui* governed by a preposition), *de QUE parlavets* (interrogative *què* with inanimate antecedent), *per QUE* (idem), *moltes QUE·n conech* (oblique case), *aquellas QUE·us pertanyen* (nominative *que* after feminine antecedent), *uylls hi ha QUI·s alten* (nominative *qui* after masculine inanimate antecedent), *molts QUI hagueren tengut* (nom. *qui* after masculine antecedent), *una vil fembre ... QUE·us faés* (nom. *que* after feminine antecedent).

The relative *qual,* normally preceded by the definite article, also occurs in our texts as a variant of the two basic relative pronouns, e.g. § 28:1 *una espalla ... LA QUAL los canonges ... deven aver*, § 28:2 *I magenc LO QUAL la ecclesia ... demanne*, § 29 *emfre·LS QUALS*, § 35:1 *portant la creu en vostre muscle en LA QUAL* (but *draps en que jagen), misericordios senyor ple de ... merce DEL QUAL tota gracia ... ve*, or, used adjectivally, § 28:1 *LA QUAL cosa fo contrestada*, § 35:2 *manifestar lo concebimen ... LO QUAL concebimen*. The periphrasis *lo ... del qual* was employed to express the concept of

C.L. CŪĬU (Sp. *cuyo*), which unlike the short-lived *cui* < CŪĪ
has left no trace in Catalan. This unwieldy periphrasis is in
modern sub-standard Catalan commonly replaced by *quin* <
*QUĪNU (formed on QUĪNAM), which properly corresponds
to Sp. *qué* or *cuál*. Examples of its use in our texts are § 24
quinia cantitat, or § 52 *quina es la seyoria* — although here it
is possible that the sense may be that of CŪĬU. Provençal also
knows derivatives of QUĪNAM. [73]

8. *The verb* [74]

Medieval Catalan clearly shows that the V.L. whence it
sprang reduced the four basic conjugations of the classical lan-
guage virtually to three, in *-are*, *-ĕre* and *-ire* (while OSp. pre-
supposes *-are*, *-ēre*, *-ire*); that is to say, that the second conju-
gation is incorporated with rare exceptions into the third. Hence
in § 7 *tolre* < TŎLLĔRE, § 14 *metre* < MĬTTĔRE, *redre* <
RĔDDĔRE, § 16 *conquerre* (MCat. *conquerir*), § 18:1 *rembre*
< REDĬMĔRE, § 19 *entendre, pendre, fer, respondre*, etc.
There was some vacillation in the medieval language, just as
there is in the modern, between the two *-ere* conjugations (e.g.
§ 57 *vaser* — *vaura* < VĬDĔRE, or MCat. *saber* — *sebre*), and
many *-ere* verbs were attracted also into the fourth conjugation,
some in V.L. — § 16 *ademplir* < IMPLĒRE — some in the
Romance period — *conquerre, conquerir*. The situation in Prov-
ençal was not dissimilar.

Like Provençal also, OCat. retained for some time the present
participle (with its adjectival, relative, connotation) side by side
with the gerund (adverbial), although in the modern language the
participle has been replaced by relative constructions. The two
forms fused phonetically already in OCat. (-ANTE > *an(t)*,
-ANDO > *-an*) and given the similarity of their functions con-

---

[73] For a thorough analysis see Par, *Qui y que*.
[74] See especially Badia, pp. 295-331 and Coromines, *Vidas*,
pp. 167-85.

fusion was natural and inevitable. Some examples of the OCat. present participle are § 18:1 *som fort clamans*, § 35:1 *van sercar vos senyer cavalcans*, and of the gerund § 28:2 *dig juran*, § 35:1 *los pelegrins senyer vos serquen portant*. In the case of a participle qualifying a subject in the singular it is not always easy to distinguish in the medieval language between it (the participle) and the gerund, e. g. in § 41 *venc ... lo Seyor ... ontes ɀ injuries abrassan*. The *illuminans la nostra seguea e ab nos estans* of this same text shows Provençal influence in the participle's nominative singular final -*s*.

In common with the other Romance languages OCat. retained derivatives of the C.L. perfect, although the standard language has now rejected them in favour of the peculiarly Catalan periphrastic perfect condemned in § 76 *vaig anar e vaig venir per aní e venguí*. This type of perfect may be concisely described as a generalised historical present tense arising out of affective periphrases of the type *ANÁ PENDRE* (=OCat. *pres*) *aquel serv del rey a la gola* (cf. Eng. 'he went and took him by the throat' = 'he took him by the throat'). Just as in English 'he went and took' may be colloquially turned 'he goes and takes', so *aná pendre* was for the sake of narrative vividness liable to become *va pendre*, hence e.g. § 53 *va pendre II vaxels ... e obrí*. Other examples of the periphrastic perfect are § 43 *fo irats ... e va-li dir*, § 51 *acostá·s al mur e van arborar*, § 53 *apres va tocar ... e de present van exir ... e vengren meyar*. [75]

The new analytical perfect of the Romance languages, formed upon the V.L. auxiliarly verb HABERE and the past participle (or ESSE plus the past participle of intransitive verbs), subsisted in OCat. and subsists in the modern language — except that *haver* is now the auxiliary for all verbs in standard Catalan. Examples of OCat. usage are § 15:7 *les osts qe vos e quovengudes*, § 19 *morabetins que degre aver pagads*, § 29 *depus les vos agessem retudes*, and § 27 *les contençoz qui son estades, tot e vengut*, § 33:1 *no so pugut pujar*, § 33:2 *erem*

---

[75]   See Colon.

estaz (MCat. *haviem estat*), § 72 : 1 *jo·m son aturat, so restat assi, des que so partit*, etc. It is apparent from the above examples that the past participle agreed with the direct object of transitive verbs (as often also in OSp. and regularly in Provençal), but in standard MCat. the past participle no longer inflects ; although medieval examples of the type given above are in the great majority some examples of non-agreement are to be found by the thirteenth century : § 18 : 2 *e·ls esplets qe avien feit*, § 27 *la avia aredad, a perdud ... CCC ssacrifis*, 28 : 1 *no·n avie donad deguna.*

Our final remarks concern the Latin pluperfect indicative and subjunctive — CANTA(VE)RAM and CANTA(VI)SSEM. The former acquired already in V.L. the sense of the modern past conditional or conditional, i.e. *hauria cantat* or *cantaria*, and it is with these meanings — not always easily separable — that the OCat. forms in *-ra* occur in our texts. Examples : § 19 *morabetins que degre aver pagads, no o pogre fer* (MCat. *podria fer* or *hauria pogut fer*), § 39 *ben fóra rao* (MCat. *hauria sigut*), § 41 *poc nos aprofitara* (MCat. *aprofitaria*), § 44 : 2 *si altre... m'o dixés agra sospita* (MCat. *hauria tingut* or *tindria*), § 75 *ffera ultrage ... si engendrat ell no·n hagués* (MCat. *hauria fet*). The *-ra* form is now extant only in Valencia, where it has the sense of an imperfect subjunctive.

The pluperfect subjunctive of Classical Latin — CANTA(VI)-SSEM — is preserved in Catalan with imperfect meaning except in Valencia ; examples of its use in OCat. are legion, e.g. § 14 *si ... me facia tal cosa que dreçar no·m volgés ho no pogés*, § 20 *no dejuná gens per zo qe el agés peccad feit*, § 21 *fo fait acorder que tuit i donessem*, § 27 *manné-li que·m fermás dret*, § 47 *per tal que no vissen*, § 51 *la pus beyla ventura que james hoyssets dir*, § 57 *negun rey qui fos astat*, etc. In Valencia this form is replaced by that in *-ra*, e.g. § 67 *doná orde que ... juraren* (standard OCat. *jurassen*), § 75 *tambe peccara si no·ngenrara* — but also *si·n fos tengut n'aguera·gut*. In conditional clauses the pluperfect appears at times to retain its earlier sense, although as in the case of the conditional or past conditional *-ra* forms it is not always easy to divine the writer's intentions.

Examples: § 44:2 *si altre ... m'o dixés agra sospita* (MCat. *m'ho hagués dit* or *m'ho digués*), § 46 *si vos seynor fossetz e·l regne ben vengra el mantinent a vos e·s mesera en vostre poder* (MCat. *haguéssiu estat*), § 57 *sí·s rapanadí ... si gosás* (MCat. *hagués gosat*).

A NOTE ON THE TRANSCRIPTION OF THE TEXTS

Where it has been possible to consult original sources, or photocopies of them, I have adopted the following system of transcription.

All abbreviations are resolved and italicised, except those of dates, and occasionally those of weights and measures; all abbreviated derivatives of Latin ET are transcribed as *et* (not italicised) up to about 1150, and thereafter as *z*; long and short *s*, *i* and *j*, *u* and *v*, *c* and *ç* and the use of capitals are regularised, and the texts punctuated. Words joined in the original and which are not now joined in the standard written language are separated, but in the case of proclitic or enclitic reduced forms the point of separation is indicated either by an apostrophe (proclisis), or by a raised stop, the *punt volat* (enclisis). A hyphen is employed, as in modern Catalan, to indicate the point of separation of unreduced postponed pronouns, and occasionally also — when an original nexus has seemed to me of especial interest (e.g. § 15:9, line 95, *ched-t'o faça*) — to separate other forms neither of which has suffered abnormal phonetic reduction. The hyphen is also used at times when neither the apostrophe nor the *punt volat* appears apposite: hence in § 18:1, lines 30-31, the original *ene perdud* is transcribed *e·n-e perdud* (MCat. *i n'és perdut*). That is to say that since the *n* < INDE is viewed as enclitic the use of an apostrophe between the *n* and the auxiliary verb *e* is inappropriate (because *n* can hardly be both enclitic and proclitic), and the point of separation, if it is marked at all,

must be marked with a hyphen. Where a word showing procli-
tic reduction is joined to one showing enclitic reduction, e.g. in
col (MCat. *com el* or *quan el*), the raised stop is preferred except
where the second element is *i* or *o* (< ĪBĪ or HŎC); hence *co·l*,
but *t'o* (TĪBĪ HŎC).

I use two diacritic marks: the acute and the circumflex
accents. The latter, seldom employed, serves to indicate cases
where one vowel does duty for two, but only if this cannot be
neatly expressed by use of the apostrophe or raised stop. Hence
in § 19, line 10, an original *Eles exides* is transcribed *Ê'les exi-
des* (representing *E en les exides),* while in line 24 *E·ncara* is
more in accord with modern practice, and more explicit, than
Êncara. The acute accent is used, with one exception, only on
verb forms which might otherwise be misinterpreted, e.g. to dis-
tinguish between the preterite and the present indicative *(clamá
— clama),* or between the future and the pluperfect-cum-con-
ditional *(aprofitará — aprofitara).* The monosyllables *a, e, te*
also bear an acute accent when they are verbal (< HABET,
EST, TENET), but only if there is likelihood of confusion. In
every case the acute accent marks only the position of the stress,
implying nothing as to the quality of the vowel bearing it. The
only non-verbal form bearing the acute accent is the affirmative
adverb *sí,* to distinguish it from the conditional conjunction *si.*

Three types of bracket occur in the transcriptions: round,
square, and angled. Round brackets enclose material which
appears to be redundant; legible deletions in an original are
preceded by an asterisk and also bracketed, while a bracketed
asterisk alone is occasionally employed to signify an original
but illegible deletion. Square brackets enclose material supplied
by the editor, or, if empty, denote an omission or break in the
original; in this collection they are also, and most usually,
employed to indicate readings taken from the transcription of
an earlier editor more skilled than myself in reading the unread-
able. Angled brackets enclose material inserted above the line
in an original, whether in a contemporary hand or not; in the
latter case attention is drawn to the discrepancy in the Notes.

Other devices and signs of more occasional use are: an oblique, to denote the end of a line in an original; three stops, to denote that material has been omitted by the editor; two colons, for the same purpose but signifying also that there is a change in the subject matter. I suppress without comment many occurrences of the *Item* preceding entries in inventories, ordinances and tariffs, as also in the latter two types of text many of the monetary amounts due as penalties or taxes. Also ignored is the repeated *Sig+num* preceding the names of witnesses to documents, a simple [*Sig.*] being inserted before the name of the first signatory only.

Texts whose original I have *not* consulted have for the most part been adapted to accord with the technique of editing and transcription outlined above; details of such adaptations will be found in the Notes.

TEXTS

1

FROM THE ACT OF CONSECRATION AND ENDOWMENT OF THE CATHEDRAL OF URGELL

(839)

3. Kalpiciniano — Calpiciniano (Calvinyà); *4.* Linzirt — Linzirt (Llirt); *8.* Ferrera — Ferrera (Ferrera); *10.* Civici Cevicz Civiz (Civís); *11.* Hasnur — Asnurr (Asnurri); *15.* Lauredia Loria Lauredia (Sant Julià de Lòria); *21.* Kanillave Canilau Canillau (Canillo); *22.* Stamariz — Stamariz (Estamariu); *24.* Karchobite Charcoude Carcobite (Castellnou de Carcolse); *28.* Lothone Lotto Lotone (Lletó); *32.* Addragigno — Adragen (Adraén); *42.* Villa Mediana Vila Migana Villa Mediana (Vilamitjana); *43.* Kasamuniz — Casamuniz (Carmeniu); *47.* Cutenabarcii Codnavarç Cutenavarczii (Conorbau); *59.* Confulente — Confulent (Conflent); *66.* Banieras Banneres Banieres (Banyeres); *68.* Spelunka Espulga Spelunca (Espluga); *76.* Argilers — Argilers (Mas Argelaguer); *81.* Mesapolo Mirapol Mesapol (Moripol); *86.* Illa Tintillagine Tentelagie Illam Tintillaginem (Tantallatge); *87.* Odera — Oderam (Valldora); *98.* Kanavita Canauda Canauda (Canalda); *100.* Helinniano Elingna Elinna (Alinyà); *104.* Mujopulto Mug Polt Mujopulto (Montpol); *116.* Kapudeizo Cabouez Caputeiz (Cabó); *123.* Curtizda — Curtizda (Cortiuda); *131.* Villavetere — Villa Vetere (Vilella); *132.* Neriniano Nerellan Neriliano (Narbils?); *163.* Isavals Isavals Isavals (Iravals); *170.* Avizano Avida Aviza (Vià); *180.* Kaldegas Calleges Calleges (Càldegues); *191.*

Socra Mortua Sogra Morta Socra Mortua (Sagramorta);
202. Keros Albos Chers Albs Cheros Albos (Queralps);
203. Fustiniano Fostena Fustiniano (Fustanyà); 208.
30 Gavarreto — Gavarred (Gavarrós); 210. Molinello
Mulnel Molinello (Bulner); 212. Sallices Salices Sa-
lices (Saldes); 221. Villa Osyl — Villa Osyl (Vi-
losiu); 231. Kastro Adalasindo Castello Adalasindo
Castro Adalasindo (Castell d'Areny); 233. Malangez
35 Malangez Malannez (Malanyeu); 236. Lapides Bellos
Lapidibellus Lapides Bellos (La Baells); 240. Illa Corre
Ipsa Quarro Illa Corre (La Quar); 244. Pujo Regis
Pujo Regis Pujo Regis (Puigreig); 266. Asneto —
Asnet (Ainet).

A. C. S. U.; ed. Pere Pujol, "L'acte de consagració i dotació
de la catedral d'Urgell, de l'any 819 o 839," ER, II (1917), 92-115.
facsim. p. 100.

2

KOIGO SELLS A VINEYARD AND HALF
A WINE-PRESS

(892)

[In nomine domini.] Ego Koigo binditor bos emtores 1
nostros Sunila et uxori tue Ligilia. Constad me vobis aliquid
bindere deberem, sicuti et facio: bindo vobis binea mea
<et medio torculario> in castro Tarabaldi, et abenid miki
ipsa binea per meam comparaci<o>ne, et est ipsa binea 5
in locum que dicitur Binganio. De parte origentis infrontad
in binea Ermenfredo, et de parte ocidentis [in]frontad in
binea Altemiro, et de subtus infrontad in binea Solmone.
Bindo vobis ipsa binea et <me>dio torculario qui est in
Stradasa ab omni integrietate, in (adera) aderato et defito 10
precio, quod inter me et vos bone [pacis] placuid adque
conbenid; id est: kaballos e some balente solidos tri[ginta
tantum, quod vos emtores mihi dedistis et ego binditor de
presente recepi. Et nicilque de ipso precio apud vus non
remansit,] est manifestum. Quo bero ipsa binea et ipso 15
medio torculario ad me binditore tradita, et a bos emptores
nostros ab omni integrietate receabendi, bindendi, faciendi,
comutandi bel quiquid exinde facere bel judikare bolueri-
tis, libera in Dei nomine abeatis potestate. Si quis sane,
quod fieri minime credo esse benturum, quod si ego Koigus 20
aud aliquis de fili[is mei] bel de eredibus meis bel quislibet
omo pro ipsa binea et ipso medio torculario bos inquieta-
berit, aud ego inqu[etabo, infera bel infera vobis aud parti
vestre ipsa binea] et ipso medio torculario dupla vobis con-
ponere faciad, et in ab antea ista carta bindicionis firmis 25
permanead.
Facta karta bindicionis cum decem secte licteras super-

positas tercio kldas. frevarias, anno [V renante] Otone
rege. [*Sig.*] Koigo, qui anc carta bindicionis feci et fieri
30 bolui... [Centullus presbiter, qui anc] karta bindicionis
rogitus iscripsi et ss. sub die [et anno quae] supra.

A. C. A., Vifredo I, 7; ed. Udina, doc. 8, facsim. Plate II.

3

RICHILDA DONATES LAND TO A NUNNERY

(900)

In nomine domini. Ego Richildes femna donatrix. Mag- 1
num mici et satis licitum esse videtur domum Dei construere
et de rebus meis onorare adque concedere pro peccatis meis
redimere, quod sencio et scio me pondere precravata esse
et a domini misericordia consecuta. Propterea concedo 5
adque trado domum Sancti Joannis monasterii situm in
valle Rio Pullense, ubi domna Emmo est deodicata vel aba-
tissa cum suas sanctimoniales ibi deserviunt. Dono ibidem
vinea I terciam partem quod edificavi cum seniori meo
nomine [...]recello, et est in Valle Facunda ubi vocant ad 10
ipsas Tendas. Et in ipsa valle in ipso Pojo que dicunt dono
de terra culta modiatas II, et afrontat de oriente in terra
de eredes meos, de meridie in terra de Sentelde, de III in
jamdicta villa Tendas. Et ad ipsos Furnos dono ibidem de
terra modiatas III, et afrontat de oriente in torrente discu- 15
rente exinde, de meridie in terra Emilone, de III in terra
Sengilde. Et in ipso Pojo dono ibi orto I cum suos arbores,
et afrontat de oriente in terra de eredes meos, de alio in
orto Eleseo. Et dono ibi de rebus majoris vel minoris bove
I, vaca I cum suo vitulo, asino I cum suos utres et bulcias, 20
porcos VI, oves [], destriale I, aixata I, relia I, sogas II
cum suo juvo, mapas parilio I, tovalia I, lecto I. Dono ec
omnia jamdicta ab integrum omnem cum eo quod vissa
sum abere vel possidere, terris, vineis, ortis, pratis, pascuis,
exiis vel regresiis, cultum vel incultum, movile vel inmovile, 25
quod dicit vel nominari potest... Facta donacione VI klds.
madii anno III regnante Karulo rege, filio Ludovigo...

A. C. A., Vifredo I, 9; ed. Udina, doc. 12.

4

GIFTS OF THE MONASTERY OF OVARRA TO RAMON, COUNT OF RIBAGORÇA

(c. 960)

1   Breve. Rememoratorium de ipso avere de Ovarra quod recepit Ragimundus comes filius Bernardi et donavit illi Levila abba et ceteri monachi qui fuerunt in ipso monasterio. Uno freno cum sua alacma in quingentos solidos,
5   quia totus erat purus de argento mundo et de super de auro; et de super dederunt uno anappo de auro et erat in precio VC^{os} solidos ad argenteis, et una spata ubi non habebat rengu nec eltrum nisi de aurum habebat ibi VC^{os} solidos, et IIII^{or} alias spatas, et IIII^{or} loricas, et IIII^{or}
10   frenos granatos cum suas alagmas (ed. alaginas), et II^{as} sellas granatas et I^o motili, et I^o ganabe pallia texta cum auro C solidos erat preciata; et duxit eam filia sua Ava in alleua, et unas sporas de argento ubi habebat nisi broca de ferro, et alias causas nos non potuimus numerare. Et
15   ille sic dedit vobis supra dictas Villas Sillvi et Villa Recones et Rio Petruso per comparacione quod nos donavimus illi isto supra dicto avere. Et qui istas donaciones voluerit nobis inquietare, ira Dei ascendat super illos, amen, et a liminibus sancte ecclesie extraneus efficiat et cum Juda
20   Scharioth porcionem accipiat, amen.

Ed. Abadal, *Pallars*, doc. 183 (from M. Serrano y Sanz, *Noticias y documentos históricos del condado de Ribagorza hasta la muerte de Sancho Garcés (1035)*, Madrid, 1912, p. 334. Serrano used a 12th century copy, A. H. N., Clero, Fondo de Obarra, legajo 377, P 56, a copy now lost).

5

A WILL

(986)

In Christi nomine. Ego Suniefredus levita, sanamente 1
integroque concilio, cepi cogitare de misericordia Dei. Ti-
meo ne subito veniat mihi repentina casu mortis mee, et
ideo hunc testamentum de rebus meis fieri de[c]revi, ut
quicquid in hoc testamentum fuerit subtus annixum firmis 5
et stabilis permaneat modo vel omnique tempore... In pri-
mis concedo a domum Sancti Michelis, que est situs in
chastrum Olerdula, ipsos meos libros antifanario I et lec-
cionario I et prosario I et passionario I. Et ad domum
Sancte Crucis et Sancte Eulalie concedo ibi ipsum mcum 10
alaudem quod abeo ad ipsa chalciata, ab integrum, quan-
tum ibidem abeo vel ereditare debeo, per quacumque voce;
et concedo ibi ipsa mea vinea de ipsa Guardiola, et con-
cedo ibi ipso meo vino de Barchenona, cum ipsas tonnas
III et cubos II et cubello I et parilio I de portadoras, et 15
cannada I et enapo I et escudella I. Et a domum Sancti
Cucuphati martiri concedo ibi ipsos meos domos ubi ego
residui, et ipsas cigas que de intus et de foris sunt, et ipso
cingulo et ipsos ferragenales cum ipsos arboribus qui de
subtus sunt... et concedo ibi ipsas meas fichulneas... et 20
concedo ibi ipsas meas vineas qui sunt ad ipsa Torta, et
concedo illi tonnas II et cubos II et chavago I et exada I
et portadora I, et concedo ibi lurices II et pellicea mea
nova. Et donare faciatis a Sendredus, presbiter, ipso meo
pelliçone novo et ipso meo subrepelliceo... Et donare facia- 25
tis a Bernado ipsa mea targa et ipsa mea lancia et ipsa mea
spada et ipso meo cestenno, et concedo ei ipsa terra que
est ad ipsas chasas de Bellare, et concedo a Ssancio ipsa

terra quod est justa chasas de Senderedus... Et concedo a
30 Lobeto et ad sorore sua ipsa terra ad ipso chodalo usque-
quo in ipsa valle, cultum quam eremum. Et ipsum meum
cavallum vindere eum faciatis cum freno et sella, et dare
pro uno captivo, et ipsum meum argento spanescho dare
faciatis in captivo... Et ad Ermegodo, femina, concedo ei
35 inter (*inter) oves et chapras centum quatuor et parilio I de
boves et alio de vachas cum suis apers... et ipso fusto et
alia tonna quod est a chasa de Abellunio, et cubo I et cha-
vagos II et exadas II et podadoras IIII. Et concedo illi
ciga I plena de ordeo, quod abeo ad ipsa turre, et de ipso
40 meo frumento ipsa medietate... et de ipsos meos drapos
ipsa medietate... Facto testamento nns. novbr. anno primo
regnante Leudevicho rege.

A. C. A., Cartulario de San Cugat del Vallés, f. 121ʳ· ᵛ, no. 402;
ed. Rius, I, doc. 188. The chartulary is in a mid-13th century hand.

6

FEUDAL OATH

(1028-1047)

Juro ego Radolf Oriol filium Mirabile a te Ragimundo 1
chomite filium Ermetruete, et a te Ermesende chomitissa
filiam Gilga. De ipssos chastellos de Aringo et de Oriti go
fideles vos ende seré; go no llos vos devetaré ni devetare
no llos vos faré. Et si de Giriperto meum seniore menus 5
venerit per morte, go a vos ende atenderé sine lochoro che
non vos ende ded(*e)man<da>ré. Quamu aci est (est)
scriptu et omo ligere hic pote sí vos ateré et sí vos atenderé
per directa fidem sine vostro enchanno, per Deum et sanctis
suis. 10

A. C. A., Ramón Borrell, 119; ed. Miquel, I, doc. 141.

7

FEUDAL OATH

(1035-1076)

1   Juro ego Ramo*nde* fili Estafania ad ti Ramo*nde* fili Ermese*nde*. Fid*e*les ti seré d*e* ista ora ad ava*nte* (*fid*e*ls ti) p*er* d*e*recta fed*e* senes to*n* engano, con omo d*e*bet eser a so*n* se*n*gore ad qui se coma*n*da. D*e* esta ora ad ava*nte* non
5   ti dec*e*beré, ni d*e*ceber non ti faré d*e* tua vita ni tua me[m]-bra qui in corpore vestro si tene, ni d*e* tua onore qu*o*d abes ui et ad ava*nte* p*er* m*eu*m co*n*sel achaptarás; agutor la ti seré ad tenere et a d*e*fen*d*ere qua*n*tra totos omines qui te·*n* tolrá*n* o qui tolre te·*n* buega*n*, che tu mi chomonirás o p*er*
10 ti o p*er* vestro misaticho, p*er* nome*n* de sacrame*n*to. Et d*e* les chasteles che vos <mi> come*n*daretes, potestate no vos end*e* vetaré, ni vetare non la vos end*e* faré, ni de dia ni d*e* nuiti. Et si d*e* vos Ramo*nde* chomte suprascripto mens venia, d*e* istos kastelos che vos mi come*n*dates, et d*e* vestra
15 muliere et vestro filio ad qui vos o dubitaretes, p*er* d*e*recta fed*e* ende atene*r*é sines suo e[n]gano, et potestate los en daré p*er* d*e*recta fed*e* ses e[n]gano.

A. C. A., Ramón Berenguer I, 179 sin fecha; ed. Balari, pp. 346-7.

8

DISPUTE CONCERNING THE LIMITS OF GUISSONA AND RIBELLES

(1036-1079)

... et monstre Remon ipso termine ke proclame per Ri- 1
beles, que est de Cion ad enla, che agtan ample lo monstre
de la kom lo té de (za) ad riba de Scio. Et si·n fan batalla
et suo omine de Remon Gonball y venz, ut predicto epis-
copo feneschat ad jam dicto Remon Gonball ipso termine, 5
et emendet ipso malo quod ibi apreenderit ipso kavallario
de Reimundo sic quomodo fuerit judicatum per directum.
Et si ipso suo omine de domno episcopo y venz, similiter
fenescat Remon G. ipso termine... et si i venz ipso suo omi-
ne de domno episcopo, quod Remon Gonball li·o jakescha 10
e li·o defenescha per escrito; et si ipso suo omine i venz de
Remon Gonball, similiter fenescat et jakescat ipso epis-
copo per escrito. E ke sia en so assemblament de ipso
episcopo si·o fará el primerr... aut o rechulirá de Remon
Gonball; et en quale que remanserit... ipsa batalla, simi- 15
liter jakescat et feneschat per exvacuatio scripture. Et ipso
die que metrant illorum cavalers in potestate de ipsos omi-
nes qui·n faciant ipsa batalla, dicat ipso episcopo si pha-
rá·n el primers ipso fromiment (?) o·l rechulirá de Remon
Gonball. 20

Ed. Pujol, doc. I; A. C. S. U.

5

9

FEUDAL OATH

(1043-1098)

1   Juro ego Remonnus filio Balla a te Remon filio Erme-
sen. De ista ora inante fideles te seré per directa fide sine
tuo enganno, quomodo omo debet eser a suo seniore a qui
se chomanna, <et ajutor tibi eri super totus omines per
5 fide sine engano>. Et de illa tua onore que odie abes et
inante achaptarás (*), et prenominatu de Arbuli et de Chas-
tel Sancti, fideles te·n seré (*). Et si de ti dimens venerit, et
infante abueris, ad illum en atendré et bona fide le·n por-
taré per directa fide sine enganno. Et si infante non abue-
10 ris, ad achel en atendré o·d achella a qui tu o dubtarás, per
direta fide sine enganno. Et quomodo hic scriptum est sí
ti·o tenré et ti atendré, per Deum et sanctis suis.

A. C. A., Ramón Berenguer I, 177 sin fecha; ed. Miquel, I,
doc. 79.

10

FEUDAL AGREEMENTS

(1043-1117)

1. 1043-1098. Hec est memoria qui est facta inter Bernardo comite et Pelet. Comande·s Pelet ad Bernardo comite per ipsas viles et per ipso castro de Mont Ros in tali conveniencia / (cia): quod si Artal aut suo fratre vel sui hominis vel cui illi dubitaverint suam onorem fragien ipsas conveniences que Artal aut suo frater faciunt ad illo comite Bernardo, o le·n fragien ad Bernardo comite vel cui ille Bernardus dubitaverit suam onorem, et non erat redretum usque ad centum dies ad Bernardo comite, que Pelet donet potestatem de ipso castro de Mont Ros et de ipsas <vilas> poderosa ment ad Bernardo comite vel cui ille Bernardus dubitaverit suam onorem. Et hoc totum quod superius scriptum est convenit Pelet que sic teneat et atendat illi vel cui ille dubitaverit ipso castro cum ipsas vilas ad Bernardo comite vel cui ille dubitaverit suam onorem. Et hoc totum atendat Pelet, et de isto hominatico non posseat Pelet desfidar neque aquindar Bernardo comite vel cui ille dubitaverit suam onorem.

2. 1043-1098 (?). ...Comandad Raimundus comes ad Bonfilg illum castellum de Alta Riba, la torre et illas casas et illa frabezim que facta est ni chi facta erit ibi perbene. Et convenit Bonfil que donet potestatem ad Raimundo comite per directa fide sine <suo> enganno, et no la le·n ved de nocte neque de die, ab forsfactura neque sine forsfactura, neque ab ira neque sine ira, per illas oras que Raimundus comes le·n demanda potestatem; sí la le·n donet a sua voluntate et a suo mandamento de Raimundo comite, sí la le·n

donet potestatem per directa fide sine enganno. Et si de
Raimundo comite minus venit, que asi o atendat Bonfilg
30 ad ipso suo filio de Raimundo comite que ille dubitará suo
comitatu, per directa fide sine suo enganno. Et si de Boni-
filio minus venerit, que sí o atendant sui filii de Bonfilg, aut
ille homo cui Bonifilius la jaccirá per jaccizon aut per baglia
que sí o atendat ad Raimundo comite aut a suo filio cui ille
35 dubitará suo comitatu.

3. *mid 11th century*. Hec sunt conveniencias que facit
Mir Guillelm a Ramonno comite de ipsas villas d'Ales et
de nora sua. Que habeat uno receto una soldada de carn
et VI quarteras de civada et XLVIII fogazas et XII sesters
40 de vino; et abeat in Castevillo ipso comtivo que retenuit
Ramon Suner a la carta che·n fed ad Altemir Asner, et que
habuit Ramon Nino in dias de Alaman. Et de ipsa conve-
niencia jamdicta es sos hom Mir Guillelm de Ramonno
comite, que lo·i atenda per fed esters engan a lui et suo filio,
45 et Ramon comes receb-le·n ad homen ab fed esters engan.

4. 1055-1098. Hec est conveniencia [que est facta inter]
Arnal et Odger suo patre ad Raimundo comite et a Valencia
sua mulie et ad suos filios. Que illi donat Arnal et Odger
suo pater baglia et Kastel Tallad entrar et ixir et geriar
50 quantra totos homines extra ipsos filios de Rodlan Richolf,
et per unumquisque anno donent illi recet I modio de or[deo]
et alio de avena et pane et vino et carne ad XX cavalarios.
Et Raimundus comes teneat ista baglia per fide estiris engan
contra totos homines.

55   5. 1094-1110. Hec est conveniencia quod facit Artall
cum Roger Bernard in Mont Cortes denante Artall suo filio.
Et convenit li Artall che li pledeg lo termen de Castilgon
cum ipso comite, et si non lo pod guarir per directo quod
ille lo li emende; et Roger Bernard convenit li servicio de
60 illo castellano de Castilgon et de illos homines qu'á ab <lo
castello>. Erat establid de die lunis usque ad die mercoris

ad vesp*er* infra Palgars. Et Roger Bernard donat le·*n* 1
alsperg et una mula p*er* XLª uncias che manlevá d*e* Bere*n*-
ger Bernard p*er* ço che acsi li·o faça, et reddet li la conamina
d*e* Salass; et si la condamina voluit tener*e* Artall faciat 65
le·*nde* emena ad laudame*n*to d*e* illos homines d*e* Salass, aut
reddat illi ipso p*r*ecio qu*o*d suo pat*er* li doná. Et fuer*unt*
ibi Mir Girb*er*t et Mir Roger et Bere*n*ger Bernard. [*Sig.*]
Artallo, Hislonza comitesa.

6. 1117. Hec e*st* memoria de emenda ke fa Pelet ad 70
illo comite B*er*nardo p*er* mals et p*er* guerras que ad illo
fec*it,* et quare fuit ad sua p*er*sone forcia et adjutorio et
presod illo suis manib*us.* Et p*er* totas istas malas que ad
illo fecit emendat illi ip*s*a quarta parte d*e* Galiner, et fenex-
la-li Pelet che(l) ille no la li rancur, ille neq*ue* ho*m* v*e*l 75
femi*n*a p*er* suo co*n*silio, et ke la faciat finire a ssuos f*ratres*
ad sua pote*n*cia. Et p*er* hoc totu*m* che siat Pelet suo homi*n*e
de illo comite, ke acsi li attendat p*er* fide sin*e* engan. Et
p*er* hoc totu*m* ke dona Pelet ad illo comite fenex-li·l comt*e*
suas ra*n*curas p*er* fide sine engan. Et convenit Pelet al co- 80
mite ke no li forsfaza ad si neq*ue* ad sua honore si no*n* erat
cu*m* Artallo o cu*m* illo q*ui* in suo loco ven*er*it. Fact*a* ista
conve*n*ie*n*cia XIIII k. julii. [*Sig.*] Ramo*n* B*er*tran de Monta-
niana... Arnal Mir d*e* Castellon. Testes su*n*t. Era MªCLV.

1. A. C. A., Ramón Berenguer III, 10 sin fecha; *2.* A. C. A., Ra-
món Berenguer I, 16 sin fecha; *3.* A. C. A., *LFM,* f. 43ᵛ; *4. id.,*
f. 34ᵛ; *5.* A. C. A., *LFM,*
f. 36ᵛ. Numbers *1* to *4* and number *6* ed. Miquel, I, docs. 138, 88,
113, 81 and 93; number *5* ed. Miret, p. 106, facsim. p. 107. The
LFM is for the most part a 13th century compilation.

11

A WILL

(1066)

1   In Dei nomine. Ego Sicards jaceo in egritudine et timeo
ne repentina mors michi veniat, et dico pro anima mea et
jubeo atque discerno ut sint elemosinarii mei Andreas abba,
et Miro clericus, et Guilabert Bonifilii. Rogo vos elemosi-
5 narii mei jamdicti per Deum et per illam fiduciam quam
abeo in vos, ut distribuatis omnem meam substanciam sicut
hic inveneritis scriptum. In primis concedo ad domum Sanc-
ti Cucuphatis ipsum alodium quod habeo in Maritima, cum
ipsa ecclesia qui ibi est in locum que dicunt Valedex sive
10 Civitas Fracta, totum ab integrum cum exiis et regressiis
suis, et cum terminis et afrontacionibus, ut omnibus diebus
serviat ad domum Sancti Cucuphatis et fiat ad opus de sa-
cristia, cum cubs II et tonna I et ss. XIII de blad qui ibi
sunt. Et iterum concedo ad domum... parilio I de bous,
15 cum illorum aper et someres II^as et puli I et oves XVIIII
et capras VIII et ipsum precium de vino quod debet Joan
Marcuç, quod vendidit hoc anno, et quarta I de forment.
Et concedo ad Sanctum Stefanum ipsa mea maiola, et ad
filia mea Arsendis vaca I et somera I, et concedo ad Guila-
20 bert puli I cavali et bove I bragad et vacca I et reia I et
oves VII et draps II de lit optimos et ipsum vinum qui est
in Maritima. Et concedo ad Ermengards draps II de lit...
et ad Bremon cubs II et tonna I qui est in ipso mas quod
ipse tenet. Et iterum concedo ad domum Sancti Cucufatis
25 alias vaccas qui remanent, et tonna I de vi et guadengs IIII
et quat I et feltre I et plumaçs IIII et mapes II et tovalias
II et porcs VII et porcels VII et paos VIIII et occes VI
et anads VI... Factum hoc testamentum II k. octobr. anno
VII regnante Filipo rege.

A. C. A., Cartulario de San Cugat del Vallés, f. 316^r, no. 945;
ed. Rius, II, doc. 650.

12

FEUDAL OATH

(Last third 11th century)

Juro ego Guille*l*m Ponç, fil d*e* Bonadonna fe*min*a, a ti 1
B*er*tran, fil de Guila fe*min*a, che eu d*e* ista ora in antea
fidels te serei sen frau e mal engien e ses neguna deceptio,
cho<n> om deu esser a son senior chui manub*us* se coman-
da. Juro ego Guille*l*m Ponç, fil d*e* Bonadonna fe*min*a, a ti 5
B*er*tran, fil d*e* Guila fe*min*a, che de ista ora in antea no·t
prendrei ni no·t reterei ni no·t oucidrei ni no·t tolrei ta vita
ne ta me*m*bra q*ui* a ton corps se ten*et*, ni d*e* achelas <alods
et de la> onor que odie abes ne che ena[n]t ab meu consel
acaptarás no la·t tolrei ni no te·n tolrei. E si es om o fe*min*a 10
chi la·t tola ni te·n tola, aitori te·n serei p*er* directa*m* (?)
fez sen engan, e totes celes veds che me·n comonrás p*er* ti
o p*er* tos missaticos comoniment no me·n devedarei e del
aitori no·t engannarei. Sic*ut* sup*er*ius es escrit sí t'o tenrei
e sí t'o atendrei p*er* dreta fez sen engan. 15

Ed. Miret, pp. 105-6, facsim. p. 105.

13

THE COUNTS OF BARCELONA DONATE LAND IN
THE REGION OF OLLERS

(1076)

1   In Dei nomine. Nos pariter, silicet Raimundus Beren-
garii et Berengarius Raimundi, gratia Dei barchinonensis
comites et marchiones, donatores sumus tibi Adalbertus
prolis Sendredi. Manifestum sit etiam qualiter donamus tibi
5 alodium nostrum proprium quod abemus in comitatu bar-
chinonensi in ipsa marcha extrema in loco ororis et vaste
solitudinis ipsa quadra de Olers, in loco ubi melius videris
ad conderdimentum, ad facere infra illo termine ut ibi
facias. Et (ms. A) advenerunt autem nobis prefata omnia
10 per vocem patris nostri qui condam obiit vel aliis quibus-
libet modis. Habet autem terminum universa hec: ab orien-
te jungit se in ipsa serra prope Pedrina, hac decendit in
ipso reger qui excurrit a diebus pluviarum de Pedrina, et
pervadit ad ipso reger de Toschela qui excurrit similiter, ac
15 sequet ipso torrent de Olers vel in termine de Angera, et
pervadit ad ipso extret qui est in plana de Angera, ac jungit
se in ipso torrent de Angera et sequet ipso torrent Angera
usque in alio torrent qui excurrit de plana de Angera, ac
acendet per ipsa exponna per termine Angera, et s<e>quet
20 illa exponna usque in ipso orto de ipsa albareda, ac per-
venit in ipso reger qui excurrit de illas fontes de Barbera;
a meridiana vero pars jungit se in ipsa ripa de ipsa Cegera
ac acendet per ipso pug, ac taliad se per ipso Col Bex quo
jam terminatum est inter Apiera et Olers, ac sequet illa val
25 qui excurrit de illa casela et pergit per ipsos pujols et taliat
se per ipsa pared antiga et per ipso Collo Bex et per ipsa
aqua de Franculi ubi dicunt ipso Amalcher; de occiduo

jungit se in ipsa Spulga de Franculi; a parte circii resedit
per ipso comelar de Arbocz et pervadit ad portas de Ana-
veg, ac ascendet per ipso castelar de Olivela et pervadit ad   30
ipsa aqua qui excurriid de Flodrig usque ad ipsos cinglos...

A. C. A., Ramón Berenguer II, 3; ed. Miquel, I, doc. 259.

14

GRIEVANCES OF GUITART ISARN, LORD
OF CABOET

(1080-1095)

1   Hec est memoria de ipsas rancuras que abet domnus
Guitardus Isarn*us*, senior caputense, de rancuras de filio de
Guillelm Arnall et que ag de suo pater de Guilelm Arnall;
et non voluit facere directu*m* in sua vita de ipso castro de
5 Caputense che li comanná. Et comanná-le·*n* Mi*r* Arnal que
en las ostes et en las cavalgades o Guilelm Arnal es ab mi
che Mi*r* Arnall sí alberg ab Guilelm Arnal, et si Guilelm
Arnal me facia tal cosa que dr<e>çar no·m volgés ho no
pogés, ho(s) si·s partia de mi, che Mir Arnall me romasés
10 aisi com lo·m avia al dia che ad el lo commanné. Et in ipsa
onor a Guillelm Arnal no li doné negu domenge ni esta-
bliment de cavaler ni de pedo p*er* gitar ni p*er* metre quan
li comanné Mi*r* Arnall. Et dixit m*ih*i Guilelm Arnall et
coveng m'o che no siria mos dons ni m'afolia p*er* nullo in-
15 genio. Et ego dixi ad Mi*r* Arnall in presencia de Guilelm
Arnall que de quant avia in Mi*r* Arnall no me·n jachia re,
et sic*ut* in ista pagine est scriptu*m* sic donavit Mir Arnall
ad Guilelm Arnall. Et fuit rancuros de Guilelm Arnal e
sson·o del fil quar sí pres mils Mi*r* Ar*n*all che jo no·l li
20 doné, e·l sí fed a ssi solida*r* e·l comanná a ssa muler et ad
suo filio a chuit no·l doné ha*n*c. Et rancur-me·n del castel
de Caboded hon jo pris podstad p*er* mal che Mir Arnall
m'avia fait et dict a mi et a ma muler, e rredí·l a Guilelm
Arnall aissi com jo·l·i avia comanad. Et el redé·l a Mir
25 Arnal et fed-le·n fer convenença che no·m estacás dret e
che no·l me fedés sens el. Et illu*m* tortu*m* che el me·n fed
et dreçar no·m volg jachí·l a ssuo filio, et jo fuit rancuros

del fil; e fforon-ne judicis donads et aculids et Mir Arnall
fer no·ls me volg. Et fuit rancuros de Guilelm Arnall e
sson·o del fil, quar d'altra gisa an Mir Arnall si(n) no com 30
jo lo·ls doné. E sso rancuros de Guilelm Arnal quar fed
conveniencia de la mia onor ab suo fratre senes lo men
consel e·l men sobud, et non·o laud ne non·o hautorg. E
per ço non·o rancuré in vita de Guilelm Arnal quar non o
sub entro mortuum fuerit Guilelm. E sson rancuros de Mir 35
Arnall del castel de Caboded, quar n'ere mes e·l recobrá
d'altra guisa sino com lo·s avia. Et son rancuros quar soli-
dá de la mia onor a Guilelm Arnal et ad sua mulier et ad
suo filio, et son rancuros de les toltes e de les forces que fa
en la mea onor del servici de Kastel et del Pug que ad 40
illum non debent facere. Rancur-me·n de la cavalleria de
Mir Guilabert qui no m'es servida. Rancur-me quar des-
mentist ma mulier ante me, e de las folias que li dexist
davant me, et rancur-me de Mir Arnall de la casa de Box-
tera che s'a presa e m'a tolta, et non debet abere nisi solum 45
decimum. Rancur-me de I bou de Oliba d'Ares, e no·l·i vol
redre. Rancur-me de I vaca de Guilelm Oler, no la vol
redre. Rancur-me de la casa de Pere Baro, et tollit servi-
cium et non debuit abere. Et rancur-me de Guilelm Arnal
de Rivo Albo, que dedit a Mir Arnall senes meo consilio, 50
et tu non i avias nullum stabilimentum sine meo consilio.
Et rancur-me·n de Mir Arnal quar lo pres sine meo con-
silio. He rrancur-me de Mir Arnal quar d'altra guisa elegit
bajulum en la onor de Guilelm Arnal siino con el·o manná
in suum testamentum. Et totas istas rancuras que avia 55
de Guilelm Arnal et é de suo filio et de Mir Arnall sic
relinquo ad mulier mea et ad Mir filio meo. Et preco totos
meos omines per fiduciam quam ego abeo in illos, et illos
bajulos quam ego abeo electos in meo testamento per Deum
et per fiduciam quam ego abeo in illos, que vos adjuvetis 60
ad mulier mea et ad filio meo per pled et per gera tro lor
dret los en sia exid.

Ed. Miret*RH*, pp. 11-12, facsim. facing p. 10.

15

FURTHER SELECTIONS FROM FEUDAL DOCUMENTS

(1039-1131)

1   **1. 1039-1050.** ...et ego Ermemir sup*ra*scriptus d*e* ista ora in antea nu dedebré Reimu*n*dus nec Elisab*et* ja*m*dictos de illo*rum* vitas nec d*e* illor*um* me*m*bris que in corp*us* illo*rum* se tenent... nec de ipsa parrochia de Chasteltalad, nec 5 de ipsa do*m*negadura que comes ibi abere deb*et*... et nu·ls en dedebré ni mal nu·ls en-menaré, et adjutor illis ero ista om*n*ia suprascripta ad tenere... et de ipso adjutorio nu·ls e[n]ganaré et sine e[n]gan lur en ajudaré... et... si ego eum sup*er*vixero ad ipsu*m* filiu*m* cui ja*m*dictus Reimu*n*dus di- 10 miserit ipsa*m* civitate*m* d*e* Barchinona, tale*m* sacrame*n*tum le·n juraré e le·n tenré quale*m* ad ja*m*dictum Reimundu*m* et ad ja*m*dicta*m* Elisab*ez* jurad lur en e. Sic*ut* superius scriptu*m* est sí·o teré et o atenré...

    2. 1043-1098 (?). ...et Pere Mir et Bernard Pere no*n* 15 se·n veden veder a Raimu*n*do comite ne*que* a suo misso. Et si Bonfilg le·n vedava potestate*m* (*qu*o*modo hic) et no la le·n donava acsi q*uo*modo hic e*st* scriptu*m*, que Pere Mir et Bernard Pere le·n valea*n*t ad Raimu*n*do comite p*er* di- recta fide sine [e]ngan tro li faça*n* donar potestate*m* d*e* illo 20 castello d*e* Al(*l)tariba p*er* directa fide sine engan. Et si nullu*m* damnu*m* venia ad Raimu*n*do comite p*er* lo deveda- ment d*e* la potestate*m* d*e* illo castello, que sí le·n ajud Pere Mir et Bernard Pere tro Bonfilg le·n agéss emendat lo don qui venria ad Raimu*n*do comite...

25   **3. 1048.** Juro ego Reimu*n*d*us* fili*us* de co*n*da*m* Engil-

rada *femin*a quia d*e* ista ora in antea fidelis ero *tibi* Bernardo... d*e* castro Rio Rubio et d*e* castro Arraona et d*e* illor*um* t*er*minis et p*er*tinenciis et d*e* ipsas fortezes que in illor*um* v*e*l infra illor*um* t*er*minos su*n*t, et d*e* ipsas rochas et d*e* ipsos pujos co*n*directos v*e*l eremos... et ipsos castros 30 suprascriptos no·ls te vedaré ne no·ls te d*e*vedaré nec ab forsfeit nen a sens forsfeit, et ajudaré·ls te a tener co*n*tra tots homines et co*n*tra totas *femin*as qui tolre·ls-te volgesen o·ls te tolgesen...

4. *c*. 1050. Ego Guilielmus... non dezebré Raimun 35 filius qui fuit de Em femina... de suos fevos vel alodes vel baglies... et ego Guilielmus... non o tolré no no le·n tolrei ad Raimun prescriptum... et de jamdictum comunimentum comonir no·m vedaré et jamdictum adjutorium sine engan lo li faré, exceptus corpus de Guilielmo comite de Bisil- 40 dum. Et ego Guilielmus jamdictus finem nec treuvam nec societame*n* non auré ne ńo teńré ab Pere et ab Esteven et ab Bernard, fills qui sunt de Gerberga femina, ad illorum ben neque ad damnum jamdicti Raimundi... similiter o faré fer ad meum filium... 45

5. 1060. Hec est co*n*veniencia que fecit Azemar Remun et Guiellm Ramu*n* ad Andrea abba *Sancti* Joha*n*nis... e comonir no me·n d*e*vedarei ego Wiellm*us* et Azemar sup*ra*scriptus, neq*ue* de ipsu*m* adjutoriu*m* no·t / tc·n enga*n*na*r*ems. Et si tu Andreas abba guerra*m* habueris, nos 50 Guiellm et Azemar p*re*scripti tecu*m* erim*us* et de te no·ns partirems sine tua volu*n*tate et sine tuo gradiente a*n*imo, et sine tuo engan te·n ajudarems. Et si nos Guiellm et Azemar p*re*scripti sic*ut* superi*us* scriptu*m* e*st* no t'o tenie*m*s e no t'o atennie*m*s, tib*i* Andrea*m* p*re*scriptu*m* ista pignora 55 p*re*scripta incurrat in tua potestate sine tuo engan ad faciendu*m* q*u*od*c*umq*ue* volueris...

6. 1069? De ista hora in antea ego Guill*el*mus filius Garsend non dezebrei te Ermengarts filiam Rangartz, ni te

60 Bernardum ac filium Ermengarts, de castello quem vocant
Saixag, de ipsa turre ni de las tors ni dels murs ni de las
forcias que ibi hodie sunt et in antea ibi erunt factas. Ni·l
vos tolrey ni te·n tolrei ni·l vos vedarey ni·us en vedarei...
et ab illos neque ab illas qui vobis illum tollant ni·us en
65 tollant finem nec societatem non auré ni non tenrey, ni
treguam non aurei for qual vos i aurés me sciente, usque
ipsum castrum jamdictum de Sexag recuperatum habeatis...

7. 1072-1079. ...et adjutor ero vobis de vostro onore
quem modo abetis vel in antea adquisieritis cum meo con-
70 silio qui la·us tolent o·us en tolen contra cu[nc]t[o]s omines
vel feminas. Et si de les osts qe vos e quovengudes in ipsa
conveniencia o de la valença de vostra onor ren vos en pas-
sava o vos en frania efre quaranta dies qe vos me·n co-
monreds per vos o per vostres missadges, que ous·o reder-
75 ga per fed sen vostr'engan. Sicut superius scriptum est sí
vos·o tenré e vos·o atendré per fidem sine engan.

8. c. 1075. ...et de tuo adjutorio no<·m> desvedarei
ne no te·n engannarei, ne acomonir no me·n vedarei, per
quantas vegadas lo·m manarás o me·n comonirás per te
80 ipsum aud per tuos missos vel missum. Et de ipso castello
qui est in villa Salses potestad no te·n vedarei ne esta<d>ga
per quantas vegadas me·n demanarás per te ne per tuos
messages...

9. c. 1088. ...et ipsos consilios unde tu me comoni-
85 rás per nomen de isto sacramento che te·n cel, no te·n des-
cubrirei. Et ipsum tuum fratrem aut tuum nepotem cui tu
jachirás aut testabis tuum vicecomitatum ad illum dabo
potestatem de castello de Serralonga sine suo engan, et sine
lucro quod ei non queram, infra XV^{cim} dies que el me·n
90 comonirá per nomen de isto sacramento... Ego Raimundus
Bracads convenio tibi Guilielmo vicecomite vel archidia-
cono che·t faça tes osts et tuas cavalgadas, et ut vadam
aput te in hosts aput meum conduit et aput meos homines,

et vociferem tua signa et alberg ab ti. Et hec omnia conve-
nio tibi ched-t'o faça et t'o atena tot sine tuo engan.   95

10. 1107. Juro ego Ermengod Joçbert... ad te Gauce-
ran Mir... et deincebs non te dezebré... de ipsos kastellos
de Josa et de Orsera et de S. Romani et de Gosal, neque
de ipsas fortedas... no les te tollré... et per quantas vegadas
los recherás o les me rechirás... potestatem deliberam de   100
eos... sene vestro engan...

11. 1131. Juro ego Mir Guitard fillg de Gebelina fe-
mina ad te Galceran fillg de Adalez femina, et ad te Stefa-
nia filia de Loucia femina, et ad te Galceran fillg de Stefa-
naia femina, quod de ista ora inant fedels vos seré de   105
vostros quars et de vostres vides et de vostres membres qui
en vostros cors se tenen, et de vostra honor che ara aveds
ne anant per ab lo meu consellg acaptareds, per nome de
castro de Orsera et de castro de Josa et de Sen Roma et
de fortedes chi ara i son ne anant i serán. Ego Mir Gitard   110
acsi us·o (ed. suo) tenré e·us o atendré per Deum et hec
sancta.

· *1.* A. C. A., Ramón Berenguer I, 69 sin fecha; ed. Miquel, I,
doc. 205 (from a later copy, Ramón Berenguer I, 69 dupl.). *2.*
A. C. A., *id.,* 42 sin fecha; ed. *id.,* I, doc. 89. *3.* A. C. A., *id.,*
105; ed. Milá, p. 290. *4.* Ed. Alart, pp. 14-15; A. P. O., série E,
fonds de la famille d'Oms-Calvo-Bassèdes. *5.* A. C. A., Ramón
Berenguer I, 265; ed. Milá, p. 290. *6.* A. C. A., Alfonso I, 275;
ed. Miquel, II, doc. 827. *7.* Ed. Miret, p. 104, facsim. p. 105. *8.*
A. P. O., B4, no. 7 (old number 323); ed. Alart, p. 25 (also Al*Cart,*
doc. LVII). *9.* A. P. O., B72, no. 318; ed. Alart, pp. 22-4 (also
Al*Cart,* doc. LXVI). *10* and *11.* Ed. Pujol, docs. II and III;
A. C. S. U.

16

FRAGMENT OF THE *FORUM JUDICUM*
IN CATALAN

(First half 12th century?)

1   ... e perduda, exes si poden provar que per frau o per
galidansa d'altres omes o per mandament leial foron en-
combrats qe non·o pogron ademplir aicelo enfre sis meses.
La voluntat del defunt scrita de pos que fo mort enfre
5 sis meses sie publicat.
Volontat d'aqel o d'aqela qe testa en sa vida de pos sa
mort ans qe sis meses sien passats sie publicada e mani-
festada, e per escriptura davant qual qe sacerdot o davant
tests. E si alcun cela et amaga aquela voluntat del defunt,
10 tant compona de so propri aver ad aquel a cui fon testat
quant pogren conquerre o aver per auctoritat de la scrip-
tura de las rcs del defunt...

Ed. Dom Anscari Mundó, "Un monument antiquíssim de la
llengua catalana," *Serra d'Or,* Any II (1960), 22-3, part facsim.
p. 23; Montserrat, MS. 1109.

17

AN INVENTORY

(First half 12th century)

Breve vel querimonia que habuit Bernardus Pere babti- 1
dad de Arnal Pere. Primum X parilios gallinas et V parilios
occas, et camisas VIII de lin obtimas, et unas bragas, et
una savana obtima, et unum mantel de diuit, et unes pels
de cabridis, et guadengas III, et I guat, et I boraç, et unes 5
mapas, et unes tovaies, et flads III de lin, et parilios I ana-
des, et estopa de lin I cova, et caseos VIII obtimos, et
quartera I, et sedaços II obtimos, et ercudeles (?) IIII, et
duos coltels, et dues goneles de fembra obtimes et una de
omine, et I plomaç, et I choreg, et I borsa, et VII dineres, 10
et I tosoras, et I cavadel, et I una rasora et IIII fauces.

A. C. A., Extra Inventarios, 3484; ed. Miret, p. 108.

18

GRIEVANCES OF THE MEN OF SANT PERE
D'ESCALES AND OF HOSTAFRANCS

(12th century)

1   1. Zo son clams de tons los homens de Sen Pere de
Escales luin ni prob que fan a Senta Maria e al bispe e
a tot lo covent de·n B. Dezvilar e de son pare, que an la
casa de Sen Pere afolada e desfeita. E ogans com prime-
5 rament per les sues oradures e per les sues folees e per
lo feit seu quez-el faie fo la casa de Sen Pere trencada e
robada e cremada, e no per clam de Sen Pere ni de Senta
Maria de la Set. Ahi ilex trasc-ne I libre que vené LX
sol. a·n P. Vila, e tras/h-ne autre que vené a La Corit XX
10 e V sol., perque, senors, l'esgleria n'e pis servida. Outra
azo a la onor venuda e·npignorada, e ogans com in primis
los molins de Caned per CC sol. inpignorá, e lo mas de
la Saladoora que solie dar a Sen Pere de pa e de vino e
de carn la meitad. E per LXX sol. que B. n'ag torná·o
15 a sensum, que no fore obs a la casa per M sol., e·l sensum
d'aquel mas a(1) mes inpignorá, e anant (ed. an aut) los
molins de La Corit e les joves e·ls quarts a mes inpignorá
per CL sol. Ahi ilex les conamines que ssolien laurar ab
la jova a tornades a sensum per aver que·n pres, perque
20 III clerges que·i solien estar ara no·n·i está for I, e aquel
mor·i de fam. Ara, senors, dels homens de la onor que-n'a
ditans perque los homens no poden sofere, primerament
G. de Zamorera e A. Zafont e·n-Arlovi e·n Gerat aquens
tonts (ed. totes) IIII que n'a ditas, on nos som fort cla-
25 mans. Ara, senors, ogans les males feites autres quez-el
fa en la onor: primerament II mases a Vilalta que robá
per II vegades, e·it fé be de mal qui valg be MCC sol.;

ʒ alia vice venɡ az alberg de·n G. de Margenedes e mená-
se·n zos porcs e·z bous e tot aitant cant i trobá, perque zo
mas ne valrá tonts temns (ed. totes temes) meins e·n·e ₃₀
perdud; e anant venɡ e·l mas de la Muntad, vingu·i II
vegades e fa·i de mal qui valg CC sol. en diners. E anean
torná·i e·l mas ilex de la Muntada e pres l'ome e l'aver e
la roba, e tenɡ·o pres tot VI senmanes, e a cab de sis
senmanes fet pleid zel ome, e fet-lo jurar manves sus a Sen ₃₅
Cristoval de Buse que no(s) se·n clamarie; tot azo li fet
a·quel om per nelet que no avie. E anant venɡ I jovenob
estar, per nom Joan de Sen Climenʒ, que ere natural de
Za Corit, e pres-lo per queocom d'aver ques-avie, e pres
z'aver seu; e com lo se·n-menave pres <e> el no volie ₄₀
anar, e per zo car el no volie enar pres-lo pez collons e
cuidá·l ociure, e tenɡ-lo pres e fet-llo rembre, e ag-ne tot
lo seu per nelet que el no avie; e can exí de son poder
fet-lo jurar manves que no se·n clamarie. E anant los
molins de Sen Pere de La Corit que foren cremans e·sde- ₄₅
rocants per lo feit d'el. E anant fa·ls En B. Dega autre
mal als homens de La Corit: met-se en covenenʒa ab zos
cavalers e ab los homens de Pesquels per fer dez seu, e
sobre azo el no·ls aten re d'aquel feit, e venen aquels sobre
los homens de La Corit e pignoren los homens e son-ne ₅₀
robans, perque los homens s'an a pagar aquel·aver; e
anant a tenɡunds desvedads los homens de La Corit d'en-
trada de quaresma enza per nelet que n/os no avem; meins
(?) de tot azo·a pledejants los homens de La Corit per
sotreita d'aver, e no per nelet que en els trobás, e·n-a agud ₅₅
de cada-u qui XX sol., qui XXX, qui X. E de tot azo
som clamans nos de tons aquests clams e de la casa d'Esca-
les que el a desfeita; e atenem-ne a <Senta Maria ʒ> al
bispe e a tot lo covent que s'endrez tot aquest feit. E·n
la guerra de·n G. de Belevezer e de G. de Sentafe donaren- ₆₀
se los fils de·n Bernard Dega, ez-els tenien la casa en poder
e desferen IIII mases ab En G. de Belver.

2.   Hec sunt res qe B. de Peramola e Na Ramia tolgren

als omens d'Astafrancs. A Jovan Berenger e a R. Tora
65 III miger. de for. que valie sete sol. una quiega, e Iª somera
que valie XX sol., e a Jacme Arbert traseren lo vi de la
tona e portaren lo-sse·n a Cuncabela. E trencaren la
francea de l'eglesia d'Urgel, e preseren A. Nebot dret que
avie fermat e giat que l'avien, e trascen-lo de l'esglesia pres,
70 e mans ligades menaren-lo a Cunquavela e [ten]gren-lo
III dies pres en la (tout) ge. E agren ne III besties e
reemé-les LXXXII sol., e G. d'Ofegat tolé ad A. Nebot
XXVIII oveiles, e B. de Peramola cobré les per treves e
monede neguna ad A. Nebot, e mes-les en pret en la com-
75 pra de Cuncabella per XXXVI morabatins entr'eles e·ls
esplets qe avien feit de III ans... E tolgren a·n B. Ferer
X oveiles e VIII aiels e I tona, e tolgren a·n P. Toro I
arca, e tolgren a·n B. Lagaios XX sol., e tolgren a·n A. Rog
I tona per XL sol..

Ed. Pujol, docs. IV (facsim. facing p. 24) and VI; A. C. S. U.

19

GRIEVANCES OF THE TEMPLARS OF BARBERÀ

(1190-1210)

Hec est memoria de querimonias que facit la meso del 1
Temple z magister ceterisque fratribus Barbera z aliis
fratres de Arnall de Guardia z de suos homines z de suos
seniores. In primis fecimus clamor de Arnall de Guardia
de LXXXIIII morabetins que degre aver pagads a la meso, 5
e no·n ha negu pagad. z Arnall Pere achaptá Barbera a
feuz del comte, e·l comte levá·n sa dominicatura ad una
part et Arnall Pere levá·n la sua dominicatura ad alia part,
z totas alias terras remanserunt per medietatem inter Arnall
Pere e comte. Ê'les exides e in istes terres chominals 10
abeant factas los chavallers grans dominicaturas en qe la
meso demanda la medietate, e exament demanda la meso
la medietate de les de(*s)cimes e dels establiments e de
les justities e de totas alias chausas que cavallers prehen-
dunt, per zo quan comte s'o i reteng quan doná Barbera. 15
E Arnall de Guardia fa a la meso en Barbera moltes males
presons e moltes males noveletads. Los chamins e les
charreres pupliches fa trenccar e clodir e laborar, e geta-les
supra lo domenge de la meso a forza de la meso; e en
les agues fa molins e bastiments en cels logs chominals, 20
que la meso no·n ha res... E zo que Pere de Pugverd
regoneg a la meso e lexá vede·ns·o, que no·n pod aver la
meso for II feragenals, e zo que comte s'i reteng toll-ne a
la meso. E·nchara nos fan nostros amigs entendre que en
les terres hermes z e·ls boschs he·n les garriges podems 25
pendre domenges e laurazons per razo per zo quan achel
chastel es franch alod de la meso, e totes les regalies, e
rres no n'i a donad a negu chavaller la meso; e tots los

chavall*ers* q*ui* an a fer en achel castel son(n)·i tots p*er* Pere
30 d*e* Pugverd q*ui* morts es. *z* a Pere d*e* Pugverd no ve*n*g
achel castel p*er* pare n*i* p*er* avi n*i* p*er* donu*m* n*i* p*er* achapte
d*e* null*us* homo, hi Arnall Pere unu*m* seu parent q*ui* l'achap-
tá novelament no·l li doná en ssa vida n*i* no·l li jachí a ssa
mort, e ssi fer o volgés fa·ns om entendre que no o pogre
35 fer estirs co*n*ssel d*e* senior. E Arnall d*e* Ça Gua*r*dia
d'achestes choses ja dites fa·ns-en major d*e*feniment e major
apod*e*rament q*ue* e*n*fre tots ços altres; e ssi negu ome d*e*
la vila nos vol forçar e·ns vol apod*e*rar fa·o ab força e ab
ma*n*tinenza d*e* Arnall d*e* La Gua*r*dia. E·[n]chara hi a d*e*
40 altres clams q*ui* p*r*imers deven anar. Zo nos es vigare q*ue*
d*e* ço q*ue* la meso hi a e i demanda non o pod aver sine
mostres, e quan be o a la meso mostrad Arnall ni·ls altres
no*n* o volen seguir; e Arnall e·ls altres o no volen o no
poden fer mostra for d*e* força e d*e* rapina e d*e* paraules
45 nudes; e p*er* aço fa·ns om entendre q*ue* les mostres deven
esser mostrades en chort d*e* cada p*ar*t, e q*ui* mils mostrará
mils pendrá. E enchara volems mostrar q*ue* comte d'Urgel
acaptá achel castel e domenge, e ac(*ere)cresch en achel
domenge una p*ar*tida, e posá-sse·n en paz ab Arnall Pere
50 (*) e fo·i la faed e la paz usq*ue* ad morte*m*, n*i* ha*n*c Arnall
Pere n*i* sso chavall*er* n*i* sso badle non ag camp n*i* vinea n*i*
ort n*i* feragenal d*e* Apiera ença. *z* hara a-sse·n p*r*eses
d*e* la p*ar*t d*e* ça grans domengadures e donades a força, e
ten-ne(n) zo d*e* la e zo d*e* ça forcivament, e no·ns en vol
55 respondre a rado. E che·ls chavall*ers* agen dus tant en
Barbe*r*a che Arnall Pere non·i ag, e la meso p*er* d*e* zo que
comte hi reteng e zo q*ue* Pere d*e* Pugverd hi lexá no·ns
par d*e* razo.

A. C. A., Extra Inventarios, 3181; ed. Miret, pp. 165-7, part
facsim. p. 173.

20

THE HOMILIES OF ORGANYÀ

(Late 12th or early 13th century)

...Karita(*d)s e*st* dilec*cio* Dei *z* p*r*oximi: caritad es 1
p*r*opria m*ent* q*e* om am D*e*u mas q*e* nula res e tot c*r*istia
aixi co*m* si elex fedel m*ent*. Aq*e*sta é l'amor d*e* D*e*u e de
tot ch*r*istia... Cel om á caritad en si a cui es pus car zo
q*e* pus car li d*e*u es*s*er, zo es, D*e*u e·l esp*i*rit d'om q*i* ja 5
s*e*mpre durará, e to*t*es altres coses te*m*porals perirán. E
p*e*r aizo, S., p*e*r les coses p*e*ridors no vulams lo gog del
durable paradis p*e*rd*r*e, ni p*e*r les vanitats del secle q*i* gian
om a les penes d'infern. : :

Cu*m* essem parvulus, loq*e*bar ut parvulus, sapiebam ut 10
parvulus, cogitaba*m* ut par[v]ulus: q*a*n om es macip penssa
aixi co*m* macip e sab aixi com macip, e*z* emp*e*ro q*a*n es
feit hom lex aq*e*les coses q*e* (q*a*?) son de macip. Moltes
coses q*e* emacipea a feites es nient, q*a*r ja á om vergoi*n*a
a dir zo q*e* dezie q*a*n ere macip. : : 15

Tornad vos a mi, zo dix N. S., ab tot vostre cor *z* ab
tota vos*t*ra pensa; no dix mica ab la meitad del cor mas
ab tot lo cor, p*e*r q*e* q*a*r del cor ixen totes les obres q*e*
son feites. P*r*imerame*nt* son pensades e pux son messes
en obra. : : 20

Q*a*l p*r*ode té ad om, zo dit, q*i* ben tanca sa casa o son
castel e·i laxa un trauc on entran los laires e rauben lo
castel e la maiso. Q*a*l p*r*ode es ad om q*i* a p*r*es altrui aver,
o p*e*r engan o p*e*r ladronici o p*e*r tolta o p*e*r fals jutga-
m*ent*, e p*r*en sa penete*n*cia o no a·q*e*l aver pauc p*r*od li 25
té aq*e*la penitencia. : :

In illo te*m*pore ductus est Jh*e*su*s* i*n* deserto i*n* spi*r*it*u*
ut te*n*taretur a diabolo... Qar en aixi troba*m* q*e* el dejuná

XLª dies XLª nuitz, qe anc no beg ne mengá, z en apres
30 sí ag fam. S., el no dejuná gens per zo qe el agés peccad
feit per qe el degés fer penitencia ni degés dejunar, mas
per exemple o fet de nos, e per zo qe nos dejunasem per
los nostres peccads... E per aizo devem cretre qe el fo
ver Deus e ver om. Et enapres sí dix l'evangeli qe can
35 N. S. ac fam, sí veng lo diable a el e volg-lo tentar e dix:
"Si filius Dei es, dic ut lapides isti panes fiant — si tu es fil
de Deu, di a les pedres qe·s tornen pa e manga·n." E N. S.
respós ad el e dix: "Non in solo pane vivit homo, sed in
omni v. q. pro. d. o. Dei — no viu om solament de pa mas
40 de les paraules de Deu viu om."... Qan lo diable vit e
conog qe re d'aizo no faria N. S., portá·l en la ciutad senta
de Jherusalem e posá·l sus e·l temple e dix-li: "Si filius
Dei es mite-te de orsum — si tu es lo fil de Deu laxa·t
cader en aval, qe los teus angels ti soferán e no·t farás
45 mal."... Ad aqela paraula N. S. respós e dix: "Va de re-
tro, Satanas. Deu el Seinor Deu om adorar z ad el solament
servir." S., ara podetz audir com es diable mals z es ardidz,
e com á gran poder. Molt fo ardit qan el volia tentar aqel
Seinor qi es S. de tot lo mon, per qe·l diable pogra cegar
50 si·s volgés e gitar en infern sí qe james no n'asqés... mas
lexet-se ad el portar (portar) per tot z exajar el seu espirit.
Aizo dona a nos exemple qe nos devem sofrir nostres ene-
migs, e mostre qe no devem redre mal per mal, qe avantz
devem aver paciencia z humilitad per aizo qar diable exajet
55 N. S. qi es cab de totz omens. Docs be podem saber qe
negu om no escapará qe·l diable no·l exag just ni pecador,
per qe qar el tentá lo primer om Adam qe Deus avia feit
al seu semblant z a la sua image e·l avia espirad del seu
sent espirit e·l avia pausad en paradis... Tentá·l per avarea
60 qan li dix: "Scientes bonum z malum — tu sabrás be e
mal."... Diable exajá N. S. per glotonia qan li dix qe fedés
de la pedra pa ; e lo exajá de vana gloria qan li dix qe·s
lexás cader del temple qe no·s faria mal; e(l) lo exajá
d'avarea qan li dix qe lo mon li daria si·s gitave a tera als
65 seus peds e·l adorave... S., gardar nos devem d'aqestes

coses qe odides avem, e gardar nos devem majer ment a
tentacio de diable e del seu engan, e gardar nos devem de
mala volontad e de leges paraules e de monçonges e d'ergul
e de superbia. E qe dejunem la senta qarentena ab almoines,
ab oracions, ab bona volontad, qe devem atendre a sancte 70
eclesia a odir nostres menestirs, e qe Deus nos parcesqe
nostres pecats, for qe farem, S., dels grans pecats qe fem
qan de les foles paraules qe dezim aurem a redre rado al
dia del judici? Per qe N. S. nos o dix ab la sua domenga
boca, no·ns o maná gens per altre mas el nos·o veng dir 75
propiament del cel en tera, aixi com el o dix... E les pro-
fetes nos en porten garenza. Retdamus domino [juramenta]
labiorum nostrorum z perdes qi locuntur mendacium. Negu
de nos, zo dit, no enganassem los altres, qar tals n'i á
d'aicels qi cuidan enganar son vedi z engane si elex. S., 80
qant qe ajam feit entro aici ara nos en devem emendar a
N. S. en aqesta senta qarentena, qar zo es lo dezme dels
dies de l'an, qar devem nostres corsses fer dejunar z estar
en oracions z en fer bones obres, qe qan venrá al dia de
la resureccio qe dignes siam de redebre lo seu precios do 85
Jhesu Christ. : :

Donces, S., aqesta femna gran fe ag per qe qan sa fila
nomená e crezeg qe de sola za paraula de N. S. garia sa
fila. Molt gran savieza ag ab si aizela femna per qe qar en
persona d'om conog Deu, zo es qe vit la umanitad e credeg 90
la divinitad...

B. C., MS. 289, ff. 1ᵛ, 2ᵛ, 4ᵛ-7ᵛ; ed. MiretRBC, pp. 30-47, 215-
20, with facsimiles of some fols. facing p. 32. The text was re-
edited in MiretDocs, and again by A. Griera, *Les Homilies d'Or-
ganyà: transcripció diplomàtica* (Barcelona, 1917). The latest and
only reliable transcription is that of M. Molho, "Les homélies d'Or-
ganya," *BH*, LXIII (1961), 186-210.

21

ABUSES COMMITTED IN LLEIDA BY PETRUS
DE LOBEIRA

(Late 12th or early 13th century)

1   Cosa sabida es que Petrus de Lobeira can enpará jus-
ticia de Lerida se vaná z dis que aizo fazia per amor de
Deu e per salvament de s'anima, e seria fidels a tot lo
pobol de Lerida z dominis; z de un an enza sabem que
5 l'amor de Deu e aquel salvament fo aitals qual podez auzir.
Esters zo d'abans que avia fait, e sabem z es vers que P.
d'Orso e R. de Miravet foren pres a equela torre de·n Mir
de·n Ramon Ramon per rauberies e per males faites e per
ladronices que avia fait, z foron mes en poder de Petro de
10 Lobeira; z el no·n volc far justicia, z enviá los en,
z pres de Petro d'Orso VIIII morabetins qui esgarrá
I clericum, z de alio no sabem cant.
     E·n avant fo pres Tomeu e altres homes Âlgoira, z
dominus rex mandá solver Tomeu; z Petrus de Lobeira
15 fé-li jurar que li des IIII morabetins quan alres no·n poc
aver.
     Pois can lo rei mudá bailes in Lerida z gitavit Jafia,
totavia desmantenc los bailes e fo avols a els en totes cau-
ses e contrarios, perque lo senor rei perdet gran partida de
20 sos d<r>eiz. E pot esser mostrat per quels bailes z per
los homes de la vila qui lo viren.
     E·n avant venc Bernardus d'Ager z demandá-li lo terz
de CC morabetins... e volc li donar fermanzes que dreit li
fezés, per nom Wilelm de la Ridorta, o Wilelm Freant, o
25 Petrum Gilabrun, o Andreu de Senaoja, e no·l vauc anc
re; et sobra tot aizo pecijá-li la casa e·sfrais-li la carta
e l'asegurament del rei que trazia a garent, e traselet·i sos

draps de sa cambra ante probi hominibus suprascriptis
qui hoc viderunt et alii multi...

Pois fé un ome corre del mercadal cum una femina per ³⁰
azulteri, e pois que justicia agren passada e complida fé
los pecijar e raubar l'arberc.

A enant un baquelar emblá ad reginam una sarraina, et
raubá molta, et Bort de Girona trobá lo baquelar in Le-
rida e mostret lo a P. de Lobeira per mandament de regina, ³⁵
e P. de Lobeira no·l volc pendre; e·l baquelar fogí-se·n
per colpa de lui. Et est testis Umbert de Fontanes et R. de
Lerat et Johan de Willelm Peira...

E·n avant la obra del pont era remasa, e fo fait acorder
que tuit i donessem; e per Petre de Lobeira remás qui dis ⁴⁰
que compraria lo pont tot, e faria estars desus lai e·n la
vila a son major deport, et dis que·y daria CCCC moraba-
tins. E li ome qui o auziren agron avol cor, e no·i volgren
ren dar; e remás la obra del pont.

Un mancip fo trobat mort en Lerida, et fuit dit quod ⁴⁵
una femina l'avia mort que ja n'avia altra mort, et aneren
ad feminam et fuit presa. Et P. de Lobeira mes-la in sua
domo et dixerit que fos gardada de fresc, que las altres
fembres o conoiserien ben. E domentre que pogra esser
conogut per veritat no la volc far jutgar, ja fos ezo que li ⁵⁰
prohome lo i dizien ben; e ipse P. de Lobeira dis que ja
no la trairia a jutgament, que malauta era de febres. Et
quant ela fo banada et costoida et om no poc conoisser en
lei la malafaita, el la trasc ad jutgament en apres tres sep-
manes; e li prohome dixerent que res la doncs no podien ⁵⁵
jutgar quan de primer no la trasc a jutgament can pogué
esser conogut...

E·n avant clamavit se Petrus Estrader ad Petrum de
Lobeira de C solidos que li devia A. de Prades... et Petrus
de Lobeira dix que aquels C solidos feria pagar anz que ⁶⁰
A. de Prades eissís de son poder. E tenc lo pres can se
volc e laisset-le·n anar, sí que los C solidos no fedz pagar,
perque nos es viaire que laus ne presés.

Ed. Miret, pp. 167-70, part facsim. p. 177.

22

SURRENDER OF THE CASTLE OF LLORENÇ

(1211)

1   Coneguda cosa sia a totz homes qe jo En Guerad de
Cabrera venc en poder de vos seinner En Pere per la gracia
de Deu rei d'Arago e comte de Barcelona, per pres e per
preso, senes mort e senes affolament de mon cors qe no·m
5 sia fet a scient. E liure·us lo castel de Lorenz a tota vostra
volontat en aital guisa, qe enfre quatre jorns aja treta don
Elo e mos fils e·ls cavalers e·ls homes e totes les coses
del castel, e vos qe·ls guidetz tro a Ager o tro a Castello
ou (sic) mils vullen anar. E es promes de cascuna part
10 entre vos e mi qe do[n] Aznar Pardo e totz los autres
preses qui son preses de cascuna part, esters de mi meteix
qui son en vostra preso, sien soltz e deliures on qe sien
ni hom los sápia ni·ls pusca atrobar, sens tota demanda
e sens tota redempço. E es dit e promes e posat qe mentre
15 qe jo seré en vostra preso mos homes ni mos valedors
quals qe sien no faççen mal a vos ni a vostra terra ni a
vostres homes, ni vos ni vostres homes ni nul hom per
razo de vos no faççatz mal a ma terra ni a mos homes.
Datum in captione castri de Lorenz IIII idus septembris
20 per manum Ferrarii notarii domini regis, ҭ mandato ejus
scripta a Bononato, anno dominice incarnationis MᵒCCᵒ
undecimo...

A. C. A., Pedro I, 404; ed. MiretRBC, pp. 23-5, facsim. facing
p. 24.

23

A LETTER TO THE ARCHBISHOP OF TARRAGONA

(1215-1230)

Al onrat pare e seinor An S. per la gracia de Deu ar- 1
chebispe de Teragona de mi En B. de Zaportela saluts
z amors. Vid les vostres letres qui·m dixren qe vos assigna-
vets a mi dia lo primer diluns depus Sancta Maria d'agost
a Teragona sobre-il feit meu e de la dona Na Blancha. E 5
jo tramís-vos missatge per l'abat de La Portela qe·m en-
viassets escrits los clams (clams) qe Na Blanca faia de mi.
z els clams qe Na Blancha faia de mi, dix qe era ma mui-
ler e qe jo la avia lexada e qe(*n) avia autra muiler presa.
On jo dig a vos e·us faz saber qe jo no vul entrar em·pleit 10
ab Na Blanca per aquela rado, z atorg be qe la pris a
muiler, e no la e lexada ne e gens d'aultra muiler presa, ne
anc del meu no la gité ne la·n mané exir ne moure. z e li
tramesses cartes e molts missatges qe ela se·n vingés deves
mi z el meu, e ela anc fer non·o volg. E pus ela fer non·o 15
volg per mi, prec vos seiner qe la·m fazats tornar z estar
ab mi. E segons los clams qe ela a feits de mi, z segon lo
respost qe jo·i faz, no coneg qe obs aja pleit entre mi ne
ela, ne qe de re ajam a pleidejar. E si vos seiner conexets
qe azo bast a mi, prec vos seiner qe no·m fazats anar a 20
Teragona, car<jo son> de longa terra, z es me gran enug
e gran mal treit l'anar de Teragona; e can jo no é lejos
autres amics, coman a vos z a la vostra leialtat la mia rado.
Pero si vos conexiets qe jo n'i aja a·nar ho a trametre mo
procurador, vos faz jo saber qe a tot dia qe vos me fazats 25
saber, de Sancta Maria de setembre ad enant, qe jo·i seré
e'ma propria persona ho·i trametré mo procurador qui ten-
ga mon loc e la mia rado. E per aquest portador d'estes

letres prec vos qe·m fazats saber vostr'ardit e vostre res-
30 post. He si Na Blanca se·n ve deves mi, no coneg qe negun
altre pleit aja obs entre mi ne ela. ʒ a aqel dia qe vos me
trametrets vos faz jo saber qe·i seré e'ma propria persona,
ho·i trametré mo procurador. E no minus creats les letres
car no son segelades, car sapiats qe no aviem lo segel; e
35 per zo les partesc per letres car no son segelades.

B. C., 1991, 2-VI-1; ed. Miret, pp. 171-2, facsim. p. 181.

24

GRIEVANCES OF PERE DE CANET

(Early 13th century)

Hec est memoria que facit scribere P. de Canet de qui- 1
bus... de ipsas suas cosas que perdé in Valle Molli. In
primis maná domina Guillema en la sua malautia que
retés hom ad P. de Canet lo caval e les armes que el i
perdé, e maná que li retés hom CLXXXVIII solidos que 5
el li avia prestatz, esters les altres manleutes que el li
avia fetes. E·n asso dix Nicholau capela de Castro Veteri
ab domina Guillelma quinia cantitat metria hom al caval
e a les armes, et ela respós lo caval bo era, pero que·n lo
li aurien retut si no·n era pagat metéss·o el en ver. E res- 10
pós-li Nicholau: "Madona, que diretz en les altres coses
que perdé P. de Canet, que el preá mes que·l caval ne les
armes?" Et ela respós: "Si jo viu, on seré assads aurá, e
si jo muria, se que posar se·n an ab el de tot, que·l seu feit
sabut es." E maná Nicholau ad Benedictum capellanum que 15
o escrisqués, et Benedictus dix qe iria ad domina Guillelma
si o volia. E quan fo davant ela maná-li que escrischés, et
Beneet capela de Val d'Aureix mostrá·o a P. de Canet al
peu de la graa del palau, a la rocha on tuit seen davant
molt hom; ea con o avia escrit per manament de domina 20
Guillelma et P. de Canet aná a Na Blancha de Saportela
que ela vengués oir aqueles paraules per amor de Deu,
et... que les li provás si obs i era; et ela aná·i e demaná a
Nicholau si avia madona dites aqueles paraules, et el dix-
li que oc. Aquesta remembransa a feita P. de Canet per so 25
que hom no li·o puscha negar.

Ed. Miret, pp. 172-4.

25

AN INVENTORY

(1239)

1   Quinto kalendas januarii anno domini M°CC°XXX°IX°. Hec est memoria que fit de rebus domini episcopi que erant in Valencia. Primerament XI botes et una vinagrera; III canades (*ed.* cavades); una ola de coure et una caulera et
5 II ferres et III loces et una arpa et uns camascles; III cetres et I bassi et II tendes plegades; III tovales et uns tovalons; una lanterna de vidre et una plegadissa; II capels de ferre et una balesta et I arc de balesta; I cuyeser pintat; una caxa de quarels; XX et II sacs de canebans; XV
10 cerons; item cenayes; item unes trepes del bisbe; I morter de coure; XIIII cuyeres d'argent et II escudeles d'argent; II codofles de vidre de Suria et I calasto et I alamunt; II destrals et una exa et altre exada nova e·l leyn de David. et axi son dues exades noves; II pasteres et una tina et una
15 quartera et miga puluyera, et I cedaz et II tapits vels et I almatrac et II estores veles; I escut del bisbe; III taules de mengar; I coutel de tayar carn; I aster de ferre; I morter de pedra; I parel de bous ab tot lur aparel.

Ed. Miret*Docs,* no. XXV; A. C. B., pergaminos sin clasificar.

26

RAMONA DE SOLANS AND OTHERS DONATE OLIVE GROVES

(1241)

Notum sit omnibus quod ego Ramona de Solans z ge-   1
nere meo P. de Centiga z uxor sua Maria, per nos z omnes
nostros natos z nascituros proximos z successores, damus
vobis A. d'Ares, fratri predicti de Ramona de Solans, la
part que nos avems ni aver devems en III olivers. z es la   5
I oliver a la Coma de Batipalmes; afronte ex Iª part in
alodio de A. del Torredet, de II A. de Zavila, de III in
nos donadors. Alia oliver es a la Coma de Xebraderes a
chauz de la via publica; afronte de totes parts en nos do-
nadors. z aquel oliver vos donam en cabal z e·ls altres ço   10
que aver i devem. Alia oliver es en l'ort de Julia sobre la
via, z aiczo es l'olliver corniliol. Affronte de totes parts en
nos donadors. z aixi qant aquestes efrontacions inclodunt
sí donams nos a vos czo que avems ni aver i devems per
a<l>quna rao, ab lurs sols z ab lurs raids z ab lurs ra-   15
mes; z faciatis annuatim czessum IIII deners in festo
Sancti Michelis setembris a nos donadors. E d'aiczo fem
nos donadors bonam z legalem guarentzam contra totes
persones a vos z al vostres per secula cunta, de vita z
morte, ab achest sens que fazçad(s?). Ego A. d'Ares ting-   20
me per be per pagad per mi e(*l) pels meus natds z a nexer
per part e per eretad e per frarescha de l'alberg de Ramona
de Solans. z aquests olivers son en l'apendice de Sancti
Martini de Solans. Hactum est hoc II kl. januarii anno
Christi MCCXLI. [Sig.]... A. de Torruela... A. dez To-   25
rredet...

B. C., 3192, caja 21; ed. Miret, p. 182, facsim. p. 239.

27

GRIEVANCES OF THE CHURCH
OF PUIGFALCONER

(1242)

1   Hec est memoria que fa A. Borel de les contençoz qui
son estades entre el e R. de Monçor e G. de Zacosta e·ls
altres, perque el ag a essir dez Pui Falchoner. In primis
G. de Zacosta avie V ainels e V porcels, e jo pregé-li que
5 me·n des delme, e el dix mi que lo·n soferís tro al-altr'an.
E fi·o, e ag-ne VII puis, e dix-li que me·n des delme, e no
me·n volg donar... de G. de Monçor acel altr'an s'ag-ne
altres VII, e dix-li e pregé-li que me·n donás lo delme, e
dix que no me·n darie gens. E o foren III ans dix-li e man-
10 né-li que·m fermás dret tres vegades o quatre, per tal quar
e pernates de l'eclesia e·o devie fer; dix que no me·n fer-
marie res, que no·m tenie per seinor, que aeg-me greu e
ag-le·n a dir mal. E el e·n R. de Monçor dixeren me·n e
feren-me·n; feriren mi e pressren mi [e] trencharen mi mon
15 alberg e robaren la glesia, traseren·e pa e forment, reqer(er)-
in·i·mi ab bastons ab sogovinas qe jo·n (n')ag a eissir ab
lo vestiment vestid, que no n'osava eissir d'altrament. Aqel
dia eless fo B. de Berga a Fonç, e pres ab els e ab mi que
lo dia de Sen March que fossem (ed. fossen) a riba de Nu-
20 gera, e el que posarie·o si nos o voliem, e no·ns-en pog
(m')avenir per tal quar no i avie qui tengés la mia rao. Man-
ná·m R. de Burget que li fermás dret, e jo dix que no, no·i
avia agisad for qe·m donás dia, e qe seria·n agisad de fer-
mar e de respondre. Ere divenres dia, [e] el dix que lo di-
25 menge le·n fos agisad a Tremp, si no que fos vedad, e a
mi pareg-mi que·i fos mal jugad, que a tercer dia donar
no·m parie dret, e a dimenge sobre tot som falid, seinor,

d'ajuda e omens de consel. Foread e irad pregé a·n G. de
Peralava que los omens m'avien tolt la un si elimi la orde
i tolie qe·m leissás morir no·m-ere bel ni bo, que el a qual 30
gissa podie qe·m trasqés de aqel trebal. E el parlá ab els
qe si anar me·n volia solt e quiti de totes coses que fer o
pogés, e que jaquisa l'eclesia. E jo pris l'assolta d'els per
l'artiache, for anc aqesta mia bocca no parlá que renunciás,
mes per lo mal que om li avie feit que dix que Deus i tra- 35
metés malediccio, si els dien que jo la e desfeita ni endeu-
tada quan jo·n n'enparé. P. de Zafont... devie a Blachet
III sols de for. per l'acapte del vispe, e pagé·n jo VI sols...
e ag-ne B. de Burget VIII sols e dos s. de forment per tere,
mes que la avia aredad de besties groses e menudes e porcs 40
e galines e vexels ed(impse) areus de alberg. E a perdud
l'ecclesia dez Pui e la de Fonç CCC ssacrifis e de pus, e
mil almones e pus remanides a donar, tot per colpa de R.
de Monçor; preg jo a Deu que el lo·n leis penedir... Tot
aiço, sie be sie mal, fo feit per R. de Monçor, e que jo A. 45
clerge i faré veritad cela que sent ecclesia vula per dret.
Actum est hoc MCCXLII. Tot accest don e aquest destrig
met jo A. clerge in memoria d R. d'Orchat qui deman
qan porá sens fi que jo no·n faré de mos dies vivenz senes
el... que tot e ve[n]gut per G. de Zacosta e per R. de Mon- 50
çor a l'eclesia dez Pui.

Ed. Pujol, doc. VIII; A. C. S. U.

28

DISPUTES INVOLVING THE CHURCH
OF ORGANYÀ

(1243-1250)

1   1. Contenço fo entre·n Bernard de Talarn tinent log
del prior d'Organna e de·n Ramon Dezcamp dez Pujal d'Or-
ganna. Ço es a saber la pa[rt] de·n Bernard de Talarn, que
era demanant a R. Dezcamp per rao de l'eglesia d'Organ-
5 na, ço es a saber d'una espalla de vaca, la qual los canon-
ges de Sancta Maria d'Organna deven aver segons la cos-
tum de la terra si tant e per aventura que alcuna bestia
bovina mor per alcuna rao he·l dit mas de R. Dezcamp.
La qual cosa fo contrestada per R. Dezcamp, que dix que
10 no ere tengud de donar aquela espalla per [ço] quan ere
franch d'aquela cosa, e que no avie vist ni oid que aquel
alberg l'agés donada; e la qual cosa atorga plus que VII
besties bovines avie mortes en aquel alberg pos hel i fo, e
que no·n avie donad deguna. Per la qual cosa Bernard de
15 Talarn demanne per si e per los seniors de l'eglesia d'Or-
ganna que aqueles VII espalles sien a hel restituides aixi
quom dret o vol. E sobre acço amdues les parts renuncia-
ren. D'on jo N'Amigo Cortid, establid juge per En Bernard
de Talarn tenent log del prior, vistes e [oi]des les raons e
20 les enquestions e les allegacions de quascuna part e del
altra, dig per dret sobre la sentencia la qual ere donada per
altre juge [en]tre amdues les parts en aquest pleid, que·l
dit R. prou bastantment en aquela dita franchea la qual
hel a confessada que á d'aquela espalla. De la qual cosa
25 deim que si hel provar pod bastantment, que sie absolt;
e si tant es que provar no pod la davant dita fran[chea]
deim per dret que sie tengud de dar al dit En Bernard de

Talarn la davant dita espalla, e que sien esmenades aque-
les VII espalles que al a confessades. E deim que... [les
messions] les quals son feites per rao d'aquest pleid al dit 30
En Bernard de Talarn jurantment. Actum est hoc XIº
k[alendas... ann]o domini MºCCºXLºIIIº.

2. Coneguda cosa sie quom la cosa que es encerquada
entre le ecclesia de Organna dema[nant] de la una part son
dret, e Na Pereta de Annel del altra defenent lo seu, de I 35
magenc lo qual la ecclesia ja dita demanne a Na Pereta
que li deu quascu an. E Na Pereta nege, e dit que no. z
en per aço jo A. Bernard, juge establid en aquesta cosa
per En P. de Miramon, senior de la dita Pereta, vedent z
oent diligent ment en aquesta cosa de quascuna part totes 40
les raons e les allegacions e les atestacions, z encerquada
veritad de totes les partz diligent ment ab consel de savis,
dig juran per dret que·l mas de Na Pereta de Annel e cels
qui aquel mas tenrán ad enant donen lo dit magenc a la
ecclesia ja dita de Organna quascu an, z absolvu la ecclesie 45
ja dita d'Organna de totes despeses, e condemne la dita
Pereta en totes despeses... [Sig.] P. presbiteri de Cabou...
A. Calbet dez Pujal...

1. B. C., 1987, caja 21; ed. Miret, pp. 182-4, facsim. p. 183. 2.
B. C., 1905, 4-III-2bis; ed. Miret*PS*, p. 524, facsim. p. 528.

29

A TRUCE BETWEEN THE BISHOP OF URGELL
AND THE COUNT OF FOIX

(1244)

1   ... E nos En Roger, per la gracia de Deu comte de Foix
e vescomte de Castelbo, per nos e per totz nostres omes e
per totz nostres valedors donam treves fermes a bona fe
e ses tot engan a vos sennior En Poncz, per la gracia de
5 Deu bispe d'Urgel, e a·n B. prior e a tot lo capitol e a
vostres omes e a vostres valedors d'aquest dia tro a Pen-
tacosta primera qui ve, e d'aquel dia ad I an, e d'aqui enant
per XX dies depus les vos agessem retudes al vostre batle
de la Sed per nostres letres, emfre·ls quals no faczam mal
10 a vos ni a vostra terra ni a vostres omes ni a vostres vale-
dors... Pero volem nos... que si s'esdevenia emfre aquest
tems de sus dit que negu mal o negun dan fos feit de la
Iᵃ part o de l'autra on treves fossen trenchades, czo que
Deus no volla, que aquel sia emenat emfre XX dies a cone-
15 guda de·n R. de Josa e de·n G. Bernad de Luzenag depus
que aclo aurien conegud e departid. E aczo desus dit pro-
metem (ed. prometen) servar e tenir nos En Poncz bispe
avandit a bona fe e per nostre orde em peraula de prevere...
E volem e manam que czo juren de tenir e de servar nostres
20 omes desotz escritz per els e per totz los autres de nostra
terra, sczo es a ssaber: G. de Cerdaina, P. Ramon de Na-
biners, R. Gerau... G. de Montella, G. d'Artz, G. Poncz de
Pocz Claus... Marti d'Arcz, B. de Cases Rubert, B. de
Banat, P. d'Ordinau, G. Cherola, Berenguer d'Esterre...
25 P. de Lorda... On nos devant ditz omes, (s)tocadz corporal-
ment los sentz IIII avangelis de Deu, juram agradosament
que tingam e observem totes les sobredites coses, e que o

faczam tenir e observar a totz nostres omes e a nostres va-
ledors, e per neguna manera no i vingam en contra, aixi
Deus nos ajud e·ls sentz IIII avangelis. E nos avanditz bis- 30
pe e comte prometem la u al-autre per bona fe que no re-
tebam en re del nostre homejer ni nafrador, ni per neguna
manera no soffiram negun ome que mal aja feit en la terra
del autre, en aquesta gisa que aquel que feit agés lo mal
en la terra del altre, e que clam ne sia feit an que se·n pas 35
en la terra del autre, que negu de nos no·l soffira entro aja
feit dret a son sennior en son poder de tot czo que se·n
clam; e si dret fer no volia que negu no·l soffira e que om
lo jet de la terra. E a major fermetad d'aquestes coses so-
bredites posam nostres segels...   40

Ed. Pujol, doc. IX; A. C. S. U.

30

G. ASSALID DONATES LAND IN PALLARS

(1248)

1   In Dei nomine. Noctum sit cunctiis homnibus homini-
bus presentibus que futuris quod ego G. Assalid dono ad
Det e a l'espitat e a madona Sa[n]cta Maria de Sozsteras
lo mas de Bernad de Ferer de Bernui per mi e pel mels e
5 per la miaa posteritat grad senes forza per bona volentad.
Ego G. Assalid dono lo mas de Bernad de Ferer de Bernui
que faza a Det e a l'espital e a Sancta Maria de Sozsteras III
quarters de molto, e perna de porc, e VI fogazas de pa, e
I sester de civada, e I canada de vi, e delme d'una tera
10 e·l terme de Saore, e no alre. E que no li pogesen alre de-
manar ni pus ena[n]t pugar a Bernad de Ferer ni uxor ejus,
ni a filiis suis ni a posteritatem suam usque in perpetum.
Acço do G. Assalid a l'espital e'ma de fratre R. Bertran.
Actum est hoc XI° klds. freboariis anno incarnacionem
15 domini M°CC°XL°VII°. [Sig.] G. Assalid nobis qui ha[n]c
cartam ma[n]davimus scribere ex testibus [que firm]are...
R. de Selri de las Vilas...

Ed. Miret, pp. 184-5, facsim. p. 183.

31

DISPUTE BETWEEN R. MAASEN AND FERRER D'ESCALES

(1250-1255)

Clama·s R. Maasen e Na Rumia, filla que fo de Na   1
Ferrera Maasen, als seinnors de la casa d'Orgainna d'onor
que Ferrer d'Escales ten; clama·s de·n Ferrer can la·s con-
tradiu ne la·s ten sen lur grat. Lo ja dit R. demana per
raon de son avi En P. Maasen, qui tenia z avia e possedia   5
per s(*e)ua aqueilla honor; z es a saber la onor a la serra
subirana de Figols. Lo ja dit R. prega a la cort que aqueilla
honor li sia deliurada per ço quan cs son dreit. La ja dicta
Rumia demana per raon de sa maire; demana sa legitima
e son dreit d'aquel dreit que sa maire avia ni aver devia   10
en aquella honor de la serra subirana de Figols. Prega Na
Rumi'a la cort que la sua legitima li sia deliurada.

Respós Ferrer d'Escales del clam que R. Maasen fa
d'el, e Na Rumia, d'aquela honor que li clama, qu'el la ten
per sua, e a la tenguda e poseida son paire e sa maire de   15
XXX ans en sus, sens clam d'el e d'altre. Per que prega a
la cort que·l faça seder a dreit, car senes fadiga que no
trobá la mes en poder de cort. Aiço responem salvan totes
nostres raons en mirvar ni en creixer.

E·l juge dix a R. z Rumia que provasen en les deman-   20
des que fazien.

B. C., 1906, 4-III-2bis; ed. Miret*PS*, pp. 524-5, facsim. p. 529.

32

CERVERÍ DE GIRONA

(Second half 13th century)

PEGUESCA DE·N CERVERI

1   Com es ta'mal enseynada,
Girmana, c'amar no·m vols,
e sabs que tant t'e amada?

        Ne no puix sotz la flaçada
5   dormir, de tal guisa·m dols;
e será·n t'arma dapnada
si·m fas morir sotz lençols;
c'al metg'e l'ayga mostrada,
e diu que no menuc cols
10   ne vaca, si no cayllada.

        Doncs ans que·t sies tardada
da·m ço que donar me sols,
que tan m'es t'amors pujada
no puix menjar V tuynols
15   ses companatge viada,
ne beu pus de VII mujols
de vi a una tirada.

        Bosombra si·t agrada.
Fe que deus a tos fylols,
20   da·m una douça [a]braçada
e faré·t si me·n sols
guonela ben escotada

ab pena de cabirols,
e garnatxa ben cordada.

Peguesca giroflada,   25
vay e di-li q*ue* dos dols
aya, d'on sia pagada.

La do*m*pna dels cartz ho*n*rada
Sobre*p*retz, e·1 rossynols
de may e·1-enfan m'agrada.   30

B. C., MS. 146, f. 46ʳ; ed. Martín de Riquer, *Obras completas del trovador Cerverí de Girona* (Barcelona, 1947), pp. 3-5. The MS. is of the first half of the 14th century.

33

TWO LETTERS TO THE BISHOP OF URGELL

(1257-1269)

1   **1.** 1259: Al molt onrad pare e seigor N'Abril, per la
gracia de Deu bisbe d'Urgel, del vostre humils capela de
Sero, salut. Si a vos plat oir aixi com a onrat seigor e a
pare faç saber a vos, seiger, que jo é gran desig de la vos-
5 tra vista e gran ajuda que auria ops de Deu e de vos, com
vos sapiats, seiger, que En Rabinat me pledege a gran tort
e gran desonor de vos e a gran meins preo, e sap aço En
Bartolomeu, capela de Tartareu. On prec e (ed. precz)
clam merce a la vostra seigoria per amor de mi e per vos-
10 tre pro, e per ço can (car?) a mi é cuita e mester gran que
no pux segir lo pleit qui é entre mi e En Rabinat, que vos
me fermets esta carta que·us tramet d'una poca de renda
que ven tro a V ans per rao del pleit en que so, e aço faç
per p[r]o de l'esgleia. E vos, seiger, trametet me I mesatge,
15 e tramete·us XXX sol. d'agremonteses, que jo, seiger, no
so pugut pujar a vos per ço car jo m'ic tem e pledeg tots
dies. E si Deus o vol jo·us faré ganar que valga CC sol.
a bona rao, que jo faré anar lo pleit de·n Rabinat e meu
en vostre poder, e valrá·us be M sol. que vos auretz per
20 bon dret de tort que el me té; e jo don-los vos ades. E
aço prováré be. On prec e clam merce a vos axi com
a seigor onrat que vos me trametats la vostra ferma que
jo puxa la carta de la venda coroborar tro a V ans, aixi
com es contengut en la memoria que jo·us tramet.

25   **2.** 1257-1269: Al redobtador paire in Xpo. e senor A.,
per la gracia de Deu vispe de Urgel, dels clerges e de tots
los promes de Araos saluz, e pregen vos que·ls saludez.

Fem vos sab*er*, sener, q*ue* nos avem vistes vostres letres
d*e* clam q*ue* B. d*e* Torala vos a feit d*e* nos d*e*el deume
d*e*ls escaris d*e* Viros qu*e*·ns demane, q*ue* anc nul temps, 30
p*er* vel ome ni femna qui sie en la vila d*e* Araos ni en Val
Ferrera, no vid fer la d*e*manda d*e* aqu*e*l dedme q*u'e*l d*e*-
mane; e p*er* aqu*e*la d*e*manda q*ue* el nos feve q*ue* n'erem
estaz e·l poder d*e*ls p*r*omes d*e* Val Ferrera e q*ue* aviem
gua*r*it q*ue* nos dar non·o deviem, q*ue* anc nul temps d*e* 35
nostra m*e*mbrança no ere estat donat ni d*e*manat, p*er* qu*e*·ns
par gran noveletat. P*er*qu*e* vos p*r*egam, sener, q*ue* no·ns
lexets menar a tort ni·ns i menets, q*ue* aqu*e*l d*e*ume é d*e*
la ecc*le*sia d*e* Araos e fo toz temps, e la vila é vostra e
d*e*u esser vostra, e ara B. d*e* Torala q*ue* tol a la ecc*le*sia 40
d*e* Araos e als clerges lo deume e la p*r*imia d*e* la onor d*e*
Viros.

Ed. Pujol, docs. XX and XXVII; A. C. S. U.

34

TARIFF OF THE *CORREDORS* OF BARCELONA

(1271)

1   Primerament, carga de pebre e de gingebre, de lacha,
d'e*n*cens, de breyl, de nous d'exarch, de cubebes salvatges,
de citoval, de succre. *5.* Ct. d'argent viu, e de vermeyló.
8. Nous noscades, giroffle, espich, cardemomi, galengar,
5 massi, cubebes, pebre lonch, lignu*m* aloe, riubàrber, e tota
altra speciaria qui·s vene a liures, la liura — *una* meaylla
de corredures del comprador e altra meaylla del venedor,
e meaylla de reva. *11.* Ct. de noxadre. *18.* Carga de ...
comi douç. *22.* Ros de tona. *26.* I centenar de buchines.
10 *28.* Dotzena de multunines. *29.* I faix de X cuirs de bous.
33. La carga d'alquena e de herba colera. *38.* Jarra d'oli
e de tunyna. *39.* La carga de la gala... e no·s deja triar, pus
sia aytal con la mostra, ne donar tara. *44.* Guarnatxes de
cunils. *47.* Lo centenar de daynatels. *52.* La dotzena dels
15 erminis e de ventresques de lúdries. *55. Una* peyll de veyl
marí. *59.* Ct. del fil de canyem. *64.* La peça de drap de
Xaló e de Pruïns e Sent Tomer, e tota altra draperia sem-
blant d'aquesta. *80.* Unça de p*e*rles. *82.* Tots dinés qui
per ma de corredor se fassen prestar, p*e*r pagar a Montpesler
20 o en altre lloch — de C libr*a*s, XII dr. d. c. del prestator
e XII dr. del manlevador; e si son mes o meyns los dinés,
p*e*r aquella rahon. *86.* Corredor qui encant robes d'alberch
e*n* plassa o en alberchs, si l'encant munta de X lbrs. ensús...
e si no munta cor X liures o de X lbrs. enjús — per cada
25 lbr. III dr. e no prena re del co*m*prador. *97.* Tot drap de
lana o de li o de cànem... *105.* Ct. de fortmages. *111.* La
dotzena dels cayrats... e no donen reva. *117.* Tota felpa o
peilla de vestedures o d'altra roba, o joyes o draps o pínt*e*ns

o borses o correges, e altres coses que corredor o corredriu
port en bras...   *122*.   ...e nenguna bèstia no do reva si no   30
era en hostalaria; e lavors, IIII dr. p*er* reva, e pac-la lo
venedor al hostaler...

Ed. J. Corominas, "Tarifa dels corredors de Barcelona l'any
1271," *Hispanic Studies in Honour of I. González Llubera* (Oxford,
1959), pp. 119-27; A. M. B.

35

RAMON LLULL

(c. 1272, and 1294)

1. *Libre de Contemplacio* (c. 1272)

1   Con hom se pren guarda de so que fan los pelegris e·ls
romeus...

Senyor pregat, senyor lausat, senyor amat! Los pele-
grins e·ls romeus vesem, senyer, que van sercar vos caval-
5 cant; mas vos, senyer, con vengés en est mon per sercar nos,
en altra manera, senyer, nos vengetz sercar. Cor peus
descals anás, z en les vostres mans z en los vostres peus
portás los claus dementre fos clavat en la sancta crou, z en
lo vostre cap portás corona d'espines qui totes vos entraven
10 per la carn.

Si los romeus van sercar vos, senyer, cavalcans en pala-
fres ni en muls ni en mulcs, vos, senyer, volgés sercar nostra
salvacio cavalcant en la somera. Si los pelegrins, senyer,
vos serquen portant lo senyal de la crou en lur muscle, vos,
15 senyer, sercás els portant la crou en vostre muscle, en la
qual fos clavat e mort. E si los romeus vos van sercant,
senyer, ab blans draps en que jagen, z ab enbles caregades
de roba, z vos, senyer, sercás nos en la crou, la qual fo lit
de mort... z vos, senyer, vengés a la crou paubr'e despulat
20 de totz vestimens...

Tant son, senyer, los pelegrins e·ls romeus enganatz z
deseubutz per los falces homens que atroben en los ostals
z en les esgleyses, que alcuns d'els con son tornatz a lur
alberch vesem que pus pijor[s] son que no eren abans que
25 anassen en romeria.

Remembrat senyor, reclamat, colt z beneset z servit,
aquels qui·us van sercar, senyer, si·us volen atrobar vasen

vos sercar, senyer, en les boques dels homens religioses en-
paubritz per la vostra amor. Cor aqui vos porán atrobar,
senyer, cor los sans religioses nit z dia vos nomenen e·us   30
aoren e·us pregen e·us lausen e·us beneseyen...

Amoros senyor, lo vostre servidor e·l vostre amador vos
a sercat moltes de vegades en la crou, e los meus huls cor-
porals, senyer, anc no·us an pugut atrobar en la crou... On,
cogitant z remembrant en vos la mia anima, senyer, atro-   35
bava vos, z per l'atrobament que faya de vos comensava
mon cor a escalfar de calor d'amor, z los meus huls se
comensaven a plorar, z la mia boca vos comensava a lausar.

A, senyer, beneset siatz vos, qui molt dia vos sotz lexat
atrobar al vostre sotzmes fil de la vostra serva. On, aque-   40
les ores que eu·s atrobava, senyer, eu·s demanava si vos
avietz amor ni dousor ni devocio ni plaer ni contriccio
que·m donassetz e·m venessetz e·m prestassetz, cor gran
mester n'avia. E vos, senyer, per la gran benignitat qui
en vos es, z per lo vostre gran ensenyament, umplietz me z   45
aboravetz me tot de la vostra gracia z de la vostra bene-
diccio. ::

On beneyt siatz vos, senyer Deus, cor con entré en aquest
libre era pobre z mesqui z vil, colpable mon remembrament
z mon enteniment z mon voler. E ara avetz, senyer, ab   50
aquest libre tan examplat z tan enrequit z tan purificat mon
remembrament z enteniment z voler, que venga questio o
tentacio o visci o dubitacio on se vula ni de qual part se
voyla, que a tot abasta aquest libre al remembrament qui·l
remembra z al enteniment qui·l enten z a la volentat ama-   55
dora d'aquest libre. E per ayso, senyer, en moltz de locs
en esta obra nos guabam de eser vertuos z de eser vicios;
e ayso fem per tal que la obra ne sia mils afigurada...

Misericordios senyor, ple de misericordia z de merce,
del qual tota gracia z tot be ve. Aytant con aquesta obra   60
es major z melor, z aytant con eu son home vil z mesqui
z pobre en totz bens, d'aytant son obligat a aver z a fer mes
de gracies z de merces a vos, z d'aytant par aquesta obra
mils vostra que mià en lo be qui es en esta obra; e si tant

65 es que en esta obra aja neguna error, d'aytant par mia z
no vostra. Cor si eu fos, senyer, home de gran saber z de
gran actoritat no fora tan be diferentment significat que·l
be d'esta obra fos de vos, e·l mal si gens n'ic ha fos de
mi, con es con eu son home sens saber z home vil z mesqui,
70 pecador z coupable, z sens nula actoritat z honrament...

Dreturer senyor, sensualment sentim z entallectualment
entenem que en axi con lo coutel no fa a menys prear per
lo ferrer dentro que sia vista la trencadura del coltel, enaxi,
senyer, aquesta obra no fa a menys prear per mi ni en mi
75 dentro que sia vista mala z errada, si tant es que nula erra-
da ni nul visci hi aja. On qui esta obra volia, senyer, me-
nys prear z destruir, entena la mia entencio qui no es esta-
da en esta obra a dan de negu, enans o es a donar loor de
vos, z de exaltament a la sancta esgleya romana; e guart,
80 senyer, la bonea de les robriques, z guart si proven so que
signifiquen. E so qui es mal, si jens n'i a, ixilen·o d'esta
obra z meloren so que s'i pot melorar, z lexen estar so qui
es bo z qui negun dan no dona...

2. Libre del Sisen Seny (1294)

Deus ab vertut de la tua sanctedat comensam a ensercar
85 lo VIen seyn, lo qual apelam Efatus.

A ensercar seyn no conegut per los antics ensercadors
de les cozes naturals e de lurs secrets, propozam primera-
men tractar del seyn comun e dels seus particulars coneguts,
per so que mils puscam venir a conexensa d'aquest seyn que
90 ensercam, lo qual per els no fo conegut; car per aquela
conexensa que d'els aurem z darem mils porem declarar la
natura e la proprietat del VIen seyn. z apelam aquel Effa-
tus, per so car la sua fi esta en manifestar lo concebimen
qui es fet de dins la substancia animada z sensada, lo qual
95 concebimen es fet en home sots rao de racionalitat e de
[y]magena(*bi)litat, z en los animals no racionals es feta sots
ymagenalitat.

Aquest concebimen de dins la substancia es manifestat
de fores per vou en la qual es affigurada la concepcio de

dins, e·l object del seyn es la manifestacio al altre animal 100
per so que conceba la sua concepcio, al qual apetit natural
dezira la concepcio que es feta de dins per so que ab el
pusca partissipar e la sua concepcio manifestar. Enfre am-
dues les manifcstacions, la Iª que es dins e l'altra que es
defores, está vou affigurada sots rao de concepcio de dins 105
moguda per lo loquitiu <qui espacifica lo son> z mou
(*lo) l'estrumen on se forma la vou; z es reebuda aquela
vou per l'auditiu de fores qui en lo seu propri audible dona
la semblansa de la concepcio objectada a la manifestacio
de dins definida en la manifestacio de fores. Segons aquesta 110
manera e moltes d'altres preposam ensercar la natura del
seyn que ensercam, e revelar aquel seguent la manera de
la art enventiva e de la taula general...

1. Biblioteca Ambrosiana, Milan, MS. A. 268 Inf., ff. 105ʳ-106ʳ, and MS. D. 549 Inf., ff. 276ʳ-277ʳ; ed. Miquel Arbona, *Ramon Llull: Obres Essencials,* 2 vols. (Barcelona, 1957-60), vol. II.
2. Bayerische Staatsbibliothek, Munich, MS. 604 hisp. 60, f. 93ʳ.
The Milan MSS. are dated 1280, that of the *Libre del Sisen Seny* is of a date not later than 1340.

36

AN AGREEMENT BETWEEN THE INHABITANTS OF MONTCORBAU

(1279)

1   Notum sit omnibus hominibus presentibus z futuris quod
XV casals de Mont Corval, habitanzs de la porta de G. de
Don Sans entro a la de G. Gasia, an establida tor comunal
sobre casa per defendre les los causes, e totas tres son en
5 dexs segus del poi entro la cot. Los establidos de la tor
son aquez: R. G. ab sos fills, z G. Gasia, e G. Malet, e B.
d'Escabran, Don Marti presbiter, e Per de Zacal, e G. de
Zacal, e M. Orelha, e G. de Mont, e Don B. de Vila presbiter
e sas fraires, e Don Sirat presbiter, e B. Sirat, e R. Barad,
10 e R. Gasia, e Marti de Don Sanz ab sos frayres. E an via
comunal sies nulli enbarch entro a la tor, e an·i maso co-
munal on obre la porta de la tor, e son daz XXXVI sol.
de Morlas en la via e·n la maso comunal; e que·i obren
portes aquels que aizina i an. Primer an establit que si
15 degu parçoner ab son grad aucidie altre parzoner, que deu
fer fi a dit z a coneguda dels altres parzoners, e ultra la
fi deu dar C sol. e star exillat fora dex per I an; mes totes
les causes sues denz los dex deven estar segures. E si per
aventura le qui la mala feyta pren envadie los dex per sa
20 sobreria, la mala feyta que fes deu adobar, e·ls C sol. que
pren deu perder. Item tuit li parzones deven defendre los
dex. E si per aventura defenen los dex mala feyta fos
feyta, tuit engalment la deben desfer. Item si alguna desa-
cordança ere entre·ls parzones li altres parzones ag deben
25 acordar· Item si degun parzoner panave la tor e la vedave
per I dia als altres, deu perder sa part en la tor, e apelat

perjuri e tradidor.   Item nuls om no es autrejad si de vila
ges e re no·i poscha vener.   Item nuls parzones no ampar
altre si de daun no gaida los autres.   Item en riueta *z* en
montanha drit per paran se deven ajudar.   Item los avan/   30
diz parzones an jurat sobre senz los avandiz establimenz,
e an jurat empres que quals que no volés tenir ço que la
carta diz que perda L sol. o sa part de la tor.   Factum
est hoc in ecclesia Sancti Stephani de Monte Corval in die
Sancti Barnabe anno domini MºCCºLXXºVIIIIº...   35

A. C. A., Varia Cancillería no. 65, f. 40ʳ; ed. F. Valls Taber-
ner, *Privilegis i ordinacions de les valls pirenenques. I: Vall d'Aran*
(Barcelona, 1915), p. xxv, n. 2, and J. Reglá Campistol, *Francia,
la Corona de Aragón y la frontera pirenaica: la lucha por el valle
de Arán (siglos XIII-XIV)*, 2 vols. (Madrid, 1951), vol. II, doc. 147.

37

JAFUDA BONSENYOR: *PARAULES E DITS DE SAVIS E FILÒSOFS*

(Late 13th century)

1   *20.* Hon fuig, qui Deu lo serca? *35.* No es rey sino
ab homens, no homens sino ab aver, no aver sino ab pobol,
no pobol sino ab dretura e ab bon capteniment. *36.* Rey
qui ajusta molt aver d'asso que pren de la gent es axi con
5 cell qui trespola [sa casa] d'asso que leva dels fonamens.
43. Conve al senyor que comens a dressar si enlex e ses
feynes abans que dres sa companya e sa gent; e sino seria
axi con cell qui pensa dressar ombra de cosa torta abans
que dres lo fust de que es ombra. *89.* Bon nodriment es
10 enseyament e que no fassas res en celat que·n ages ver-
gonya si es sabut. *106.* Lo seber veda a sson senyor que
no·l vet de ceyll qui l'es covinent. *129.* Dix I fill de rey
a hun savi: "Fort son ansios de tu." Dix lo savi: "Per
que?" Dix [lo fill de rey]: "Per so que veyg de ta gran
15 pobresa." Dix lo savi: "Si tu sabies que es pobresa series
affaenat de esser ancios de tu matex." *189.* Axi es la me-
dicina al cors con lo sebo al drap, que l'esqura, mas afina·l.
201. El segle es pont: passats-ne, mas no·y poblets. *207.*
El segle manysprea cells que solia honrar e la terra menge
20 a cells que donava a menjar. *247.* Perdona a aquell qui·s
tarda de arrar e·s cuyta de pinedre. *324.* Si vols prometre,
atin; sino, jaquix-te·n. *334.* [Franquea] es que [sies] ape-
rallat de donar del teu e que·t lunys del altruy. *342.* Un
hom dix en I honrat hom: "Una coze pocha he ops de
25 tu." Fo-li greu e dix: "Jaquix-la tro que creegua." *385.*
Avols germans son axi con arbre de foch, qui crema l'una
branque l'altre. *471.* Flixe·t de volentat, que feries contra

ton seyn si la complies. *482.* Diners son untura de les
nafres del temps. *496.* Esser freturos de la cosa val mes
que demanar-la a aquell que no tany que hom li deman. 30
601. No sies vert, no·t premen — ne sech, no·t trenquen.
657. Bon seria al rave si es molia si matex. *756.* No de-
mans que·s fassa yvas la obra, mas vulles que sie ben feta:
que la gent no demanen 'En quant fou feta?', mas dien:
'Tan be es feta!'...   35

Transcription supplied by I. González Llubera from B. C., MS.
1031. The MS. is in a late 14th century hand.

38

CAPBREU OF THE VALL DE RIBES

(*c*. 1283-1284)

1   ...Fa a·n G. de Ribes Iª quartera de civada e·l terz de
I fey de pala e Iª galina, e alters any no micha de galina
e III ous cascu ay e miga oblia...

Encara pren En G. de Ribes al graner de Queral-
5   <b>s del seyor rey ans que lo graner se partesca II
quartals de segle e Iª quartera de forment e I q[ua]rtal de
sivada...

E leva lo balle seu per mengar Iª migera de froment
per cascu mes aytant quant trigen los blatz a levar, e III
10   dr. per cascu dia que leven per companaye.

Encara es tot l'ordi de la cusura e·n G. de Ribes de
tot a l'abadia de Querals e de Fustiya e del vilar de Betet.

Encara pren En G. de Ribes so fisc en totz los diners
qui·y ixen per justicies ne en questa (*ms.* cara) general si
15   la·y faia...

La questa de Sen Miquel generalment puya entre Que-
rals e Fusteya CIIII ss....

Los mases amdos de Rial fan emfr'amdos I fey de pala
a·n G. de Ribes, e cascu Iª ola de cols e Iª ola de sebes si
20   la an...

P. de Coma fa al rey XX dr. pel mas de·n Batle... e I
ma<y>gen al rey; fa... III fogasses de oblies e Iª ola
de cols e altra de sebes si n'i a, lo cal P. Coma es hom
propi del seyor rey e jura ayso de veritat...

25   P. Pages... fa al seyo rey II pugeres de blat de para-
des...

P. Marti... per pors e per perna... e·l terz d'u sester

de blat de parades... e Iᵃ puyera de gaytes... e quasta co-
minal e tasca e cussura...

...III pugeses de vi... 30

P. de Capdevila jura que fa... II sos...

Bernard Andreu jura que fa... I molto la cisena part,
e en dos moltos mes VI part... e II sesters de blat de par[a]-
des rasi e II pugeres mes rases...

Item de XV mases de Pardines de cascu II ous de fores- 35
tage...

Encara can lo seyor rey a pres IX mesures pren·e En G.
de Rebis (sic) II mesures a sos obs per solatge e per rere-
deume...

Item pren En G. de Ribes de tot lo bestiar estrany de 40
galorzes qui ve en la <pa>roquia de Pardines levat lo vilar
de Vilatiyos de cascuna bestia leytera Iᵃ mᵃ...

Prumerament jurá P. d'Armenter e dix que hera hom
propri seu, e dix que fa cens que daval es conte[n]gut...

Item per les cases que foren de Na Ferera Dezprat e per 45
les cases sues e per la ixemplada que En G. de Ribes li doná
e·l prat, III galines...

Item Ar. de Ventayola a·n G. de Ribes per lo prat que·s
té ab la sua laurao Iᵃ quartera de civada...

A. P. O., B 92, ff. 7ᵛ-19ʳ; ed. Alart, pp. 39-47.

39

BERNAT DESCLOT: *CRÒNICA*

(1283-1295)

1   [*De la mort de Corali e de sos companyons*].
    … "Seyer," dix lo comte Galva*n*y, "…partesca*m*-nos tots
IIII, vos, e el fil del duch d'Ostalrich, e yo e mon fil, d'esta
co*m*paya p*r*ivadame*n*t; e irem-nos-en en les encontrades de
5 Terrassina, q*u*i es riba mar, e nuyl ho*m* no·ns conexerá, e
metre*m*-nos en Iª barcheta e tornare*m* a Pisa, e aq*u*i refor-
sare*m* e pendre*m* tal co*n*seyl q*u*i bon será *p*er nos." "Certes,"
dix Corrali, "vos deits be; do*n*cs desgarnesca*m*-nos e vistam-
nos tals vestedures *p*erq*ue* no siam coneguts." Adoncs ana-
10 re*n*-se aparelar tot p*r*ivadame*n*t e partire*n*-se de la co*m*paya,
que nuyl hom no·*n* sabé res. E anaren-se·*n* a peu ta*n*t tro q*ue*
ve*n*gre*n* a la mar en les encontrades entre Gayeta e T*e*rras-
sina, e aq*u*i trobare*n* Iª b*a*rcheta de peschadors, e dixere*n*-lur
si·ls vulien portar tro a Pisa, e els pagar-los-n'ie*n* molt be a
15 lur volentat. E los pescadors dixere*n* q*ue*·o farie*n* molt vo-
le*n*ters. E qua*n*t se fore*n* avenguts del nolit, e muntare*n* en la
barcha, e feere*n* vela d'aq*u*i e anare*n* tot aq*ue*l dia e la nuyt;
e qua*n*t ve*n*c lo mayti, lo ve*n*t lur doná al-enco*n*tra, e no po-
gre*n* anar plus a ava*n*t e arribare*n* a terra en I loch agrest.
20 Mas assats p*r*op d'aq*ue*l loc avia I castel q*u*i·s teni*a* per lo
Pape, e era·*n* castela un cavaler que el pare de Corrali avi*a*
fet gran be. E qua*n*t fore*n* arribats, exire*n* en t*e*rra axi com
a home*n*s qui no ere*n* usats de la mar ne avie*n* me*n*yat be
avia II jorns sino fort poch. Lo seyor de la barcha pensá·s
25 q*ue* aq*ue*sts eren honrats homens, e q*ue* si·o deya al castela
d'aq*ue*l castel q*ue*·n auria bo*n* gasardo d'el; e q*u*ax q*u*i va
fer leya ho sercar alre, p*a*rtí·s de la barcha e aná-se·*n* al
castela del castel, e qua*n*t fo la dix-li: "Seyer, si vos me

donats bon gasardo jo·us faré molt guasayar. Sapiats que IIII
gentils homens han noliegada una mia barcheta per anar a 30
Pisa, e semblen-me honrats homens, e crou que sien de la
compaya de Corrali." Quant lo castela ho hac entes, muntá a
cavayl ab d'altra compaya e aná-sse·n a la mar e trobá
aquests IIII cavalers qui eren devalats en terra per ço com
la mar los avia trebalats; e pres los sens tota defenso, e 35
m<e>ná·ls se·n al casteyl... E Quarles aytantost trамés·i
cavalers, e el cavaler liurá·ls-lur; e amenaren-los al rey
Carles, e mes-los em preso.

Ara, es certa cosa que tota la terra que Karles tenia era
estada de son avi e de son pare de Corrali, per que no era 40
maraveya si Corrali la demanava ne·n garreyava ab Karles,
que sua devia eser. Quant Karles hac Corrali en son poder,
e el fo molt desijos que·l pogés destruir, e hac jutges qui li
vulien mal, e axi com a ladre fou-lo jutgar en Napols defora
en la plaça davant tota la gent, e aqui fou-li talar la testa, e 45
al fil del duc d'Ostalrich e al comte Galvay e a son fil. Mas
Carles pas no avia entesa la evangeli de Sen Matheu, d'un
rey qui perdoná a I seu serv qui li devia X milia besans, e
que maná lo rey que hom venés el e sa muler e sos infans e
tot quant avia, e que el doute fos pagat al rey. E aquel serv 50
del rey ajonolá·s a sos peus e clamá-li merce, e el rey hac
misericordia d'el, e perdoná·l·i e lexá·l anar. E quant aquel
serv fou defor del palau del rey, el trobá en la carrera I serv
del rey pus minve de si, quayx son conpayo, qui li devia C d.
petits, e dix-li que·l pagés; e aquel dix que no avia de que z 55
que li agés merce. E lo serv a qui el rey avia perdonat, plen
d'ira e de mal talent, aná pendre aquel serv del rey a la gola
e vulia·l estrangolar; e com mes li clamava merce, e mes lo
batia... E quant lo rey hac asso entes, i tramés missatge per
aquel serv que vengés a el; e·l serv venc denant lo rey... E 60
axi lo rey fou-lo gitar en la perfonda carcer hon nuyl temps
pus no exí. Per ço si Karles membrás quant los sarrayns de
Babilonia lo preseren, el e sos frares, qui eren anats en terra
d'estrayes gens per destruir els e per tolre la lur terra, z no
lur feeren nuyl mal, ans los ne lexaren anar els e lurs gens, 65

sans e salvus, ben fóra rao e merce que cant hac pres Corra-
li, qui venia demanar ab rao sa terra, que no·l auciés ne li
feés mal; mas tot axi com el avia trobada merce entre les
gens qui no eren de sa lig, que el la agués a Corrali, qui era
70 crestia e de sa lig...

B. C., MS. 486, ff. 35ᵛ-36ᵛ; ed. M. Coll i Alentorn, *Bernat
Desclot: Crònica*, 5 vols. (Barcelona, E.N.C., 1949-51), vol. II. This
MS., the oldest one extant although undoubtedly a copy of an
earlier one, belongs to the late 13th or early 14th century.

40

REVA OF PERPIGNAN

(*c.* 1284)

... Pessa de drap de Txalon. Biffes e pers de Pruis. Tot 1
drap d'Anglaterra, ab que no sia tint en grana; cubertes
d'Ipre, does per I drap. Drap de Bruydes. Feutre d'Ipre. Cu-
ram de conils, lo centenar vestit. Lo c. d'anyines, vestit atres-
si; item lo c. dels aortons, vestit. Tota peliceria qui·s vena 5
a dotzena, so es a ssaber de salvazina, axi can son janetes,
fahines, volps, gatz martrins, jebelines, putoys, ermenis, ven-
tresques de luries e tota altra salvaina levat luries paga la
dotzena III mesales. Luria crusha. Pelots d'anyels. Vayrs,
adobatz o cruus, lo miler. Pena de testes de vayrs. Capros 10
de vairs entirs. Caxa de paper en que ha XVI raymes. Xalons
listatz d'estam ni de colors, non ren. Boanas vermeyles. Mou-
tos adobatz; item scodatz. Curs de cers, e de cavals, et de
rocis, e de muls, e d'azes, e d'autres besties grasses Iª meala
lo cur. Nuyla moneda d'or, ne d'argent, ne de metayl qui·s 15
cambie a nombre, no paga reva. Tot coton. Coyre. Tota
exartsia, obrada, de canem. Rauza de vexels. Flor de format-
ge, la carga. Bacons. Sagins. Sosha. Jarra de tonina. Cipies
seques. Notz, la eymina; amenles ab closc. Sarrai e sarraina;
item simi, o bogia o maymon. Auruga e mostasia, per aquest 20
for metex. Azen o sauma. Escudeles e anaps e vernigatz e
tayladors e morters e picons, de totes aquestes causes dona
hom de cascuna saumada I pareyl. De gaudals ho conces de
fust. Totes serpeleres grosses e cordes grosses d'avers de pes,
axi com son d'espart e de palma e de datilers, hon son les 25
esportes del pebre... e botes de sucre e cofins de verges, totes
deven esser del hoste... mes no neguna serpelera ni sac de
lin... ni cabas doble de Terragona. Tota nau o leyn o barca

o autre vaixel qui·s vena en poder del hoste, so es que·l patro
30 o·l venedor sia albergat ab son hoste, paga a son hoste per
aquela venda I dr. per liura; e totz avers que barata hom
l'un ab l'autre, no deu penre l'oste mes de la una causa, de
qual se vuyla, si doncs no·y ha tornes, de XX sol. ho d'aqui
amont. Anno domini millesimo CC° LXXX° quarto.

A. P. O., AA3, Livre Vert Mineur 1185-1413, ff. 82v-86r; ed.
Alart, pp. 77-85.

41

THE *GOLDEN LEGEND* IN CATALAN

(Late 13th century)

... O rail de Jesse, veni a deliurar nos e no·t vules tardar. 1
Mas que profitaria als catius si eren reemutz e deliuratz si
encara no eren de tot liguament de colpa absoltz, so es que
fossen de lur poder metex e francs, axi que anassen la on se
vulrien? E·m per amor d'ayso poc nos aprofitara si·ns rese- 5
més e·ns deliurás si encara nos tengés ligatz, on per asso de
totz liguamens de peccat demanam esser soltz quant cantam
la quarta antifana cridan diens: "O clau de David, vine e
amena e tre l'ome ligat de la carcer sesent en tenebres z en
ombra de mort." Mas cor aquels qui foren longuament en 10
la carcer an los uls tenebroses e no poden veser clarament,
p[er] asso apres la absolucio de la carcer fom nos apres enlu-
menadors per so que vejam on devem anar. Et [per asso] en
la quinta antifana cridam cantans diens: "O orient, clartat
de lud perdurable, vine, illumena los seens <en> tenebros 15
e en tenebres e en ombra de mort." : :
E Sent Gregori ne posá e·n assigná IIII otilitatz o coses
del seu aveniment de Deu. Esbaleien-se totz los ergulosos en-
genratz de la liyada de Adam de cobeyar les prosperitatz de
la present vida e d'esquivar les cozes contrarioses e de fuger 20
a les hontes e de seguir gloria, per que venc entre els encar-
nat lo Seyor, coses contrarioses cobe/eyan, prosperitat meyns-
prea[n], ontes z injuries abrassan, la gloria del mon fugen...
E Sant Bernat ne posá autre[s] raons del seu aveniment,
dien: "Per n[ostre]s malauties mesquinament trebalam, cor 25
molt leugiers som a enguanar, e de[bi]ls a obrar, e frevols a
contrestar, co[r s]i devesir volem entre be z mal em l[eu]gera-
ment enguanatz"... On per aclo necessari fo l'aveniment del

salvador per so que en nos per fe abitans, illuminans la nos-
30 tra seguea e ab nos estans, que·ns ajut a la nostra enfermetat
e estans per la part nostra que defena la nostra freulea e
que·s combat[a] p[er] nos. : :

[*The Day of Judgment*]: ...e·ls bons a la part dreta estar
fará, e·ls mals a la sinestra El triará. Es cresedor que en loc
35 manifest El es venidor per que totz lo porán veser, mas no es
entenedor que totes les gens sien encloses en aquela valeta,
cor asso seria enfantil causa de dir... e si mester es los elegutz
serán en l'aer per elevocio dels corses...

La uns serán jutgatz e perirán, als quals será dit: "Yo
40 aguí fam, e no·m donás a menjar"... los autres serán jutgatz
e reyarán, axi con aquels als quals será dit: "Jo famegé e
donetz me a mengar." Los autres no serán jutgatz, e regnarán
axi co·ls barons santz...

La quarta cosa del jusesi será la cruseltat del jutge, cor no
45 flixará negun per temor, per so cor tot poderos es... mot dre-
turer es... es tals que no pot esser enganat per paraules ni·s
blega per dons... contra la saviesa d'El nula cosa no valrán
allegacios d'avocatz ni sofistmes ni bels parlars dels retorics
ni subtilea. : :

50 [*The Martyrdom of St. Vincent*]: ... En apres els foren
per manament de·n Dacia, qui era pretor, en la ciutat de Va-
lencia amenats e·n una carcer foren enclausi, e fé manament
que hom no·ls donás a menyar... Vicens li respós dien: "O
lenga enverinada de diable, no temi res los teus turmens, mas
55 sol ayso tem eu molt que tu·t refreges que·m ages merce, cor
sápies que con eu te veg mout irat adoncs m'alegri eu pus,
per que jo no vul que tu aminves a mi negun dels turmens,
per so que tu confes que est vensut en totes cozes"...

E quant aquelo ausí dir En Dacian el dix: "Eu me pens
60 que viu ni mort no·l poyré sobrar." : :

E·n aquel temps s'ajustá gran multitut de barbres costa
lo flum qui es apelat Danubii, qui volien passar lo flum e
volien subjugar totas les regions a si en tro a sol ixent. E
quant Contasti l'emperador o saub, el ajustá ses compayes e
65 passá costa lo flum Danubii, mes co·ls barbres passesen lo

flum Contasti fo mot espaordit p*er* <so> car vesec que·l
sendem*a* se mesclarien ab el. Per que en la segent nuyt lo
desp*e*rtá l'angel e amonestá-lo q*u*e gardés en ves lo cel, e ayxi
co el gardá al cel el vesec lo seyal de la crou, q*u*i fo feyt de
mot clar lum e avia aquest titol escrit ab letres d'au[r] sobre 70
si : "P*e*r aqu*e*st seyal venserás." E mantene*n*t el fo comfortat
p*er* la celestial visio, p*er* que el fé fer lo seyal de la crou e
maná que hom lo li portés dava*n*t. : :

[*The Finding of the Cross*]: ... Apres ayso En Judes se
sincs ben estret e comensá(r) a cavar. E q*u*a*n*t ac cavat XX 75
passes el atrobá III crous amagades... on con els no saubes-
sen devessir la crou de C*r*ist d'aqueles dels layres els pausaren
les crous e'mig de la ciutat, e aqui els p*re*guaren Deus que El
mostrés la seua gloria sobre aqueles crous...

B. N. Paris, MS. Esp. 44, ff. 2^r-4^v, 46^v-47^r, 108^r, 109^r ; frag-
mentary ed. by J. Corominas, *Las Vidas de Santos rosellonesas
del manuscrito 44 de París* (Mendoza, Universidad Nacional de
Cuyo, 1945). The MS. is in a 14th century hand.

42

USATGES DE BARCELONA

(Late 13th or early 14th century)

1   IX. D'ome q*ui* f*er* altre.

Si negu ferrá altre en la fatz, p*er* gautada, V sol., p*er* poin o p*er* caus o p*er* pera o p*er* fust, X sol.; e si n'ix sanc, XX sol... Si·l tira p*er* los cabeyls ab una ma, V sol., am II mans,
5   X sol., si cau en t*er*ra, XV sol... p*er* escalv*er*ame*n*t, XL sol...

XII.   Si alcu fer altre en qual loc de son cors.

Si alcuns, dedigna*n*t de qualq*ue* colp, ferrá alcun en cors, p*er* sengles f*er*ides que no pareschen sengles XII din*er*s... p*er* os frant, I sol... E si, fire*n* ho tira*n* irada / me*n*t, fa exir sanch
10   del nas o de la bocha, XX sol. li do p*er* esmena.

XXII.   Co·s tenga plet.

De tots los plets comunals no coven esser plus de quatre: l'un, en q*ue* sia dret f*er*mat per plivis e p*er* pena covine*n*t-me*n*t, si mest*er* es auditz los clams de q*ue*ga part; altre, en
15   que·ls clams sien ditz e raonatz, e·l[s] judicis donats dels jutges elets d*e* cascunas parts; lo t*er*z, en q*ue* los clams e·ls judicis sien ret*re*ts del jutge, e si obs es los judicis mellorats, e apr*e*s sien loats e atorgats, e aq*ui* deve*n* crex*er* les penyores a lor d*e* lurs jutges...

20   XXXV·   De cel q*ui* son senyor ociurá.

Qui, son cient, ociurá son senyor de man o de lenga, ho son fil leyal, ho li fotrá sa mul*er*, o li tolrá sa mul*er* o son castel e no·l·i retrá senes penyorame*n*t, o li fará mal q*ue* no puscha esmenar ni rederdre — p*er* una d'aquestes [coses], si
25   provat n'es ni apoderat, deu venir en poder de son senyor, ab tot qua*n*t p*er* el tenga, a sa volentat a fer, cor gran baya es. De les altres bayes e de les malafetes q*ui* poden esser refetes

e esmenades, ferm om dret a son senyor axi com custuma es
d'esta terra, e faça·l-li axi com el li fará jutgar.

XLIII.   Com tot hom deu jurar a son senyor.   30

Tots homens, cavalers e pages, juren a lurs senyors axi
com els lur o farán jutgar per dret en plet. Mas los senyors
no juren a lurs homens.

LXXVI.   Que nuyl hom no faça justicia sino la postat.

Dels mayorals, vescomtes, comdors e vasvassors, negu no   35
gos d'aci enant tormentar los colpables ni penjar per justicia,
ni bastir novela / ment castel contra la postat, ni tenir forsa
assetyada, ni combatre ab gin ni fenovol, gossa ni gata, cor
gran onta seria de la postat... Solament a les postats es donat
dels homicidis, dels aulteris, dels farciladors, dels ladres, dels 40
robadors, dels baadors e dels altres malfetors, que facen, a
lur semblant, talyar lo peu, e la man, <e les oreyes>, trer
los huyls, tenir preses en tavega lonch tems, e si mester es
penyar lurs cors a la perfi. A les fembres tolre lo nas, e·l pot,
e les oreyes, e les mamelles, e si obs es cremar en foch. E per 45
ço cor terra no pot viure senes justicia per ço es donat a les
postats de fer dreturera justicia. E axi com li es donat fer jus-
ticia, axi li es dat perdonar a cuy se vullya.

XC.   De les exorquies dels pageses.

De les cosses e de les richees dels pageses exorchs qui   50
son morts lurs senyors ayen la part encems que agueren los
hereus si romassessen criats dels exorchs.

XCII.   En qual gissa marit pot reptar sa mulyer.

Los marits poden reptar lurs mulers d'avolteri, neis per
sospita ; he eles se·n deven porgar per lur avagant, per sagra- 55
ment e per batalya, si aqui son aperts mostramens e covinens
signes... muller de pages, per caulera ab lurs propies mans...

CXIIII.   De pau qui es confermada de bisbes e d'abats.

... Exament confermaren que nul hom e·l bisbat de Gero-
na, ni de Barcelona, ni de Besullo, ni de Peralada, ni d'Em- 60
puries, no faça prida d'egues ni de pulins entro a mig ayn,
ni de bous ni de vaches ni d'asens ni de someres ne d'ovelyes
ni de moltons ni d'ayels ni de cabrits ni de cabres ne porchs.
Los masses dels pageses e dels clerges c'armes no porten, e·ls

65 colomers e·ls payllers, nulla persona no·ls crem ni·ls des-
trouescha... Les vestedures no sien toltes als pageses, ni les
reyes ni·ls cavecs. Olivera nul hom no la crem ni la tal ne la
malmeta, ne les holives. E es establit que nul hom no penyor
altruis cosses per pliu ni per altre afer c'ab altre aya fet, jasia
70 ço que o solva. Qui aquesta pau franyerá e non la esmenará
en simple enfre XV dies a aquel a qui franta la aurá, si pasa
XV dies, en doble li·o compona; la qual dobla aja·l bisbe
e·l comte qui rederdre ho fará...

Escorial, MS. Z-III-14, ff. 8ᵛ, 9ᵛ, 10ᵛ, 11ᵛ, 16ᵛ, 18ʳ·ᵛ, 21ᵛ; ed.
Josep Rovira i Ermengol, *Usatges de Barcelona i Commemoracions
de Pere Albert* (Barcelona, E.N.C., 1933).

Another, earlier, Catalan translation of the Usatges, *to be found
in the Museo Episcopal of Vic, has been published by Josep
Gudiol, "Traducció dels Usatges, les més antigues constitucions de
Catalunya y les costumes de Pere Albert," AIEC, I (1907), 285-334.
A comparison of the Vic and Escorial translations is not without
interest, and there follow some excerpts from the former (taken
from Gudiol's edition). The Vic MS. is of the second half of
the 13th century.*

[XXXV]. Qui aucirá son senyor.

75   Qui aucirá son senyor de man ho de lengua, ho fil de son
senyor ledegme, ho jaurá ab la muyler de son senyor, ho li
emblará son castel o no·l li retrá sens piyorament, ho li fará
altre mal que no li puscha redeger ne esmenar — per cascuna
d'aquestes coses si li serán provades, e si serán provades ven-
80 sut deu venir en man de son senyor ab totes les coses que per
el haurá haudes per fer la sua volentat, cor fort gran baia es.
D'altres bayes ho mals (*sic*) fetes qui·s poden esmenar ho
redeger deu hom fer dret a son senyor axi com es custuma
d'aquesta terra. E fassa a son senyor so que el li fará jurar.

85   [LXXVI]. Que negun no gos altre turmentar.
Dels mayorals, vescomtes, comdors et varvessors, negun
no·s gos d'aci enant turmentar los colpables ne penyar per
justicia... ne tenir forza assetyada, ne combatre ab gins, ab
fenevol, gosza ne gata, cor tan gran onta seria (*de) de la
90 postat... Solament a les postats es donat dels homicidis, dels
adulteris, dels sortileyadors, dels ladres, dels robadors, dels

laares, dels altres mals feytors, qui facen, a lur semblant, tren-
cat (*sic*) lo peu e la man...

[XCII].   Tot hom pot reptar sa muyler.

Los marits poden reptar lurs muylers de aulteri neguex   95
de suspita, e eles deven se purgar per lur avagan, per segra-
ment ho per batayla, si aqui son oberts mostramens et co-
vinens signes...

[CXIIII].   Del consili de Gerona.

... Eximent confirmaren que nuyl hom... de Besuldo, ne   100
de Peralta, ne de Ampuries, no fasza presa de eugues ne de
polins tro a mig an... Los mases dels pageses e dels clergues
qui armes no porten, e els colomers e els payers, nuyl hom
no·ls crem ne·ls destroescha... D'altre part stabliren que nuyl
hom no penyor les coses del altre per fermança ne per altre   105
affer que ab altre aya fet, jats se sia ço que ho pach. E qui
d'aquesta pau demontdita trencará... la qual doble aya el bis-
be o el comte qui retre ho fará...

43

FROM THE SEVILLE BIBLE

(Late 13th or early 14th century)

1   DE JUDES ESCARIOTH E DE LA SUA VIDA...

      Venc un dia que [Pons] Pilat
      de son palau es remirat,
      e veé un [fort] bel vergers
5   on ac asats de bels pomers,
      e·ls pomers foren carregats
      de beles pomes, sapiats.
      (E) cel verger era de Ruben.
      payre de Judes veramen;
10   (mas) l(a)'u ne l'autre non sabia ges
      que s'atanguesen nuyla res.
      (D'aque)les pomes enveya Pilat
      e lo verger es be serrat;
      e diu que si no n'ha ades
15   la sua vida pocha es.
      Judes, que ayso ac ausit,
      es del palau [tant] tost exit:
      (e) entr'e·1 verger, e no·y trigá,
      per lo mur, c'om no demandá.
20   Layns saltá en continens,
      puys e·1 pomer muntá leumens;
      de les pomes cuylí asats,
      tot a la sua volentats.
      Ruben veé Judes aqui,
25   tot lo seu cor l'en estremí,
      e fo irats e despagats
      dels poms que Judes ac justats,

e va-li dir que los lexás
e que per res no·ls se·n portás.
Judes les pomes fort defés   30
e no les volc lexar per res;
Ruben volc-s'a el acostar
e Judes va-li tost lansar
una pedra sus e·l batco(i)l,
sí que no dix: "asi m[i] dol":   35
mort lo lexá tant tost aqui
e Judes del verger exí. : :

   Apres ayso Jhesus aná
en un loc de Betania,
e covidá·l Simon lebros   40
el e tots los seus compayo(n)s;
asats los doná a menyar.
E, ab aytant, viren intrar
la Magdalena, qui casech
detras Jhesuchrist, e estech;   45
e aportet de bon enguent
en una capsa, verament,
qui valia molts grans diners,
e comprá·l de bons especiers;
e mantinent va-lo gitar   50
sobre Jhesus e escampar;
apres los seus peus li·n untá,
e puys exugats los li á
ab los seus [espesses] cabeyls,
qu'eren molt loncs, rosses e beyls;   55
tal odor exia del(s) enguens
que tot ceyl loc n'era olens...
   Judas, qui aso agué vist,
fo mogut contra Jhesuchrist,
e dix que mays ag(ue)ra valgut   60
que[z] aquel enguent fos venut,

que trenta sous n'ag(ue)ren trobats,
e ara es tot escampats...

Ed. J. Corominas, "The Old Catalan rhymed legends of the
Seville Bible: a critical text," *HR*, XXVII (1959), 361-83.   The MS.,
in the Biblioteca Colombina, is in a 14th century hand.

44

ARNAU DE VILANOVA: *REGIMENT DE SANITAT,* AND A PRIVATE LETTER

(*c.* 1305-1310, and 1310)

1. *Regiment de Sanitat* (*c.* 1305-1310)   1

[*De triar aer seguons lo temp*[*s*].] Car en estiu deu esser demanat aer pur declinan a fredor atemprada, e el contrari en ivern; en aqueyl loc, empero, un l'aer es pur, les altres dues partides del any, ço es primavera e autumpne, qui son   5 atempratz en les calitatz lurs.

[*A que pot noure aer pur.*] Mas, per ço car moltes veguades esdeve que·l loc un l'aer es pur, soptosament se umple de ventz, lavos los corses rars ho plens de sanch, leugerament son agreuyatz per mudamentz soptoses, con lo vent   10 entre en els, majorment si ven justat enaxi con per canal. [*Con se pot hom guardar del noiment del vent.*] E, per tal, es mester que en los locs plens de ventz sia hom cubert de vestadures groces; mas als homes qui son de compleccion colerica ho sanguinea, es bona e covinent vestadura de li   15 ho de seda, plena de dins de coto ho de borrelons de ceda, a manera de jubet ho d'espatleres, car aytal vestadura no ffa escalfar ne enflamar la sanch, e deffen del vent les partz del cors qui d'ela son cubertz.

[*De triar loch* [*a ja*]*er e a dormir.*] Lo loc, empero, qui   20 mayorment deu esser alet a jaer e a dormir, se deu hom guardar que no sia l'aer tancat ne enclus, e que age frans espiramentz, no en axi con alscunes cases voltades, les quals an pocs espirayls, ne raumatigues, axi con cases soterranies ho sotzsoles, lo soll de les quals no es pavimentat; car en   25 aytals locs es l'aer fort gros e humit, e a aquels qui hi jahen, e magorment qui hi dormen, agreuge molt lo cap e·l pitz,

e fa·ls encare groces e pereroses e soniloses, e costreny lo
cor, e enduraex l'ale, e fa greu respiracion, e toyl la vou
30 ho la fa tornar obscura.

[*Con pot hom* [*ad*]*obar cases* [*ra*]*umatigues.*] Empero,
si de nessecitat hom ha a jaer en aytal loch, d'ivern sia
subtiliat l'aer ab foch, mayorment que sia fet lo foch de
sarmentz seques, ho de romani, ho de box, ho de semblant
35 leya, la qual no faça fum, mas flama clara. D'estiu, em-
pero, totz los espirayls estien obertz, e·l sol de la casa no
sia reguat; e deu hom jaer d'aquela part per la qual l'aer
pot entrar pus franchament. E si la casa deu esser enjon-
cada de rama vert, guart-se hom que no sia ayguosa, axi
40 con gros jonc e bova o erba moyl; mas pot esser enjoncada
de murta, ho de saltze, ho de semblans. E aytal casa pot
esser perfumada, d'ivern, de liyaloe, ho d'encenç ho de fust
de ginebre ho de cipres; e, d'estiu, pot esser perfumada de
sandel, ho de fuyles de murta seques, ho de les sues ver-
45 gues, ho de roses seques, de les quals, si fer-se pot, lo soll
de la casa sia cubert, ho sien d'aqueles saquetz unplits, los
quals sien posatz entorn lo capsal del lit.

[*Con se deu hom calfar al foch.*] Cant, empero, lo fret
constreny que hom se calf al foch, deu-se hom guardar que
50 no·n sia masa prop; e que no·y sigua hom molt, e magor-
ment apres menyar; e que no tengua la cara girade al foch,
car dels espiritz toyl als corses rars e poroses, e destroueix
la vista, e escalfa la sanc e fa grateyla. Mas pot-hi hom
saer atempradament, l'esquena girade; e si·l foc es davant
55 los uyls, e mayorment de prop, mester es que sia posada
alcuna cosa davant, per raho dels uyls.

2. *A private letter* (1310)

Domino suo, semper in domino Jhesu Christo pre mor-
talibus caro, servus inutilis utriusque manuum oscula cum
60 salute.

Faç vos saber, seynor, que·l rey Robert ara, quan partí
d'esta terra, m'espressá son enteniment sobre lo negoci que
vos z madona la regina li feés proposar per En Jacme deç

[Pla] ꝣ mi, ꝣ a·m·o comanat en secret, ꝣ vol que·n vaga
parlar ab vostre frare ꝣ que li faça saber ço que trobaré. 65
ꝣ yo veg que ço que ell a concebut es cosa covinent en
si ꝣ acceptable per la nostra part; mas quar ell son conce-
bement no poria complir si<no> ab favor d'altres perssones
en les quals (*que) ha moltes dificultats, per ço quax me
desesper del feyt, ꝣ, si altre a qui tant no toqués lo feyt m'o 70
dixés, agra sospita que fos difugi palliat.   Mas ell fort afer-
me que·u menará a compliment, ꝣ yo no pux estar sens
temor, quar a totes parts veg que crexen ꝣ broten noves
dispositions a provocar la ira de Deu a fer grans joys.

Encara·us faç saber que·l transsumpt de la mia propo- 75
sitio en consistori ꝣ la letra de la resposta que·l Papa·us
fa sobra aquela requesta que li feés per vostra letra, la
qual En Jacme deç Pla li presentá, encara no á IIII setma-
nes, que fo tot <ensems> bullat, quar lo Papa, depus En
Jacme y fo, no doná audiencia als escrits de la cancellaria 80
contravanint, si no l'altre dia; ꝣ, quar no fo qui·u requer[e]-
gués en la cancellaria, ꝣ veyen que a mi toquave, trame-
teren-m'o, ꝣ yo tramís·o a·n R. Conesa, que ell vos o pre-
sentás.   Prenet avinentea de gran tranquillitat de cor quan
o volrrés legir, per tal que puscats entendre la vertut de 85
les premisses ꝣ la conclusio de tot.

Nostre Seynor Jhesu Christ vos tingue ple de la sua
amor, e·us face fenir vostres jorns a la sua gloria.

Datum Marssilie, XV kls. julii.   Magnifico et illustris-
simo domino regi Aragonum.   90

1. Ed. P. Miquel Batllori, *Arnau de Vilanova: Obres Catala-
nes,* 2 vols. (Barcelona, E.N.C., 1947), vol. II: *Escrits Mèdics,*
pp. 106-110; B. N., MS. 10078, formerly L. 134. The MS. is in
an early fifteenth-century hand.

2. A. C. A., Cartas Reales Diplomáticas, reinado de Jaime II,
núm. 4182; ed. P. Miquel Batllori, *id.,* vol. I: *Escrits Religiosos,*
pp. 245-50: *Lletres Catalanes.*

45

ORDINANCES OF PERPIGNAN

(1306)

1   ...A Tautaull e Vingrau e Tura e Ribes Autes e Aspira.
Aujats tots que mana lo veger del senyor rey a tots los
eytranys e al[s] privats que no n'i aga negu per ausar que
aja que gaus talar ni ramar ni metre nul bestiar en lo bosch
5 o garriga que es enclausa dins aquests termes: so es a
ssaber del terme que es a XX canes de Montpeller sobre I
gran quer que ha en lo conch de Vingrau ribe lo cami rial
a part de jos, e d'aqui va tot dret entro a I terme que es
sobre lo cortal de·n R. Marti a II canes de Montpeller, e
10 d'aqui va tro ad autre terme que es aqui epres en la garri-
ga, e d'aquel tro a Iª gran socha d'autzina en que ha crou,
e d'aqui tot dret tro a I autre terme que es en la riba del
pendent de la Coma dels Tors, e davala tro al sol de la
dita coma, e d'aqui... tot dret per la plana de la Taxonera
15 tro al cap dels aygavers deves Espiran, e del dit loc ve tro
a la plana del Far, e de la dita plana va tota ceda tro a
la rocha del Morr, e del dit Morr va conclusen tot Pug
Lebros ves Vingrau aytant co·l bosch s'esten ad aval, e
torna al dit terme que es XX canes sobre·l quer dit que
20 es en lo conch de Vingrau. En aixi que·l cami rial roman
tot fora la dita devesa. E tot hom qui aquest manament
passés pagaria per taylar o ramar LX sol. ses tota merce,
e qui·y mena bestia, per bestia grossa XII dr., e per me-
nuda IIII drs...
25   ...Item adordonaren que negu hom no gaus taylar ni
ramar ab negu ferrament en negu loch dels dits boschs que
son estimats per tayles e adordonats per deveses, exceptat
tant solament que homes d'Opol o de Pereylos pusquen

taylar e penre manechs, dentals e autres asines d'aper e
taginats a lur us on que los troben en la tayla que será 30
adordonada per fer lany, e no en negu autre loch dels dits
boschs, sino boyx que poden pendre a obs de cobrir on
que lo·y troben, e leya secha a lur us tan solament, ab que
no la·n porten ab besties.

Item adordonaren que les autzines e·ls autres arbres que 35
ara son croades ho hom hi croará ho·y senyará d'aysi avant
romangen tota ora, que nul hom d'aquels que·y serán ador-
donats per taylar ni autre no les tayl ni desfassa los seyals
(* que·y) que·y son.

La qual adordonacio quant foren venguts dels dits lochs 40
los dits prohomes mostraren e leseren davant lo senyor rey
e son cossceyl. E eyl volch e maná que tot so (*de) que·ls
davant dits avien adordonat... sia ferm e aiya tenguda per
tots temps...

Item que negu hom no gaus metre bestiar menut ni gros 45
aixi co damont es dit, e si ho fasia pausa hi tal pena que
pag per bestia grossa XII drs. e per menuda IIII dr... De
la qual pena vol que n'aga lo bander que·y será mes per
son veger la maytat, e l'autra maytat que sia mig per mig
entre eyl e·l senyor de Pereylos quant a sso que es del terme 50
de Pereylos. Quant als autres lochs vol que tota la dita
meytat sia seua entro (ms. entre) que alre n'aja adordonat.

A. P. O., BB7, ff. 37ʳ, ᵛ; ed. Alart, pp. 164-7.

46

LETTER FROM SAURINA DE BESERS TO JAUME II

(1306-1309)

1   Al molt alt e molt poderos seynor al seynor En Jayme
per la gracia de Deu rey d'Aragon, &. Yo Na Saurina de
Besers humil vostra, molt desiran a besar los vostres peus
e les mans, me coman en la vostra gracia. A la vostra
5 molt alta seynoria fas saber, Seynor, que·ls diluns apres
sincagesma qui passat es En Simon G. de Vilafrancha
anava a Alcala a·n Ponsset G. son nabot, e menava ab
si I massip qui estava ab el, e anava aprimerat luyn d'el,
e encontrá·s ab I mascip qui estava ab En Ponsset G....
10 e preseren se de noves, e aqel de·n Simon G. fezrí aquel
qui ja l'avia ahontat, e doná-li ab l'aristol de lanssa, e puys
aquel de·n Pons G. nafrá aquel de·n Simon G. ab I dart
per lo bras, e passá li tot lo bras e apuntá-li e·l cors; e
aquest qui·s centí ferit doná-li ab la lanssa e naffrá·l d'un
15 colp de que morí mantinent. E·l dit Simon no poc esser
a temps que ho pertís ans fo lo mal feyt, e d'esta mort fo
encolpat En Simon G.. E per ço car lo noble don Gom-
bau d'Entenssa procurador vostre, segons qe dien, es hom
fort de son cor e fa fortz justicies, e hom qui fa a tot hom
20 temor de venir en son poder, lo dit Simon G. no volch venir
en son poder e vené-se·n a mi a Vilena. E si vos, seynor,
fossetz e·l regne ben vengra el mantinent a vos e·s mesera
en vostre poder e en vostra merce. E comptá·m lo desas-
tre qui esdevengut era, e dix me per tot cert que el no meria
25 mal en aquest feyt, e que per amor de Deu que li·n ajudás,
e per valor de mi mesexa per zo car es mon parent. E yo
respús li qe si mal hi meria(m) que no·us en escriuria, mas
que li daria via e carera pus mon parent era que no pogés

pendre justicia ne moriria mala mors; mas pus desia que
mal no·y meria que cercás aquel mascip seu qui feyt ho 30
avia, e axi que pus aquel pogés trobar que el seria desen-
colpat del dit crim e que la doncs que yo li·n ajudaria e·n
escriuria a vos. E mantinent pertí·s d'ayssi, e cercá lo e
feu cercar lo mascip de moltes partz, e no·l poch trobar
en negunes partz; e fo a Alacant e trobá aqui ab lo clerge 35
de Sent Nicholau d'Alacant qui ha I ort en la orta prop
lo mur de la vila, e ha·y una casa. E en la dita casa venc
lo dimecres apres sincagesma aquel mascip axi nafrat per
lo bras con desus vos he dit, e demaná a I hom e a II fem-
bres qui estaven en l'ort de qui era aquel ort e la casa, e 40
dixeren li que de·n Bertolmeu clerge de Sent Nicholau, e el
dix lur e·ls pregá que·l li fessen venir, que nafrat era mala-
ment e que volia comfessar. E els anaren hi e feren li
venir lo dit clergue. E can fo aqui lo mascip comfessá·s,
e can se fo comfessat el cridá aquel hom e les fembres II 45
qui aqui eren que fossen testimonis de zo que el diria de-
vant els al clerge. E dix tot lo feit axi con yo desus vos
he escrit, e dix al clerge que el lo solvia de part de si, e
li reqeria de part de Deu que si nuyl hom era encolpat de
la dita mort del dit mascip qui avia nom En Roiron, e 50
el n'era demanat, que dixés que el ho avia feyt e no nuyl
hom altre, e per zo car el era en peril de mort no volia
que nuyl hom ne fos caregat ne encolpat si no el, per tal
que la sua arma no·n fos carega. E·l capelan demaná-li
con avia nom, e el dix li que avia nom P. de Ciges. E 55
mantinent aná-sse·n, e puys no·n poch hom trobar neguna
seyna de negunes partz. E axi trobatz estz seynals del dit
hom, En Simon G. torná a mi a Vilena e comptá·m tot
lo feyt axi con ho avia trobat, e yo encara no·l ne vulgí
creure que axi fos, e En R. d'Urg aná a Agost e a Alacant 60
e pregé·l que el parlás ab lo dit clerge e sabés la veritat
del feyt si era axi. E En R. d'Urg parlá ab lo dit clerge
devant alscuns bons homens d'Alacant, e el clerge comptá
li e li dix tot lo feyt, axi con yo vos he escrit. E can En
R. d'Urg fo vengut e m'o hac comptat yo cresegí lo feyt 65

que veritat era, axi con En Simon G. m'avia dit. E dixí-li,
pus sabia la veritat e que mal no meria, que me·n entra-
metria (*ed.* quem nen trametria) e·n clamaria merce a la
vostra seynoria... E sapiatz, seynor, per tot cert e per la
70 bona fe e per la bona leyaltat que yo·us tinch, qe·l feyt
es axi veritat con yo vos he escrit, e si no la·n sabés enans
yo no·us en pregaria ne·us en soplicara... Nostra seynor
Deus vos don bona vida e larga per moltz ayns a plaser
e a serviy d'El e a honor de vos e de totz vostres amics.
75 Scrita dissapte V dies anatz del mes d'agost...

Ed. Miret*Docs,* no. XLI; A. C. A., Cartas reales sin fecha.

47

JAUME I: *CRÒNICA*

(Between 1313 and 1343)

...E dita la missa En G. de Muntcada combregá, car 1
nos e tota la major partida haviem combregat ans que
entrassem en sa mar, e ab los genols ficats reebé son creador,
e ploran e cayen li les lagremes per la cara. Apres aço dixe-
ren qui tendria la denantera, e dix En G. de Muntcada: 5
"Tenits la vos, En Nuno." E dix En Nuno: "Ans la tenits
vos vuy." E dix En R. de Muntcada: "En Nuno, ben co-
nexem per que ho deyts ne o fets, per amor que vos ajats
dema les ferides de la batayla, que devem albergar a La
Porrassa." E dix En G. de Muntcada: "Tot sia, no·ns ha 10
que fer." E En G. e En R. de Muntcada havien se ja acor-
dat que entro que·s trobassen a la batayla dels sarrains
que nos aturassem. Ab tant vench I hom nostre, e dix:
"Veus tots los peons que se·n van e ixen se de la ost?" E
pensaven se·n d'anar. E nos cavalcam en I roci, e En Ro- 15
cafort aná ab nos e trobá Iª egua e cavalcá hi en es dos, car
no hi havia son caval, que encara era en la nau... E tin-
guem los tant axi entro que foren venguts En G. de Munt-
cada e·n R. e el comte d'Ampuries e aquels de son linyatge,
e dixem los: "Veus aqui los servents que·us he aturats, 20
que se·n anaven." E els dixeren: "Havets ho feyt fort be."
E liuram los los e anaren se·n ab els. E can se·n foren anats,
a cap d'un poch nos hoim gran brugit, e dixem a I troter
que anás a Don Nuno e que·s coytás, que gran brugit oiem,
e haviem gran temor que·ls nostres no·s fossen encontrats 25
ab los sarrains. E el troter no vench, e vim que massa s'es-
taven, e dixem: "En Rocafort, anats hi vos, e cuytats los,
e digats a Don Nuno que mala vim vuy la sua tarda..." E

entant vench Don Nuno e Bertrar de Naya... e dixeren nos:
30 "Com estats aqui?" E nos dixem: "Estam aci per los peons
que e feyts aturar..." : :

E quan vench al mati que fo asseguda la albergada,
ajustaren se los bisbes e els nobles e vengren a la nostra
tenda. E dix lo bisbe de Barcelona, En Berenguer de Palou
35 per nom: "Seyor, mester seria que aquests corsos qui son
morts que·ls soterrás hom." E dixem nos: "Och, be. Quan
volets que·ls soterrem?" E dixeren els: "Ades, o mati, o
quan haurem menjat." E dixem nos: "Mes valrá al mati
quan negu no·u veurá, ni ho veurán los sarrahins." E dixe-
40 ren los nobles que be ho deyem. E quan vench al sol post
nos demanam draps amples e lonchs, e faem los metre de
part de la vila per tal que no vissen les candeles quant hom
los soterraria. E quant vench que·ls volguem soterrar me-
terem ma a plorar e a fer dol e a cridar; e nos dixem los
45 que calassen, e que escoltassen ço que nos los voliem dir.
E dixem los axi: "Barons, aquests richs homens son morts
en servey de Deu e el nostre, e si nos los podiem reembre
que la lur mort poguessem tornar en vida, e que Deu nos
en faés tanta de gracia, tant ne dariem nos de nostra terra
50 que a folia·ns ho tendrien cels qui hoirien ço que nos ne
dariem. Mas pus Deus nos ha aduyts aqui a nos e a vosal-
tres en tan gran serviy seu, no es mester que negu faça dol
ni plor; e jassia que·l pesar sia gran no·u façam semblant
de fora... E si negun pert caval ni neguna altra cosa, nos
55 le·us esmenarem e·us farem vostres obs cumplidament...
Hon vos man sots pena de la naturalea que havem sobre
vos que negun no·n plor; mas sabets qual sia·l plorar: que
nos ab vos e vos ab nos carvenam be la lur mort... E
aquestes paraules dites soffriren se del dol, que no·l faeren,
60 e soterraren los. : :

E nos que·ns en tornavem ab los homens volvem nos
contra la vila a esguardar los sarrains, que havia la com-
panya gran de fora, [e] I balester tirá·ns, e de part lo capel
de sol e·l batut doná·ns en lo cap ab lo cayrel prop del
65 front. E Deus que ho volch no trespassá lo test, e exí·ns

be a la maytat de la testa la punta de la sageta. E nos, ab
ira que·n haguem, donam tal de la ma en la sageta que
trencam la, e exia·ns la sanch per la cara a enjus; e ab lo
mantel de sendat que nos aduyem torcavem nos la sanch
e veniem rient per tal que la ost no se·n esmayás. E entram 70
nos en en I reyal en que nos posavem, e engrossá·ns tota
la cara e·ls uyls, sí que del uyl de la part en que nos erem
ferit no poguem veer per IIII o per V dies. E quan la cara
nos fo deximflada cavalgam per tota la ost per tal que la
gent no fos tota desconortada... 75

B. U. B., MS. 1, ff. 37ᵛ, 38ʳ, 40ʳˑ ᵛ, 115ᵛ; ed. Marian Aguiló y
Fuster, *Chronica o Comentaris del gloriosíssim e invictíssim rey
En Jacme Primer, rey d'Aragó, de Mallorques e de Valencia, compte
de Barcelona e de Montpesler. Dictada per aquell en sa llengua na-
tural e de nou feyta estampar* (Barcelona, 1873). The MS. is dated
1343, and is a translation from a Latin version of 1313.

48

A JOURNEY TO THE HOLY LAND

(1323)

1   ...E peu descauces partiren del castel del Cayre hon era
lo salda, e anaren en Jherusalem hon ha XVII jornades;
e a·y VIII jornades hon no á poblat ne neguna vianda a
vendre no troba hom. Mas ab la gracia de Deu, qi no fal
5 a cels qi l'amen, anaren en Jherusalem sans z salvs. z can
foren tornats en esta terra lo dit G. de Tremps venhc a
Munblanc z aportá An Johan Rovira per presentalyes z
per joges qe tots aqest locs avia cercats en la dita romaria,
e apres li doná treslat dels romaratges cercats avia axi con
10 se segueyx. : :

    Prop d'aqel loc ha hun get de pedra ha I loc hon Jhesu
Christ a les fembres qi anaven apres Jhesu Christ ploran
can lo menaven crucificar dix: "Filyes de Jherusalem, no
plorets sobre mi mas plorat sobre vostres fiyls." E an aqel
15 loc ha Iª yglea pocha. z de·qest loc demunt dit tro a la
casa de Pilat hon fo Jhesu Christ jutyat ha tro hun treyt
de ballesta, z de aqest loc tro a la casa de Centurio hon
posaren la corona de les·pines e·l cap de Jhesu Christ e li
feren mouts scarns pot aver mig treyt de pera. : :

20   E can Jhesu Christ se·n torná e·s n'isqé per estes portes,
dix als seus dexembles: "Tancats aqestes portes, estien
tancades tro jo torn." z tancaren les, z son portes ab biroies
de ferr fort grans, e anc depuyx no[·s] son ubertes ne·s son
pugudes obrir per poder qe·l'saldas qi son stats agen haut
25 I tayl de dit, ne·s mourán tro al dia del judicy. z son aytan
noves co·l dia qe s'i posaren. E an d'aut be III astes de
lança de cavaler, z son II pareyls, e a·y Iª brancha e·l mig
de marbre. : :

A la Maceresa madona Sancta Maria ac set, ʒ Jhesu
Christ dix-li: "Mara, anat a·quela femna qi aporta ayga, 30
ʒ qerit-li·n qe·us en do." E axi la mara de Deu qerí-li·n.
E la fembra respós a la mara de Deu ʒ dix-li qe jova ʒ bela
la veia, ʒ qe sí anás al flui d'on ela la aportava — lo cal
fluvi ha nom Cales, ʒ a·y d'aqel loc tro a miga lega. ʒ la
mara de Deu no li respós mes qe se·n torná, ʒ Jhesu Christ 35
dix: "Mare, levat aqexa pedra qe·us sta devant, ʒ auretz
ayga." E·ncontinent qe la Verge levá la pedra isqé aqi una
font bela de l'ayga, ʒ de l'ayga qe d'aqel loc isqé la Verge
Maria begé. ʒ de·qesta font rega I camp en qe troben ver-
gues hon ix la sant crisma, qe son axi com vims; aqestes 40
vergues no poden viure en nuyl loc si de l'ayga de la dita
font no son reguades. Aqesta aygua qe hix d'aqesta font
es axi douça com leyt als cristiaus, ʒ per mouta qe·n begen
no·l'fa mal; ʒ als moros es amargant com a fel, qe nuyl
temps no·n poden beure. E·n lo dia de·Paraci vc en aqela 45
font Iª crou blancha com a neu, ʒ sta·y tota la nuyt; e·n
aqesta nuyt veytlen a la dita font C milia personas ʒ mes
entre cristiaus ʒ moros, ʒ en l'alba aqesta crou hix de la
font ʒ partex-se·n devant tuyt. : :

Ali matex en aqela iglea (iglea) can hom entra a man 50
dreta per la porta de la dita iglea del Sant Sepulcre es Mun-
ticalvari, hon fo posada la vera crou hon Jhesu Christ morí
ʒ puyá. É'Munticalvari per les gras del cap del munt ha
I altar, ʒ per mig del altar ha I pedra marbre. : :

A miga lega de Jherusalem ha I monestir hon fo talyat 55
lo fust de la vera crou hon Jhesu Christ fo mes, e·l rey
Salamo avia·l feyt talyar qe volia metre e·l temple. ʒ los
maestres trobaren lo bastant a las lur mides, ʒ can era aut
qe·l volien asiure no·ls bastava ab III palms. ʒ aço aseya-
ren moutes de vegades puyx de·qest fust feren la sancta 60
crou...

A. C. A., MS. Ripoll 167, ff. 81ᵛ, 82ʳ, 85ʳ, 86ʳ˙ ᵛ; ed. J. Pijoan,
AIEC, I (1907), 370-84.

49

A WILL

(1323)

1   En nom de Deu sya e de madona Sancta Maria. Eu
Jacme Travaus de Toluges, en bon seyn e ab entira memo-
ria, fas mon testament en lo qual establesc monemessors
meus, so·s a ssaber En P. Hordiol de Perpenya, cosi girman
5 meu, e·n P. Valespir de Tuluges, al[s] quals eu don plen
poder e franqua libertat de vendre e de destriboir totz los
meus bens sesens e movens, p[er] pagar totz los tortz meus
e lexes meues axi con assi trobarán per escrit.

Primerament me prenc dels bens meus per la mia arma
10 a ssalvar X lbr. de barsseloneses, les quals uyl que sien axi
partides: primerament lex als capelans de madona Sancta
Maria de Tuluges, a quada I per tal qu'els digen misses
per la mia arma en la dita esgleya, X ss.... Item a la can-
dela del torn de la dita esgleya II ss.... Item a la taula dels
15 presiquadors de Perpenya XX ss.... Item a quatius a re-
sembre X ss.... Item a paubres vergoynans del loc de To-
luges XX ss.... Item lex a·n Johan de Belquayre unes es-
patleres mies que é en la galea. Item lex al fyl de·n Johan
Bernard fylol meu V ss.... Item lex per tortz hoblidatz L
20 ss.... E·nquara uyl e man que·l romanen de les X lbr. sia
donat a coneguda dels meus menem[ess]ors. E·nquara re-
gonehc a la dona Na Jacma muyler meua que aportá a mi
en tempms de nopcsies XV lbr.... E·nquara regonehc que
á en les quartes nopcials mies e sues d'espoelissi C ss....
25 E·nquara li lex del meu propi X lbr., les quals aja per ses
volentatz, e axi á sobre els meus bens XXX lbr.... E·nquara
uyl qu'ella sia vestida dels meus bens, del vestir de visoatge.
E·nquara uyl(a) qu'ela aja I lit tornis e I saclit plen de

payla e I capssal ab ploma e I pareyl de lanssols [e Iª]
flassada. De les meylors robes qui eu é·n quasa meua sia 30
complit lo dit lit. E·n totes los autres bens meus sesens e
movens establesc ereu honivessal meu, so·s a ssaber Na Ga.
sor meua, muyler de·n R. Boet de Tuluges... Item uyl e
man que totes les mies coses les quals eu é en la galea sien
liurades a·n Johan de Belquayre, e el, ab I enventari qui 35
sia fet de man de·n Bernard Symon, escrivan de la galea,
que los dega liurar als menemessors. E uyl ne sia guardat
de tot dan e li sien desfetes totes les mescios que·l dit
Johan aurá fetes. E·questa es la mia derrerana volentat,
e uyl que vayla per dret de testament, e si no valia per 40
dret de testament que vayla per dret de codiscil.

Testimonis En P. Maura de Lanssa, En G. Roeylosa
de Roses, G. Avelan de Sen Cebria, G. Lobet de Copliure,
P. Quarreos de Quapliure, Bernard Fabre de Copliure,
Jacme Bedos d'Aviatz, G. Maga d'Argylers, Bertomeu Sc- 45
ron d'Argillers, G. Mera d'Argyllers. Fet fo dimenge a XI
de noembre en lo setge de Cayler en l'ayn de nostre seynor
MCCCXXIII. Synnal de·n Jacme Fabre qui asso a fermat
en presenscia d'aquetz testimonis.

E yo Bernard Symon, escrivan de la galea del seynor 50
rey, la qual es apela Sancta Maria, per manament del seynor
En Per de Monson, vis almirayl per lo molt poderos seynor
rey de Mayhorqua, qui ho e escrit e·y fas mon [sig.] e ho
clou.

A. P. O., Manual no. 28; ed. Vidal, pp. 542-4.

50

A LETTER FROM THE BAILLY OF SALSES

(c. 1323)

1   Al seyor En Be. de Bardol, tresaurer del <motz aytz>
seyor rey de Malorca sien dades.

Al seyor En Pe. de Bardol tresaurer del motz autz seyor
rey de Malorca de mi En Laurens Corbera balle de Salses,
5 salutz ap tota revenensia e tota onor. Fau vos saber, seyer,
que ey resebuda la letra del seyor de veger e be entesa, en
la cal letra es m'entensio que vos sapiatz; perque, seyer,
vos fau saber que·n tota la vila de Salses no á nola balesta
del cominal asinada, ny á neguna treyta de caurels. Per-
10 que·us preg, seyer, aytan carame[n]tz co ey pug, que vos
que·m deyatz trametre hu balester ap fil e am notz as ops
d'adobar les <dites> balestes, e Iª cayya o II de cayrels,
la cal pagará la vila a aquel que vos conoyyeretz. Item, se-
yer, vos fau saber ques ey asutz acortz am mi meseys ques
15 ey tramesí a cascu moli <del seyor rey> II balesters per
defendre els dits molis, si mester(*a) era, perque, seyer, vos
preg que vos me deyatz acoselar si starán los did balesters
damonditz als molis; e, seyer, si a vos plau que me·n de-
yatz escriure. Item, seyer, vos fau saber qu'ey resebuda yair
20 Iª letra vostara per En Ri. Rigau de Trules, en la cal letra
es contenia ques ey que ayes a gardar les letres aqi ven-
gud[e]s per lo seyor rey o per sos ofisials, vistes les presens
vostres. Per qu'ey, seyer, no·s en pug respondre per raso
quor l'escriva no·s a Salses, abans es a Perpeya e·y continua
25 mes que·n la vila de Salses; per [que], seyer, si·s plau me·n
tengatz per escusatz. Item, seyer, vos fau saber que·l bestiar
de Salses es a la frontera del rey d'Arago, per que·us plá-
sia, seyer, que·ns digatz si·l ne fará om venir o luyar d'aqi.

Dades a Salses disapte el prumer dia de setembre.

A. P. O., B22; ed. Vidal, pp. 423-4.

51

RAMON MUNTANER: *CRÒNICA*

(*c.* 1325-1328)

... E con ell fo hordon*a*t, I dia p*r*es estro a CL home*n*s 1
a cavayl *z* entro a CCC de peu, *z* aná correr estro p*r*es
de la ciutat de Contestinobla. *z* al tornar q*ue* se·n fahia ab
presa q*ue* amenav*a* de bestiar *z* de ge*n*ts, l'emp*er*ador hac
li tram*e*s a I pas q*ue* havia a passar be DCCC home*n*s a 5
cavall *z* ben II mill*i*a de peu. *z* En Fferran Xeme*n*is qui·ls
veé preychá la sua ge*n*t e·ls amonestá de be a fer, *z* tuyt
ense*m*ps van f*c*rir. Q*ue*·us di*r*é? Q*ue* ent*r*e morts *z* p*r*eses
n'agre*n* mes de DC home*n*s a cavall, *z* de peu mes de MD; *z*
fo bon fet *z* honrat. E axi guan*y*á ta*n*t ell *z* sa companya en 10
aq*ue*lla cavalcada q*ue* ab aq*ue*ll gua*n*y aná assetjar I cas-
tell qui es al-entrant de Bochadau*r*e qui ha no*m* Lo Madi-
to; *z* sapiats q*ue* ell al setge no era m*a*s ab LXXX home*n*s
de cavall *z* CC de peu, *z* dins havia mes de DCC home*n*s
d'arm*e*s de gr*e*chs. *z* en v*e*ritat q*ue*·l rich hom era pus as- 15
setgat a dreta raho*n* q*ue* aquells de dins, q*ue* tot lo pa q*ue*
menjave*n* los tramatia jo de Gallipoll ab barques, *z* a·y
XXIIII milles d*e* Gallipoll; e axi tot lo fet d*e*l refrescame*n*t
los havia jo a trametre. E axi tench lo setge ben VIII me-
ses, e·y treya de nits *z* de dia ab I trebuch. *z* jo havia-li 20
trameses X escalles de cord*e*s ab ra*m*pagoyls, *z* moltes ve-
gades de nuyt cuydave*n* lo emblar, *z* no·s podia fer. *z*
co*m*ptar vos he la pus beyla ve*n*tura q*ue* li·n esdeve*n*ch qui
hanc fos feyta. I jorn de julioll q*ue* feya molt gra*n* cesta,
tots aq*ue*lls d*e*l castell eren qui p*er* ombres, qui dormien, 25
qui estaven en p*a*rlame*n*t; e axi com la gra*n* cesta era, q*ue*
tot lo mon bullia de calor, En Ffe*r*ran Xeme*n*is quisque
dormís ell vetlava, axi com aq*ue*ll qui tenia gra*n* carrech a

costas. z guardá en vers lo mur, z no·y viu parlar negun,
30 z negun no·y parlava ne·y paria; z aná·s acostar al mur,
z feu semblant que acostás escalles, z nuyl hom no·y pa-
rech. z lavors ell se·n torná a les tendes z feu tothom de
man en ma aparallar menys de tot brugit, z hac C homens
jovens z temprats; e ab les escales acostá·s al mur e van
35 arborar les escalles sí que IIII escalles ab los rampagolls
meteren e·l mur. Et puys van muntar en cascuna escalla
V homens, un apres altre, e tot suau muntaren se·n al mur,
que hanc no foren sentits, z pus muntaren hi altres XX,
e axi foren XL, z van se emparar de II torres. z En Fferran
40 Xemenis vench a la porta del castell ab tota l'altre com-
panya, ab destralls per trenchar les portes. E axi com
aquests matarien aquells qui eren e·l mur z el via fora seria
dins z tuyt correrien a aquells, z ells trencarien les portes.
E axi se seguí, que con aquells foren sus pensaren de donar
45 sobre aquells qui eren al mur que dormien, tota la gent
correch en vers aquells. z En Fferran Xemenis fo a la por-
ta z pensá de trencar lo portal, que hanc no trobá qui li·u
contrestás; z con les portes foren trencades pensaren d'en-
trar, z de ouciure z de destrouir tot ço que davant se tro-
50 baren, axi que preseren lo castell z tota la gent. E s'i guanyá
tanta de moneda que d'aquella hora avant En Fferran Xe-
menis ne sa companya no agueren fretura, ans foren tots
richs. E axi podets haver entesa la pus beyla ventura que
james hoyssets dir, que de mig del jorn se emblás castell
55 qui VIII meses agués estat assetgat...

B. N., MS. 1803 (formerly P 13), ff. 113ᵛ-114ʳ; ed. E.B., revised
by M. Coll i Alentorn, *Ramon Muntaner: L'expedició dels catalans a
orient* (Barcelona, E.N.C., 1951). The MS. is dated 1342.

52

DIALOGUES OF SAINT GREGORY THE GREAT

(1340)

... Gregori: ... Albin, molt honrat baro*n*, bisbe de l'es- 1
gleya de Reat, lo conec ben, e encara son vius moltz qui
ho pogre*n* saber... El corria ça e la p*er* les esgleyes, p*er*
castels, p*er* carreres e p*er* cases de cascu*n*s fasels, e despar-
tava los coratges d*e*ls oydors en amor de la t*er*ra celestial. 5
Mas era fort vil en sos vestitz, e axi (*pos? / presat) me*n*ys-
pr*e*sat q*ue* qui no·l conegués, saludat p*er* el, lo me*n*yspre-
sara resaludar... He on q*ue* vengués obria la font de les
Escript*ur*es e regava los pratz de les penses.
La opinio ho fama, nelex la pr*e*icacio d'aq*u*est, ve*n*c a 10
conexença de la ciutat de Roma, e axi co*m* sotz la lenga
dels legoters, qui auciu la a*n*ima del oydor fasen (*legoteria)
falegaria, en aq*u*el tepms clergues d'aq*u*esta seu ap*os*tolical
se clamaren lagotejan al Papa, e dix*er*en: "Qui es aq*u*est
hom pages qui s'a pr*e*sa actoritat de pr*e*icar, e pec e ydiota, 15
pr*e*sumex he arrapa a ssi l'ofici del apostoli senyor *n*ost*r*e?
Si·t plau, tramete·y hom que sia pr*e*sentat aci, p*er* ço q*u*e
conega quina es la seyoria eccl*e*siastica."... Tramés lavores
Julia*n* defensor, q*u*i depuys <fo> bisbe en la esgleya sa-
bina... 20
E aq*u*el, volen tost obesir a les volentatz dels clergues
e d'el, correc tost al monestir d'aq*u*el. E aqui, absent aq*u*el,
trobá notaris qui escrivie*n*, e demaná un era l'abat, e els
dix*er*en: "En aq*u*esta val qui es dejus lo monestir sega
fenal." E aq*u*el Julia*n* avia I fadrin fort erguylos e rebella, 25
del qual apenes el podia es*s*er senyor; aq*u*est, donq*ue*s,
tramés que·l li amenás cuytosame*n*t. E lo fadrin aná, e ab
rabios esp*er*it entrá p*er* lo prat, e vesen totz segar fen de-

maná qui era Equici. E quant oy cal era gardá·l de luyn, e
30 fo tot compres per gran temor, e començá·s a espaordir e
enujar, e tremolan apenes poc si matex portar; e axi tre-
molan venc al hom de Deu. E estreyen humilment los seus
joneyls ab los braces va·l basar, e denunciá li que son senyor
era vengut.

35 E lo servidor de Deu ressaludá·l, e ma<ná>-li e dix: "Leva
d'aquex fen vert e porta a menjar a les besties en que sotz
vengutz. Vet yo qui [no] he complida la obra, cor I jonc me
fal. Yo·n vag apres tu." E aquel Julian qui era trames de-
fensor meraveylave·s fort que era que tant trigava a tornar
40 lo fadrin, e veus que viu tornar lo fadrin e portar en son
col del fen del prat. E el, irat, començá fort a cridar, e dix:
"Que es aço? Yo·t tramesí a menar l'ome, no a portar fen."
Al qual lo fadrin respós: "Aquel que ques vet que ven
apres mi." E veus l'ome de Deu qui venia, portan al col la
45 falç del fen, calçat ab calçamens clavatz... e aquel Julian...
correc als joneyls d'el e demaná oracio esser feta per si, e
denunciá li que lo seu pare lo bisbe apostolical lo volia
veser.

E lo baron de gran reverencia Equici... tan tost apelá
50 los frares, e aquela matexa hora maná apereyar besties, e
començá a costreyer molt fortment lo seu exeguidor que
tan tost deguessen anar. Al qual Julian dix: "Aço no·s pot
fer en naguna manera, cor yo, ujat del camin, no·yc pusc
vuyl partir." E el respós: "Fil, agreuges me, que si vuyl
55 no·yc partim, ja deman no·yc partirem."...

B. P. T., MS. 101, ff. 6ʳˑ ᵛ; ed. Jaume Bofarull, *Sant Gregori*:
Diàlegs, 2 vols. (Barcelona, E.N.C., 1931). Vol. I.

53

THE TRAVELS OF MARCO POLO

(14th century)

... E son homens de gran solas, e no han cura sino de 1
cantar e de sonar e de pendre motz bels delitz. E son molt
be acullentz a les gens strayes, e les reseben a lurs a[l]berchs;
e aso per gran cortesia que en els es. E de present que de-
gun stranger es vengut a lur alberch fa manament lo seyor 5
del-alberch a ssa muler que ella fassa an aquest stranger
tot(z) so que el volrá ne que el sápia demanar. E de present
se·n va lo dit seyor, e sta tant fora la vila con plau star al
estranyer a son alberch, e tota vegada fesen-li sa muler com-
panyia axi propriament com si era son marit. He la dona 10
fa son poder de servir e de honrar aquest stranger en tot so
que as el plau. : :

Quayguis Cham feu venir totz sos encantadors, e mená
a cascuna part que fesen sortz per saber qual part
auria victoria de la batala; e no·y ach negu qui li·o sabés 15
dir si no tan solament los crestians qui ab el eren, que li
dixeren que el devia aver victoria. Axi que ell volc saber
la veritat com ho sabien els, e feu los se venir davant el.
E els preseren Iª cana e feneren-la per mig, e en la Iª maytat
escrisqueren lo nom de Quayguis Cham, e·n l'autre maytat 20
lo nom de Pestre Yohan, e ligiren I nom qui (*el) es del
saltiri, e de present lo nom de Quayguis Cham se livá e
puyá damont aquel de Pestre Yohan. E con Quayguis Cham
viu asso fo molt alegre, e feu fer gran festa per tota sa
host. : : 25

E·n aquesta nobla ciutat es la ceca del sey/yor, hon se
fa la sua moneda, la cal moneda es molt straya e de gran
profit el seyor, del mayor que esser pusca, car elha se fa

d'escorxa de morer, ço es de la scorxa primera qui es dedins
30 l'escorxa grossa. E fa·sse·n moneda menud[a], axi co I flori,
e de gran, qui val X basans I, e cascuna á la bulla del seyor
e no·s gosa rebuya sens pena de morir. E despen-se per
totes les sues provincies, axi que aquesta moneda es axi
corribla com si era de fi or, e es cayrada e molt leugera;
35 e con es vela porta-la hom a la secha, e dar vos-en-an de
nova, (*pesant) paguant IIII per C d'aventaya. Empero los
trautz e los servesis del seyor son d'or e d'argent e de pe-
dres presioes, e el dona d'aquesta sua moneda. Veyatz si
deu aver tresor aquest senyor. : :

40   E á en aq[ue]sta provincia tantz de lehons per los camis
que es I gran peril, e nul om no gosa dormir da nitz fora
de poblat. E cant hom va per los flum[s] se cove a gaytar
per la nit, car los lehons passen nadan per trer los homes
dels vexells. : :

45   [A]questa ciutat de Quinsay, diu frare Odorich, qui feu
la, que ha XII portes principals, e cascun portal va a XII
ciutatz qui son pres d'aquesta a VIII legues... E en aquesta
ciutat trobá frare Odorich I noble hom que alscuns frares
menos avien convertit a la fe de Christ; e dix-li que si volia
50 cercar la ciutat, e dix que li plac. E agren Iª barcha, e
mená·l a I loc; specialment lo mená a Iª abadia de monges,
e dix a I d'aquels: "Veus tu aquest barban franch?" — qui
vol dir religios franch — "e es d'una encontrada hon se pon
lo sol, e es vengut en Guambalech per pregar (*d) la vida
55 del Gran Cham. E per so jo·t prec que tu li mostres alcuna
cosa maravelosa que el pusca contar en sa terra con se·n
sia tornat." E respós lo monge que el ho faria molt volentes.
E va pendre II vaxe[l]s que eren plens de releu de lus
taules, e obrí la porta de I verger, e con feu dins mostrá-li...
60 lo qual era tant espes arborat que aparia bosch. Apres va
tocar Iª squeleta, e de present van exir del puget moltes
bestioles semblants de gatz maymons, e vengren meyar aquel
releu. E cant agren menjat soná la campana, e totes les
besties se·n tornaren dins lo pug. E cant frare Odorich ach
65 vist aso, comensá a riure: "Son aquestes les maraveles que

devies mostrar?" Lo mo[n]ge dix: "Tu no saps que vol
dir. Estes bestioles son animes de richs homes qui son
sotaratz en aquest monestir, e venen pendre aquesta vianda
per amor de Deu."

Tot asso que yo, March Pol, vos e comtat <e> mostrat 70
de la ciutat de Quinsay es ver, car yo·y steguí I mes per
fetz del Gran Cham. Les gens d'esta ciutat menjen tota
carn, crua e cuyta...

Biblioteca Riccardiana, Florence, MS. 2048, ff. 2ʳ,ᵛ, 6ᵛ, 7ʳ, 22ᵛ,
23ʳ, 34ᵛ-35ʳ, 40ᵛ-41ᵛ; ed. Annamaria Gallina, *Viatges de Marco
Polo: versió catalana del segle XIV* (Barcelona, E.N.C., 1958).

54

MIRACLES OF THE VIRGIN MARY

(14th century)

1   Ere una bona dona que vole[n]te[rosam]ent anave a
l'esglea e menave·y son fiyl, sí que·l infant hi anave vol[e]n-
ter ab ela, e menys d'ela. E l'infant portave·y tota hora
una garlanda de roses e de coses verts, e ax[o] durá gran
5 temps. On com al infant esposassen muyler, e el respós que
no·u volia, e tots los amichs deyen-ho, que no era bo en
aquest secgle: "Menat-lo en orde."
    E axi entrá en l'orde de Cistel, e fo bo e obedient. E
com hi hagué stat un temps, son major tramés-lo en un
10 loch, ab son crez, per missatgeria, axi com van aquels de
Cistel. E com fo en un gran loch, el veé roses e dix: "Ma-
dona santa Maria, jo·us solia fer garlanda de roses e d'herbes
verts, e ara no·us ne faç; mas si·us plau diré cinquanta
avemaries per [la] garlanda, axi com la us solia fer."
15   E axi devalá de la bistia e aguinoylá·s e pensá de dir
les saluts de madona santa Maria.
    Enaxi, un ladre estave en aquel bosch, que tothom que
passave aquen per el ere mort e robat e destrouit. E el ladre,
com hagué vist descavalcar lo monge, garde que feiye, e
20 mantinent que·s fo aguinoylat lo dit monge que deiye les
saluts, aquel ladre vé sobre lo monge star una dona molt
bela e respland[e]nt, acompanyada d'angels e de moltes ver-
ges, e la dona madona santa Maria tenie un cercle; e axi
com exie l'avemaria de la boca del monge, una rosa s'asseiya
25 en lo cercol, e can lo monge hac acabadas cinquanta avema-
ries lo cercle fo ple de las roses, e santa Maria fo-les-se posar
sobre lo cap, e·ná-se·n ab gran claredat. E·l [ladre] tot aço
veé, e lo mo[n]ge no·n vé res.—E puys lo monge cavalcá

[e aná-se]·n, e com fo costa lo ladre, lo ladre no li fé res, mas dix-li enaxi: "Dieu: Qui ere aquela tan bela dona que estave davant tu, tan resplandent?" E aquest no·n sabie res, e dix-li lo monge: "Germa, has aço tu vist?" "Hoc, ara." Dix lo monge: "Deus t'ha espirat, e per aço que torns a bona part, e per aço has tu aço vist e yo no. E axi, partex-te d'aquex mal, e torna a Deu." 30

35

E lo ladre hac gran contricio, e confessá·s e meté·s en la orda. E feu moltes bones obres, e per aço hac la amor de Deu, e lo mo[n]ge atrestal, e foren en la gloria celestial.

Ed. Pere Bohigas, *Miracles de la Verge Maria: col·lecció del segle XIV* (Barcelona, 1956), pp. 46-8; MS. in the Archivo Capitular, Lérida.

55

ORDINANCES OF EMPÚRIES

(14th century)

1   ...Primerament que tot hom qui matrá en vinye o en closa
o an trilye o altra posecio, e d'aquen trau cols o altra ortolisa
o lenya, com aço sia ladornisi que sia punit e arbritacio de
jutgua misericordiosement, no segons la rigor del dret ni la
5   pena sagons los altres ladurnicis...

Item que tota euga qui antra en mala feta de dias pach
IIII drs. com., e da nits XII drs. com.; e oltra es (*mem)
men lo senyor de qui será la euga o las eugas la mala feta
a·quell qui prese l'aurá.

10   Item que cascuna ovelye molto e cabra he boch qui entra
en mala feta... pach un diner comtall; e oltra asmen lo senyor
de qui serán la mala feta a·quell qui prase l'aurá.

Item que tot hom qui sia misatgue, o altra qui masés lo
dit bastiar, sia bou (*o ca) o vaca o euga o avoyla o molto
15   o boch o cabra o porch, en loch que fos mala feta, que
pagaria III soll. com. oltro lo bant del bastiar...

Item que tot bastiar qui roech ni mallmenará (*plansans)
plansons que pach lo senyor de qui sserá lo dit bastiar III
soll. com., e oltra esman la mala feta.

20   Item que nuyll hom <no> antra en ort ni en close
ni an vinye cloerts per bardes si ben mala feta no·y ffacia.
E aquell qui ho forá pagará II soll. com...

Item que nuyll hom no trasqua <li> (*liin ni) quanem
de la aygue qui·y fos mes per aneygar, sots pena de V sol.,
25   si donches no·s faya per pariyll d'aygues.

Item que tot hom qui anaugás canem o lin an la aygua
de se Muga sobra lo moli de·n Lobet, ni an los vals de la
villa... e perdria lo lini o all canem...

Item que nuyll hom ni fembra no sech ab falço o ab
fals o ab guaveels o ab las mans erba en los campts sembrats 30
si dons no la (*arandave) arancave, si ben que tot hom qui
o fos pagaria XII sol. com...

A. M. B., pp. 6-10, 14, 16; ed. A. Balaguer y Merino, "Ordina-
cions y Bans del Comtat d'Empurias: text català inèdit (segle XIV),"
RLR, XV (1879), 18-47, 179-82. The MS. is in an early 15th cen-
tury hand.

56

BARTOMEU DE TRESBÉNS: *TRACTAT D'ASTROLOGIA*

(Pre-1373)

1   En lo nom de nostre senyor Deu Jhesu Christ tot pode-
ros. A totes les gents qui viven segons raho e lley seria
bo de saber les nativitats, mes als reys e grans senyors e
nobles, los quals Deu ha ordenats per regiment d'altres, he
5 es de necessitat ordenari e be estant, per so car per ells son
diverses consideracions en los accidents del mon per saber,
e en alegir a ells temporals accions e per devedar passions
e accidents son fortment necessaries. E qui aquelles no
pot aver es necessitat fer interroguacions per ell, e per pen-
10 dra raels o principis en lo temps del coronament als reys, o
del temps en lo qual es dada senyoria o poder o homenatge
de aquell qui no es rey, mas es comte o duch o baro o noble
en senyoria; car ab aquelles raels o principis, o ab la una
d'elles, haurás tostemps endressar la sciencia dels accidents
15 avenidors, o les aleccions per fer lo endressar o ell o son
poble en sos essers, segons que posible es en natura jusana
per la subirana. Entes, donques, e considerat lo molt alt
e poderos senyor En Pera, per la gracia de Deu rey de
Arego terç, que aquestes coses son rahonables, e conside-
20 rades les altres coses que a un rey en especial son necessaries
de la sciencia de astrelogia, ha ordenat aquest llibra per
manera e orde que se·n sagueix e fet compendre e elegir de
la madulla dels actors de veritat de aquella sciencia, e aso
per ma de Barthomeu de Tresvents, metge seu en la part
25 de phisica e en aquesta matexa, e expert de philosofia. : :
Saturnus significa grans uylls, e la u mes que l'altre, e
haver taca en la u, e fa lo nat cresp, de gran care e de des-

plasent esguart, e ha les dents mal eguals e diverses, e ha
los peus crebats e torts, e ha-hi sisures, e en sa compleccio
fret e humit, si Saturnus será oriental...   30

E Març quant es oriental, mostrant-se de mati, fa lo nat
de color mesclat entre blanch e roig, e de cors migencer, de
bell estament, e uylls zarchs o jaures, e pels espessos, entre
cresps e plans, e la sua compleccio vens calor e secor. E si
Març será occidental, será lo nat de color roige e ximple, e 35
haurá petits uylls, e de cors migenser, e los cabeylls plans,
declinants a blancor, e la compleccio que mes senyoregerá
en ell será secor; e haurá la care casi redona e per ventura
haurá en ella pigues o panys, e haurá gran cap e canut de
la part de devant, e en son front haurá fenedura o senyal,   40
e haurá gran nas, e l'esguart agut [e iros], e de malvat rece-
biment e aculliment, e les dents llongues, magranti, e en son
anar fa grans passos, e los homens no·s agraden de sa com-
panyia ni·l poden soferir...

E es dit de Mercuri, que es de color verda mesclat ab   45
bazard, e migencers cabeylls, e es palos ab estret front, de
grosses orelles e de bella care, les narils posades planes e
les celles ajuntades, e la boca ampla, e dels membres blan-
dis, so es, plagadis, e ha les dents menudes, e la barbe clare
e magre, de bon estat en lo cors, e en son anar pasege   50
menut...

E la estacio de les planetas es quant son vespertinas,
quant son en l'auge de la terra. E en lo entrament de
Venus e de Mercuri, que es dit vespertin, si la nativitat será
de dia, fará l'esperit del nat entiligible, e asegura-ho sensat; 55
empero no reté res en memoria, ni ha voler en sciencies,
ni les ame ni les vol en nenguna cosa, no·s vol cansar ni
trebellar; mas, empero, serca coses cubertes e secretes, o
selades sciencies, axi com nigromancia e altres coses altes,
cecretes, marevelloses, que·s fan per males maneres, e scien- 60
cia de philosofia, e de estrelogia, e augis, sciencia d'aucells,
e determena de sompnis e los semblants. E tot aço que
havem dit es ver quant los planets son en llurs anys, que es
en llur semblança, e en los llurs llochs propis en que han

65 senyoria e significacio, e no fayll en res que la inclinacio
real no sia en lo nat, de la propietat de l'estel, e majorment
si han mesclament ab Mercuri, e que sien aplicants o sepa-
rants de la Lluna, e en altre guisa no donen influencies tals;
e segons que haurán mesclament de mals ab bons, farán mal
70 o be fer seguir al nat...

E si Saturnus haurá concordia ab Març e serán abdosos
en bon estament, farán lo nat de gran audacia e de mal
aculliment, malvat e grosser en sos fets, pladegedor e que·s
met a molts perills; no guardará que diu, e reté fort sa yra
75 e sa desamistança, e no·s escusa que nengu accident que a
ell venga, e fará los homens volenter trebayllar, e ama
vençre, e es desobedient, e vol-se llevar sobre rey o princep,
e es esmaginatiu de coses profundes, e es escars e tenaix en
fer servici e gracia, e en acompeyar hom, pesan, malfactor
80 d'homes, e ferm en son pensat, sens permutable; en grans
coses e forts se met, e sopta de aquelles se torne, e es cuytat
en ses faenes, e generalment, e haven be ab profit.

Ed. Joan Vernet and David Romano, *Bartomeu de Tresbéns*:
Tractat d'Astrologia, 2 vols. (Barcelona, 1957-8), vol. I, pp. 39-40,
139, 140, 141, 152, 155-6; B. N. Paris, MS. Esp. 411. Vernet and
Romano provide a facsimile of fol. A (frontispiece), and the first
passage above has been transcribed from this.

57

THE QUEST FOR THE HOLY GRAIL

(Pre-1380)

...E cant els agran astat Iª gran pesa qua nul hom no   1
parlava, ans sa gordaven axi con a bistias mudas, e sí antrá
lains lo Sant Grasal cubert d'un blanc samit; mas nul hom
no·y ach qua anch pogués vaser per qal porta hi era antrat.
Sí antrá per mig la porta del palau, e mantinent qua el fo   5
antrat sí fo lo palau pla de bonas hodos con si·y fosan totes
las tanals aspisias ascampades, hi el ená per mig lo palau
d'una part e d'altra, tot an torn las taules; e tot axi con el
pasave devant les taules sí eran mantinent planes d'aytals
viandes con els avian master. E cant aso fo asdevangut   10
qua tots foran sarvits als huns e·ls altras, lo Sant Grasal sa·n
partí tant qua no·s saberan los huns ne·ls altras qa·s fo fet,
ne no vaeran de qal part aná; e mantinent agran poder de
parlar sels qui debans no podian parlar, e sí·n feran gracias
a nostre Senyor tots sels qui eran da dins de so qua axi   15
gran honor los avia feta, qua los avia sadolats de la gracia
del Sant Grasal. De so fo molt alegra lo Rey Artus e tots
sels qui de dins eran de la gran honor qua nostre Senyor
los avia feta, mes qua a negun rey qui fos astat ans d'el;
e per so eran tots molt alegras, cor be los fo vigares qua   20
nostre Senyor no·ls a hoblidats. E aytant con els jurcaren
a manjar pansaren tots en la gran marevala, e·l rey la donchs
comansá a parlar a sels qui apres d'el seyan, e dix: "Sertes,
sanyos, molt davem avar gran goig con nostre Sanyor nos
a mostrat ten gran senyal da amor e tant de gracia a tan   25
honrade festa con as lo yorn de Pantagosta." "Senyer," dix
monsenyor Galvany, "encare y a altra cosa qua vos no
sabets jens, qua asi no á nul hom qua no sia astat pla de

so qua volgés, ni malor li sabés, ne pus volantes manyás,
30 e aso no avanch anch en naguna cort sino a la cort del Rey
Maynes, qui no la poch vaura prestament con no fo cuberta
la veraya semblansa. Per qa·us ho dic yo are devant tots
los altras qua yo no hul pus aturar qua no antra an le Qesta
en tal manera qua yo la mantandré I any e I yorn, ancara
35 mes si master hi fa, qua no tornaré a cort per ras qua
m'asdevenga en tro qua yo·l vaga mils qua asi no s'as de-
mostrat; e si yo puyx fer an naguna manera qua jo·l puxa
vaser jo ma·n tornaré."

E cant sels de la Taula Radona hohiran aqastes paraules
40 sí·s lavaren tots de lus sitis e dixeran tuyt cominal ment axi
con nostre sayor Galvany avia dit, e dixeran tots qua yames
no finarán an tro qua els sian aseguts a la honrade taula
hon tan dolsa vianda as tots yorns aparelada con sela qua
avam ahuda al dinar...

45 Apres astas paraulas comansá lo Rey molt a pansar, an
tal pensament qa·ls huls li vangran en aygo, sí qua aqals de
lains ho pogran be vaura, e qant el parlá sí dix sí alt qua
tots aysels de lains ho pogran be hoir: "Galvany, mas
m'avau en gran pansament en mon cor, per qua yames no
50 ma·n poria axir tant fins qua yo sápia qua asdevandrá
de·qasta Questa, ne quina fi aurá feta, car trop é gran paor
qua·ls meus amichs carnals no·n tornarán."... E·qastes
paraules no·s sebé monsenyor Galvany qa·s rasposés, car
el conach be qa·l Rey daya varitat, e sí·s rapanadí de las
55 paraulas qua ditas avia si gosás; mas ayso no·s pot fer, car
trop era plublicade e farmade dins lur cor...

Biblioteca Ambrosiana, Milan, MS. I. 79 Sup., ff. 8ʳ-9ᵛ; ed.
V. Crescini and V. Todesco, *La versione catalana della Inchiesta
del San Graal secondo il codice dell'Ambrosiana di Milano I. 79
Sup.* (Barcelona, Biblioteca Filològica de l'Institut de la Llengua
Catalana, X, 1917). The MS. is dated 1380.

58

A LATIN-CATALAN GLOSSARY

(Late 14th century)

4. Hec matica, -e, per trossel quod portat equus retro 1
cellam, vel potest esse spera peregrini; dicitur de mannus,
-i, quod est equus.

61. Hec fares vel hic farus est omne id quod fit de lignis
ratione respiciendi de longe ut in summitate turris, vel in 5
vineis quando servantur <in> vindemiis ut burdegalis, z
appellatur cadafalch.

78. Hic obstrigillus est gomers vel quodlibet genus cal-
ciamenti cum corrigiis, sicut monacorum alborum.

84. Hic (*co...) corbis est gorb. 10

90. hactenus: entro ara

94. annuatim: d'ayn en ayn

100. manuatim: de ma en ma

101. unanimiter: d'un coratge ho ensems

108. prostratim: de bocadens 15

109. plerumque: moltas vegades

110. penites: en ves vos

144. sensime: a poch a poch

153. sceleriter: cuytadament

154. clandestine: amagadament 20

157. verumtamen: en pero

158. inopi<n>ate: a no m'i guart

162. quamquam: jatsesia asso

169. horribiliter: orresament

170. palam fertur: segons que he ausit dir 25

175. benivolose: benahuradament

179. pedetentim: a peu cloch

192. contigue: costat a costat

198. bifarie: en duas maneyras
30 202. *pridem*: no ha gayre, o l'alt*re* dia
204. solitarie: <tot> solet
213. nude: no·t diria alre
215. exsati*me*: massa
223. capitose: d*e* mo*n* cap
35 230. qua[m] cici*us*: aba*ns* q*ue* puscatz
233. mat*ure*: acuytadame*nt*
241. paululu*m*: I petit
242. *pro*fecto: p*ri*mer o derrer
245. euge: tan bon die
40 248. cu*m* itaq*ue*: cu*m* en ayxi
254. cis: dessa
263. exp*er*te: espr*o*adame*nt*
265. exanimit*er*: esmortesidame*nt*
271. cu*m*, ig*itur*: cu*m*, adoncs
45 273. fervide: scalfadame*nt*
275. genic*u*lati*m*: d*e* denolhos
282. inpetue: no abrivadame*nt*
288. *i*nstantissi*me*: molt pus acostadame*nt*
297. n*u*llaten*us*: p*er* en deguna man*e*ra
50 298. nichilho*minus*: enp*er*o, no res mey*ns*
300. n*e*cno*n*, sup*er*, ut "n*e*cno*n* fac hoc": sobre tot fe asso.

A. C. A., MS. Ripoll 139, ff. III-3ᵛ; ed. J. M.ª Casas Homs, "Glossari llatí-català medieval," *Miscel·lània Griera* (Barcelona, 1955), pp. 139-58.

59

FRANCESC EIXIMENIS: *TERÇ DEL CRESTIÀ*

(1384)

...Diu que un mongo caygué un jorn per Iª escala aval, 1
e cuydá·s trencar lo coll, e lo golafre qui o viu pensá axi:
"Aquest será malalt longament, e tot jorn aparellar li an
be de menjar; e per tal, quant sie ora de dinar vindré yo
cascun jorn e consellar li e que·s guart de febre, e faré 5
apares que·ll vul servir, e per esta via menjar m'e ço que
li será apparellat, o bona partida." E axi ho feu. E com
tots jorns apparellasen al monjo aquell grosa galina per
a dinar, venia lo golafre e dehia li: "Senyer, no·us care-
gueu molt en carn ni en vi, car gran perill vos serie; em- 10
pero, be porets beure lo brou de la galina." E lo mongo
crehie·l ne, e covidave·l que ell que·s menjás la galina;
e lo golafre aquell crehie·ll ne sens gran convit. E quant
aço ac durat per algun temps lo mongo fo ja quax guarit,
e ere tan flach que no·s podie moure, e pensá en la sua 15
bestiesa com ere tan gran que lexave menjar la galina al
golafre aquell, e ell morie de fam. E per tal, lo dia se-
guent que lo golafre venie per menjar la galina, e lo mongo
li dix axi: "Companyo, segons que veig a tu farie mester
que yo o altre ton vehi tots dies cayguessem per la escala 20
e·ns trencasem lo coll sovint. Segons que veig yo he pres
lo colp mas tu n'as agut lo profit; d'aqui avant irás menjar
un bon diable hon te vulles, car ma galina menjar la·m he
yo." E diu que [lo] golafre aná-se·n, e mentre se·n anave
caygué per la scala aval en casa del mongo, e lo mongo 25
qui·u veu cridá-li: "O companyo, d'aqui avant iré jo a
menjar la tua galina a la tua casa axi com tu as menjada
la mia tant de temps en ma casa." Respós lo golafre:

"No·*us* fa mest*er* q*ue* jam*es* me siats en res del meu, ne
30 m'e*n*trets en casa vos ne clergue d*e*l mo*n,* car si·u fets yo·*us*
pr*o*met q*ue·us* en faré exir ab gr*a*ns bastonades; e desplau
m*e* co*m* no·*us* he me*n*jat los uyls e fur[t]at qua*n*t haveu.
No·*us* faç grat ni gr*a*ci*e*s d*e* res que fet me ajats, car havets
lo bech groch e sots un gr*a*n bistia, e sots mo*n*go malastruch
35 — car no·*us* enseyá Sent Benet d*e* me*n*jar carn en amagat.
P*er* tal vos cuyt haver fet gr*a*n gr*a*cia co*m* yo la·*us* he me*n*-
jada; p*er* tal ho he fet q*ue* no·n aguesset[s] p*e*cat." : :

Reco*m*pta lo fabulari q*ue* lo corp stava alt en un arbre
ab un formatge en lo bech, lo qual form*a*tge havia furtat.
40 E passá daval la guineu e pensá q*ue* si podia fer q*ue* lo
corp badás lo bech q*ue* lo formatge li cauria, e axi ella
lo poria me*n*jar. E posá·s al peu del arbre, e come*n*çá a
loar lo corp die*n*t-li alta veu: "O aucell maravellos! O
aucell gl*o*rios, mils fet q*ue* tot altre, la qu*a*ntitat del qual
45 es notabla e la calitat lujosa, al qual desija veura tot huyl
e poseyr lo tota gra*n* senyoria! O Deu, e qui no desijaria
veur*e* aqu*e*sta alta cr*i*atura, la veu del qual adelita tota
pensa! Car ne·y ha carderner*a* ne calandri ne papagayl
qui·s faça a *compar*ar ab lo seu p*a*rlar, ne ab lo seu cantar,
50 ne ab lo seu cridar. Do*n*chs, aucell beneyt, pus ta*n*ta gr*a*-
c*i*a t'a D*e*u*s* feta, alegre·*m* ab ta veu ang*e*lical p*e*rque me·n
vaja alegra; e ogen, si·t plau, les mies oreyll*e*s lo p*r*ecios
cant d*e* la tua melodia e d*e* la tua veu." E diu aqui que
lo corp, qui ach oyd*e*s de si tant*e*s marav*e*lles, volch se
55 jactar e donar plaer; volc satisfer a la guineu qui axi l'avia
loat. E badá la bocha crida*n*t alt, e caegué-li lo for-
matge en t*e*rra; e lavors la guineu aferrá-lo e menjá·l-sa
aq*ui* dava*n*t ell. E ca*n*t l'ach me*n*jat dresá lo cap al corp
e dix-li: "Entens o tu? Lo formatga m'e me*n*jat; ne grat
60 ne gr*a*ci*e*s a tu, mas a ma bona astucia que·l t'e sabut sos-
traure." Pus dix-li: "Ara dolent, com te pots cuydar q*ue*
yo digu*é*s adev*e*r*e*s ço que t'e dit, co*m* tu sies lo pus leig e
orreu e malfedat aucel del mo*n,* qui as veu pijor que·l ase
e as color de diabl*e,* qui jam*e*s no vius sino de robaries e

de carn podrida?   Roma*n* a mal pu*n*t, car dole*n*t es, e do- 65
le*n*t serás tostemps."

Axi, diu lo fabulari, ne (a)pre*n* a·*q*uells qui·s jacten e·s
pr*e*en, e a qui plau oyr legots, car asi vene*n* a estame*n*t q*u*e
son sens fi me*n*yspreats...

B. C., MS. 457, ff. 158ᵛ-159ʳ, and MS. 458, f. 142ʳ; ed. Marçal
Olivar, *Francesc Eiximenis: Contes i Faules* (Barcelona, E.N.C.,
1925). The MSS. are in an early 15th century hand.

60

TWO LETTERS TO BERNAT NET, MERCHANT

(1395 and 1398)

1   1. Ffeta a Bercelona, ha XXII de gener de l'any
MCCCLXXXXV.

Ffas-vos a-seber, En Bernat, que reabí diyous ha XXI
de gener II letres vostres per un renpi qui vench, le qual
5 he entes ben tot heso que vos me evets fet e-seber, le qual
son stat fort despegats com heveu pecat tant de mal, beneit
ne sie Deus [de] tot. Heveu-me fet e-seber que vollets
noliegar haltra nau ; per me fe, En Bernat, que n'eurie gran
pleer si·o fets, com heque[xa n]au de·n Ramon Gerau hes
10 tan veya que no·n ferieu de vostron prou. Plácie he nos-
tre Senyor que vos do bon selvement, h[e gu]ar, he sellut,
he bones ventures.

De Gerona he auda hara una letra que son sans hi
alegres he le merce de [nostre] Senyor tothom.

15   Prech-vos, si·s plau, En Bernat, que m'escrivau tot pres
mentra que siau e Mellorca.

No·i a res de nou [que·us] faça e-saber hades, sino de
les naus hermades que s'ig diu que han presa Iª nau de ge-
noveses he II panfiles, [que] entre tot val II cens millie
20 florins. Hexi metex vos fas he-seber de les gallenyes que
deven henar he Domas [se] hedoben he s'epereyen.

No he hals que·us faça ha-saber. Lo Sant Spirit sie
ab vos.

Prech-vos, si·s plau, En Bernat, que m'escrivau soven,
25 he·us prech, si·s plau, que no·s donés despleer ni hire
grans ; ha Deu tot haso que hel vos dona.

Comenats-me en gracie del senyor vostra.

Frensoi Net, german vostra, qui molt vos salluda.

Tramesa per lo lein de·n Arnau Reg.

30   Al molt honrat En Barnat Net, mecip del senyor En

Ffrenchs Nodriça, he Mellorcha, he le nau de·n Ramon
Garau.

2. Molt honrat senyer:

Sapiats que vuy, que havem V de aquest mes, jo sí
arribí assi en Ca[th]ania hanans del jorn, e tantost com fo 35
jorn jo sí·m afrontí amb lo senyer Johan Costea e doní-li
la letra e diguí-li del asser, que·l passasem um m[el]lor
[en] pusquessem. E ell dix que no s'i podia res fer sino
que pagassem de p[la] en pla...

E puys, senyer, lo senyer En Johan Costeya e [jo an]am 40
amsemps a Barthomeu Cortisso e demanam-li los diners;
e ell respós-nos... encontinent ell me pagaria. Pero, sen-
yer, ja ma haguera pagat d[e p]resent, sino que no trobam
lo notari, de qué, senyer, diu que no·l me pot dar [t]ots,
car vys (?) pocs se·n manquen, que ja pessa havia que·ls 45
vos havia al sa[c], mas pero despuys ne ha despesos quals-
que IIII o V dz., de que vouré si·ls podré haver tots. Si
no, hauré aquells que pusque.

Item mes, senyer, sapiats que jo·n son stat a Anthoni
Sardo i a Pedro de Cathania, e lo dit Anthoni Sardo no 50
ych es, que es anat entro Massina, e deu-hic esser de[m]a
o l'altre; e ha·m respos Pedro de Cathania que tantost
com ell sia vengut que·ls me darán. Si·o farán no·m sé,
mas no romendrá pur demenar.

E sapiats, senyer, que jo he demanats aquexs II car- 55
lins al sartre qui pres lo fustany, e diu que no me·n volria
haver dada malla — per que veus com na pren qui fa plers
a havol gent...

Perdinau-me, senyer, si·us plau, com no·us he scrit pus
larch, car cuytadament vos he scrit. No sé als que·us fassa 60
a-saber, sino que la galera de mossen Ffrancesch de Raga-
dell es venguda assi e es-s'ich partida per hanar aqui...

Al molt honrat lo senyor En Bernat Net, mercader en
Ça[r]agossa, de·nt [G. P.].

Ed. E. Serra i Ràfols, "Cinc lletres privades catalanes del se-
gle XIV," *Butlletí de la Societat Catalana d'Estudis Històrics,* I
(1952), 25-31; MS. in Archivo Histórico, Gerona.

61

BERNAT METGE: *LO SOMNI*

(1399)

1   ...Jamay en lur lit no s'i dorm. Tota la nit despenen
en plets e questions, dient cascuna a sson marit: "Be·n
conech la amor que·m portats; be es orp qui per garbell
no·s veu. Altre tenits en lo cor mes que mi. Cuydats
5 vos que sia modorra, e que yo no sápia a qui anats detras,
e a qui volets be, e ab qui parlats tot jorn? Be ho sce,
be. De que parlavets l'altra jorn ab vostra (*) comara del
diabla? E per que guardavets ab tant alegra cara la nos-
tra serventa? Quina privadesa ha ab vos aquella que
10 l'altre jorn tant humilment saludás? Millor spia he que
no creetz. Si vos amavets mi no·us hiria lo cor en altre
ne irien mils arreades que yo moltcs que·n conech, qui no
merexerien (*corrected to* merexen) que·m descalsassen.
Mas poch de be sabets; e encare valets menys, que no·us
15 presats que la mia honor vostra es. Ay, Ne Desastruga!
Quant temps ha que yo son en aquesta maleyta casa, e null
temps vos bastá lo cor que·m besassets a vostra raquesta,
ni que·m diguessets, quant jo·m anava colgar: "Deu vos
do bon vespre." Mas, per la creu de Deu, pus aytal sots
20 jo faré tal cosa que no·us sabrá a pinyons. Son yo tant
lege, en tota mala ventura, que no·m deyats amar? Be·y
ha cavall al cavaller. No son tant bella com aquella que
vos tant amatz? Per me fe, ella no es digna de seura ab
mi en un banch. Be es ver lo eximpli que qui duas bochas
25 besa, la una cové que li pude. Via, en tota mala ventura!
Anats detras aquellas que·us pertanyen. Be fets atret de
hon venits: cabra ronyosa sa par va sercant; uylls hi ha

qui·s alten de lagremes o de laganya. E vos, en tot mal
guany, ja·m cuydats haver lavade del fanch. Jo·n sé, no
hun ne dos, mas molts qui hagueren tengut a special gracia 30
que·m haguessen presa menys de axovar; e fora stade dona
de tot ço del lur, e·m hagueren adorada e levade en palmes.
E vos sabets be quants bells florins hic he aportats: bon
ramey hage qui·ls me lexá. Tots los claus de aquesta casa
luen per mi, e jamay no·ych fuy dona de un tros de sal, 35
ne les mias oreyllas hic oyren una paraula plasent, sino
cent milia retrets de vostres germans e de la companya,
que basteria que yo fos lur cativa. No·ych ha dona menys
honrada que yo. No·m havets treta de çocha de roura,
no! Maleyt sia lo jorn que jo primerament me acosté a 40
vos. E les barres li haguessen tranchades a qui primer
na parlá que yo fos vostra muller! Que yo no feya per
vos, ni vos per mi. Una vil fembre merexiets, que·us faés
semblant que vos me fets. Ha, tants son los dolents si
eren aplagats! Quant se deuria guardar la mesquina de 45
dona quant pren marit! Aquell jorn viu o mor. Mas los
desestruchs de amichs e parents no guarden sino qui ha
diners; e valria mes a vegades un hom nuu e cruu que
altre(*s) qui hagués lo tresor del Solda." E ab aquestas
cosas e moltes semblants altres pus coents, tota legittima 50
e justa causa cessant, cascuna nit turmenten los mesquins
de marits, dels quals son molts qui per complaura a ellas
o per fugir a plet inmortal, gitten de casa lurs pares, fills
e germans, e roman los sola la plasse. Que·t diré de lur
avaricia? Si ho comenseré dubte·m que me·n puxa lexar. 55
Ultra los grans furts que fan als marits e a lurs fills pu-
bills, e la storcio als amadors que molt no·ls plaen, veges
a quantes viltats se sotsmeten per crexer e aconseguir gran
axovar. No·s poria trobar algun veyll bavos, ab los uylls
lagramosos e encare que les mans e lo cap li tremolen, per 60
vil, sutza e disformat que sia, que ellas per marit rebuyas-
sen, solament que·l vegen rich e opulent; e es los viyares
que sens faylla dins un mes serán viduas. Puys, si·n poden
haver fills, be sta, e si no, be saben elles d'on ne haurán;

65 no·t temes que muyre*n* sens here*u*s. E si p*er* vent*u*ra no·s
poden emprenyar, fan semblant q*u*e sien parteres e han
fills supposats, p*er* tal q*u*e romane*n*ts viudas puxe*n* viure
opulentment a massio d*e*ls pubils...

B. U. B., MS. 17 (formerly 21-3-2), ff. 80r-81r; ed. Martín de
Riquer, *Obras de Bernat Metge* (Barcelona, 1959). The MS. is in
a 15th century hand.

62

LLUÍS D'AVERÇÓ: *TORCIMANY*

(Late 14th century)

...Jo no·m servesch en la prezent obra, per II^as rahons, 1
dels lenguatges que los trobadors en lurs obras se serve-
xen: la primera es com prosaichament lo present libre jo
pos, e en lo posar prosaich no ha nesesitat a servir se dels
lenguatges ja ditz per tal com no son diputatz de servir 5
sino en obras compassadas; l'altra raho es que si jo·m
servia d'altre lenguatge sino del catala, <qui es mon len-
guatje propri>, he dupte que no·m fos notat a ultracuyda-
ment — car pus jo son catala no·m dech servir d'altra
lenguatge si no del meu... 10

LA PRIMERA MANERA DE SOLOECISME. La pri-
mera manera de soloecisme se <fa> en las partz d'oracio,
ço es, con I^a part d'oracio es posada per altra, e l'eximpli
pot eser aquest: fe aço primer, per primerament; o ardit,
per ardidament; o belh, per belhament; o segur, per segu- 15
rament; en los quals eximplis podetz veure posat nom per
adverbi. E fa·s encara aquest vici soloecisme en I^a matexa
part d'oracio, ço es, con una diccio es posada per autra; e
l'eximpli pot eser aquest: ço es, nomenar albereda per sau-
zeda; o trop per molt; o ascala per ascaler; o <I verb 20
per altre, axi com> aço va be, per esta be; o I^a preposi-
cio per altra, axi com: datz-me lo beure, per datz me a
beure; o aquelh se rencura dels colps, ço es, per los colps.
E aquestas maneras de soloecisme son excusablas per figu-
ras, si pero las oracions son be acustumadas de dir, e no 25
en altra manera, car diu se en las Flors ja alhegadas, en lo
començament del capitol CLXXIIII^a:

Que leumen escusa figura
Acustumada parladura...

30   DEL VIIᵉ VICI, ECLIPSIS. Del vici apelhat eclipsi es
tractat en las Flors en lo capitol CLXXXIII. E vol aytant
dir eclipsi com defalhiment de paraulas nesesarias en ora-
cio, las quals paraulas, pero, sien entesas en aquelha oracio
per acustumat parlar o en altra manera, jatsia-so que aque-
35   lhas paraulas no sien ditas, mas entesas. E l'eximpli de aço
pot eser aquest: *ara ara, per prou hajatz dit* o *parlat*; o
per *no·n·i metatz mes, prou n'i á* o *ja ja*; ho dir que, per
que *voletz,* o que *demanatz,* o que *deytz*; ho per alguna
cosa que tu hajas ho dejas haver, a dir soliament *has ne*? ;
40   ho a dir per *bon jorn hajatz, bon jorn*; ho per pendre <a
travers e no ab bon so> alguna raho qui·s diga, a dir ab
plenisonança *be be,* ho *ja seny*er; ho per via de manaça
a dir *be be* <ab semisonança>; ho per *och, ver es,* dir
och, a bona fe — e moltas d'altras locucions semblans, las
45   quals locucions e lurs semblans son excusadas per Iᵃ color
de rethorica apelhada precizions, o per Iᵃ figura apelhada
oposiopazis, o per aquest matex eclipsi, qui es dreta figura
en cas que en lo defalhiment haja bona intelhigencia. Mas
con no·y ha intelhigencia es dret vici, e per aquest eclipsi
50   som lexadas moltas vegadas <a pronunciar> moltas pre-
posicions e conjunccions e habitutz, per que qui bona ma-
nera <e excusatoria> vol tenir en fer o posar tals eclipsis
deu los posar ab tals paraulas que·l defalhiment sia entes,
car en altra manera l'aclipsi roman dret vici...

55   DE LA FIGURA APOCOPA. Apocopa es tolhiment o
removiment de letra o de silhaba fet en fi de diccio, e·l
eximpli es aquest: ço es, a dir *Deus te salve* per *Deus te
sal*; *no sé* que·*t diga,* per *no sé* que *te diga*; *que·m gardas,*
per que *me gardas*; que·*t fas,* per que *te fas*; *Deus te gar,*
60   per *Deus te gard*; *oliu* per *oliver*; *lor* per *lorer* — e axi de
lurs semblans. E aquesta figura es contraria a la figura
paragoge, car paragoge vol creximent de letra o de silhaba

en fi de diccio, e aquesta figura apocopa vol lo *contra*ri,
segons que en los eximplis de cascuna de aquestas IIas
figuras podetz veure...   65

Escorial, MS. M-I-3, ff. 1ᵛ, 111ʳ, 114ʳ·ᵛ, 118ʳ; ed. J. M.ª Casas
Homs, *Torcimany de Luis de Averçó*, 2 vols. (Barcelona, 1956).

63

SELECTIONS FROM 15TH CENTURY INVENTORIES
(1410-1466)

1   1. *Tous castle,* 1410:   Dues conquetes de leuto. Dos
pintes grans de pentinar cayem e li. VI algerres olieres. Uns
clamasques de ferre. I stox de tenir arreus de scatir ocels.
Una tremunja. I scarpre e I gubia. Un rest de perles qui
5 son XXXIII, gran ab IIII balaxos ab pitxaneta d'or. Un
day d'esbarzerar.

2. *Maldà castle,* 1431:   Primo intravimus en lo celler
dels cups, e fonch atrobat un barral de cuyro. Una caldera
gran nova e bona, tinent VI cantis. Dos trosos de llensols
10 esquinsats. Quatre cavechs, dos ab dayla e dos ab vuyla,
cominals. Un argue ab dos libans trencats. VIII marteyls...
V scodes... una piquasa... dues planetes... un scayre de
ferro.

3. *Vic,* 1444:   I arer de arar blat. I cubertor de qual-
15 que caxota. VI ferraments de trancar escudelles e tayadors.
Iª sort de ferrer vey de moltes lenys. II axols e I coltell de
fer vores de gavadals. Dues todores qui no son obrades...
Iª pedra de pes de mig quintar, ab I anell qui es en la dita
pera. Iª thona plena <de vi>, o se·n fal fort poch, qui es
20 de capacitat de V en VI cesters. Iª sorts d'escudeles e de
tayadors boschayada. Altro olla de coura... dos fforroys de
fferra, la I bo, l'altro sotil. Iª rasora de raura pa, sotil. Dos
ferros de foch, I migensers, altres petites. Dues levas, I bo-
nes e altres trencades. Iª payella de ferra, migensera. II
25 (*boix) boxos de fust e Iª cervalera falida. Dos lumaners
ab cuyes de terra. I (*budarg) bugadar de terra migenser.

I gavadalot fes. II faus, Iª bona, altra sotil. Altro caparo de bruneta dobla oula. I manto negra de cadins olla. Uns stivalots... unes tesores patites. Iª vanovota esquinsa.

4. *Peníscola castle,* 1451: Dues stovalles squaquades 30 bones de quatre alnes. Un pual de aram de puar aygua, sotil. Unes graelles, un ast de ferre gran, un altri xich, uns llevens de fferre, unes manxetes petites, una arpa... un fforroll de fferre, un canter de aram, una caça, una perola... dos caffis e mig de ffaves, una ffaneca de ffesols, dues 35 barcelles (*ed.* bareelles) de guixes, e tres almuts entre xentilles, ciurons e pesols, e una barcella de linas — tot poch mes o menys.

5. *The Sanctuary of Núria,* 1460: Suaris deheset entre grans e pochs. Un palit de seda morade e blave. Una creu 40 de crestay de provesso, ab se doia de coura... e son stotger de fust. ...hun brocal e hun got de vidra. Una aradre e jou tot gornit.

6. *The Monastery of Poblet,* 1466: VI cetres de coure per rentar los morts. Una banna de lavar. Una sbromadora. 45 Unes molls. Linçols.

7. *Valencia,* 1466: Un pali groch ab ocels o pagos, prou bo, folrat de vermell; los pagos son grochs, lo camper tire a morat. En lo estudi hun taulell nou, ab hun respalle nou, ab hun tresponti nou de bona lana. Tretze torcaboques molt bels en una peça. 50

1. Ed. R. d'Alós, *EUC,* IV (1910), 129-92; *2.* ed. Mossèn Sanç Capdevila, *EUC,* X (1917-18), 118-60; *3.* B. C., MS. 99; *4.* ed. M. Betí, *EUC,* VIII (1914), 92-102; *5.* ed. Mossèn Pere Pujol, *EUC,* VII (1913), 380-86; *6* and *7.* ed. L. Deztany, *EUC,* XIII (1928), 403-19.

64

PERE FERRER, AMBASSADOR OF THE COUNT OF URGELL, ADDRESSES THE *CORTS*

(1411)

1   Molt reverents, molt egregis, molt nobles e molt hono-
rables senyors, de gran e reverencial autoritat e sobirana
saviesa insignits e dotats.

Bé han a memòria les vostres reverències, nobleses e
5 sobiranes savieses com a vuit del mes d'octubre prop passat
fon per mi explicades a les vostres reverències, nobleses
e sobiranes savieses, en lo present parlament, una proposi-
ció per la qual vos foren extensament e per menut narrats
e recontats los grans, intol·lerables e irreparables càrrecs,
10 engoixes e greuges, inconvenients e sinistres que les terres
sotsmeses a la reial corona e los sotsmesos a aquella han
sostengut e sostenen; per ço com dins espai de tan llong
temps, com era passat despuis que lo molt alt, il·lustre e
excel·lent senyor rei, derrerament defunt, fallí, als dits sots-
15 mesos no és estat publicat e manifestat llur ver e llegítim
príncep, rei e senyor natural, al qual per justícia e per deute
de llur faeltat e naturalesa són tenguts obeir, e lo qual és
cap, salut, defensió e pare del ben públic. E per la qual
vos foren recitats los casos, en los quals en los temps passats
20 és estat feit debat a aquells qui eren vers e llegítims suc-
cessors en llur vera e llegítima successió. En los quals casos
per vosaltres e per los vostres lloables antecessors fon do-
nada molt bona, lloable e molt presta fi, e la terra fon
mesa e posada en bona, presta e segura defensió.

25   E fon-vos per mi, en nom e per part del senyor don
Jaime d'Aragó, e en virtut de sa lletra de creença, conclòs,
en la dita proposició, que com lo present cas qui vui és

sobre l'article de la successió de la dita corona, no fos ne
sia menys clar e induvitat que eren aquells que lo dit
senyor, cordialment instant e afectuosa vos pregave que ab 30
esvellada pensa, volguéssets encercar tots prets, llegítims,
còngruos, lícits e deguts partits e remeis per los quals vo-
saltres, mijançats ab aquella millor unitat e concòrdia que
fos possible, lo article de la dita successió prengués bona,
deguda e presta fi, e tal com vosaltres e los altres sotsmesos 35
de la dita corona havets acostumada donar a grans e àr-
duos feits.

Més avant, pens que les vostres reverències, nobleses e
sobiranes savieses han plenament memòria com, a setze del
present mes de noembre, per mi fon feta e explicada en lo 40
dit parlament una proposició, en lo qual fon mencionat com
lo infant de Castella ha en lo present parlament feita pro-
posar, afermar e explicar una opinió molt novella, e molt
aspra e esquiva, jamés oïda, pensada, cogitada nc somnia-
da; la qual opinió és: que lo dit infant, senyor d'altre gent 45
e d'altra casa engendrat, nat e nodrit en Castella, usitat e
acostumat a viure segons les lleis e pràctiques d'aquella,
deu ésser, segons ell ha afermat vostre príncep, vostre re-
gidor, vostre governador e vostre senyor.

E fonc per mi afermat com la dita novella opinió és 50
derogatòria, abrogatòria, e de directe contrària a la antiga
inveterada conclusió en los caps vostres e de vostres pares
antics situada e imprentada e per vostre príncep e senyors
naturals preïcada, afermada, publicada e manifestada, se-
gons és cosa notòria; e per molts actes solemnes pesats e 55
àrduos, manifests e notoris corroborada, confortada e con-
fermada. E fon per mi tocat e demostrat com lo egregi
comtat d'Urgell, situat en aquest magnífic principat, fou e
és joia, per tant de temps que no és memòria d'hòmens en
contrari, singularment estojada als fills segons nats de vos- 60
tres prínceps e senyors naturals. Hoc més, és joia lo dit
comtat en lo qual tots temps és estat posat e carament es-
colat, així com a relíquia llegítima e molt preciosa de vos-
tres prínceps e senyors naturals, lo fill segon nat d'aquells,

65 perquè ell, ab la sua vera, llegítima e dreta línea, fos co-
lumna, escaló e recolçador de la dita corona en lo cas que
defallissen los primogènits de los dits prínceps, e a llur
vera, llegítima e dreta línea.

Explicat-vos com diverses vegades la dita corona s'és
70 reposada en la dita columna per defalliment de la vera,
llegítima e dreta línea dels primogènits dels dits vostres
prínceps e senyors naturals. Explicat-vos, més avall, la mag-
nificència e excel·lència que la dita joia havia tots temps
demostrada, e vui demostra, en aquest magnífic principat.
75 Com sie cosa certa que les molt insígnies e molts nobles
regions d'Aragó, e de València, e de Mallorques e altres
sotsmeses a la dita corona, diverses vegades han cercat e
trobat llur ver e llegítim príncep, rei e senyor natural en la
dita joia situada en lo dit principat e no pus en França ni
80 en Castella.

Ed. Ricard Albert and Joan Gassiot, *Parlaments a les Corts Ca-
talanes* (Barcelona, E.N.C., 1928), pp. 107-10; A. C. A.

65

AUSIÀS MARCH

(Pre-1427?)

Sí com rictat   no porta bens ab si,   1
mas val aytant   com cell qui n'es senyor,
Amor no val   mas tan com l'amador:
mancha bufant   orgue fals no ret fi.
Amor val poch   com tot enamorat   5
ha falsedat   en son pits fals enclosa,
o es ajunt   ab una tal esposa:
peguea es   son dret nom apellat.

Amor no pot   haver desordenat
ço que Deus fa,   Natura migançant,   10
car home pech   no pot ser fin amant
ne lo suptil   contra sa calitat.
Mal pendrá pint'   en l'aygua sa figura,
molt menys Amor   pendrá lo no dispost;
ne pot estar   l'aygua dins un loch rost: 15
axi Amor   en cap d'om foll atura.

Per ben amar   ab angoxossa cura,
en temps passat   eren ladonchs volguts;
Ovidi·l prous   dix qu'amor es crescuts
per altr'amor   demostrant sa factura.   20
Verdader fon   son dit e sos presichs,
tant quant Amor   fon prop de conexença,
mas en est cas   entr'ells ha malvolença,
tal que no creu   null temps sien amichs.

Si fossem nats   vos e yo entre·ls antichs,   25

lay quant Amor   amant se conqueria,
sens praticar   alguna maestria,
lo vostre cor   no fora tan inichs.
En vos conech   gran disposicio
30 de fer tot ço   que gentilea mana,
mas criament   veg que natura·ngana,
car viur'ab mals   es d'om perdicio.

Per mal grahir   ne per mala saho
mon cor no pot   Amor desemparar;
35 devotament   los me plau remembrar
aquells passats,   a qui don Deus perdo.
E com seré   trespassat d'aquest mon,
letres dirán   sobre la mia tomba:
"Plena de seny   no tinguau a gran bomba,
40 car per vos muyr   e vag no sabent hon."

Enveja·s tal   que tot primer confon
a tots aquells   qui ab si la s'ajusten;
los envejats   un poch ne molt no gusten
aquell mal tast   que·ls envejosos fon.
45 Tal es Amor,   car yo qui la·m ajust,
sent grans dolors   dant-me folls moviments,
e vos haveu   d'aço tals sentiments
com fort destral   ha de tallar molt fust.

Sí com Adam   pres mal del vedat gust,
50 com sa muller   li mostrá mal cami,
dient: "Adam,   mengem d'aquest boci,
e semblarem   a Deu, qui es tot just",
ne pren a mi   car mon seny ha cregut
la voluntat,   fent-li promissio
55 que ben servint   aconsegria do
que per null temps   tal no fon conegut.

Per mal servir   no crech l'aja perdut,
car si·lls treballs   hagués soferts per Deu,

cors glorios   fora·n lo regne seu,
e ja plorant   sovin me trobe mut.   60
Si·m fos donat   aquest temps en entendre
los grans secrets   enclosos en natura,
no fora·l mon   cosa que·m fos escura;
dels fets divins   gran part ne pogr'atendre.

Plena de seny,   tot mon seny vull despendre   65
amant a vos   sens algun grat cossegre,
e durará   fins que del riu de Segre
l'aygua corrent   amunt se puga stendre.

Ed. A. Pagès, *Les Obres d'Auzias March,* 2 vols. (Barcelona, Institut d'Estudis Catalans, 1912), vol. I, pp. 204-8. From this critical edition I have restored the version of MS. F (Biblioteca de Palacio, Madrid, MS. 950, of the first half of the 16th century). I have also consulted the new critical edition of Pere Bohigas, *Ausiàs March: Poesies* (Barcelona, E.N.C., 1952), vol. II, pp. 25-30.

66

ORDINANCES OF SOLSONA

(1434)

1   Ordinations feytes de la mostefaceria de la vila de Sol-
sona...

Item que tot carnicer a qui sobrará carn fresqua de hun
dia ha altro, de qualsevol natura sie, com la venrá ho age a
5 dir al comprador si demanat ne será...

Item que nengun carnicer no gos venre ningunes carns
tro que sien pesades per lo impositiador o son misatge, sots
ban de sinch sous, si donchs no·u fega ab sa voluntat del
pesador...

10   Primerament ordenaren que si los banes de la present
vila troben deguna persona (sona) sospitosa portant fruyta
despuys que completa será sonada fins al seny del dia, o
atres coses en qui fos causat ban, pusquen penre aquella...

Item que neguna persona no gos scorcollar ne traure de-
15 guna cassa de parahons, ne scorcollar bertrols ni canas ni co-
ses d'altri...

Item que neguna persona no gos en ço d'altri arrencar
planter de carabaces, de cogombres, de melons, de colls ni
de leytugues...

20   Item que nenguna fembra que liuro vinum no gos filar
canem, li ne lana, sots ban de dos sous.

Item que ninguna persona no gos en la present vila logar
a hom strany vexels per vi a tenir, ni bisties per vi o venema
portar, si tal hom lo dit vinum o venema no·y podie metre
25 obstant lo privilegi, sots ban de L sous...

Item que tot tender venent vetes, cordes de seda, de ffill
o de lana age a dar la justa mesura sens alguna diminucio,
vulles de alna, vulles de cana o de palm...

Item que tota persona que será atrobada ab pes minve
o ab pes massa bastant e soberch que pach de ban X sous...   30

Item que ninguna fembra venent fruyta sens claoll no
gos filar mentre que la venrá, sots ban de I sou...

Item que ninguna persona no gos gitar per finestres ni
per tarrats aygues sutzes ni cosa que enlegás los carres pu-
blichs de dia, sots ban de V sous...   35

Item que cascun forner age e sie tengut a coure be e su-
fficientment asaunar lo pa...e...pac la tala del pa si es cremat
ni cru ni desguiat a conexença dels mostaçaffs...

Item que nenguna persona portant lenya, palla, plexels,
tagells, bigues, cabirons o altra fusta... no gos tenir aquella   40
en los cobertizos del mercat ne sots cobertiç alcu de la pre-
sent vila de Solsona...

Item que tota persona que compro fusta no goso (?) tenir
aquella en los carres de hun dia en avant...

Archivo Municipal, Solsona; ed. F. Carreras y Candi, *BRABLB,*
XI (1923-4), 319-34. The MS. is in a hand attributable to the first
half of the 16th century.

67

THE DIARY OF ALFONSO V's CHAPLAIN

(15th century)

1   [1432] XCVIII. *Del gran peys que lançá la mar.*

E l'endema, que fon diumenche, a XIII de jener, per raho
del gran vent, la mar lançá hun peys mular o estufador da-
vant lo Pug dels Lops, lo qual havia LXXXX peus de larch,
5 e tenia tan gran boqua que yo crech que y caberen X ho-
mens a caval.

[1435] CXXII. *Com fonch lo senyor Rey en Mila.*

En lo dit any de MCCCCXXXV, a VII de setembre, lo
senyor Rey fonch en Mila, e lo duch li tramés molta notable
10 gent qui hacompanyaren al dit senyor Rey, e posá en lo
castel del Duch, lo qual li feu tanta honor e reverencia al
dit senyor Rey que dir ni escriurer ni pensar no·s poria. Les
quals coses saben los qui herem ab lo senyor Rey, e vien e
sabien la molta amor e honor que·l Duch fia al senyor Rey.
15   [1437] CXXV. *Com fonc pres Napols.*

...Fonch coreguda e pressa la dita ciutat molt victorio-
sament, e morí mossen Miquel Johan de Calatayu, lo qual
se diu que·l matá lo duch de Bar, germa del rey Lois, lo
qual hera en la ciutat de Napols e·s dia rey de aquella. E
20 segons dien alguns, ell matá lo dit mossen... no be; e com
veu que la ciutat hera pressa, recolí·s ab huna galera e
segretament fogí e se·n aná en la Prohença, en la sua lur
terra. De que lo dit senyor Rey... té e poseys tot lo realme
de Napols... trihunfant ab prospera honor, virtuosament en
25 la espasa en la ma... O digna cosa de luable memoria...
car si as agut adversitat, ve as en honor, triunfant, aumentat.

[1443] En aquel dia mateys... feren embaxados al dit
senyor, que fos sa merce que n'els atorgás son fill don Fe-

rrando per primogenit, e... los ho otorgá ab molt gran
plaer... E lo disapte apres vinent, que contaven dos de 30
march, lo dit senyor Rey... doná orde que... besant peus
e mans juraren don Ferando per primogenit. : :

Apres, lo Papa se·n puxá en huna cadira, e entrement
l'Emperador que s'asegués en una altra cadira, e la empe-
radril en altra cadira, que heren per cert del tot ben ornat. 35

[1447] *Centencia dels de Payporta.*

En lo dit any, dimecres a XV de march, fon feta cen-
tencia de aquells qui feren lo cas tan cruel de Pahiporta,
ço es, de la muler d'En Ginis Ferrer, e del catiu del dit En
Ginis Ferrer... e del moço de Piera. La dita dona fon ro- 40
cega per la ciutat... e lo moço de Piera, castella, lo qual
tenia la talaya com fien lo cas, fon pengat e portat a
Caraxet.

[1455-1457] En l'any de MCCCCLV, LVI e LVII fonch
tan gran secada en regne de Valencia que molts rius se son 45
sequats; la major part de les fonts seques; molts lochs
no tenen aygua per poder veure; l'Albufera de Valencia
totalment venir a sequar, que no·y romás hun pex; los es-
plets e fruys de les terres son perduts per la gran sequada;
mercaderies, hoficis, tot perdut e acabat. Gran ergul e molta 50
pobrea en la terra, poca caritat e menys amor entre les
gents. E molts altres mals e fortunes que tenim en lo pre-
sent temps, que en l'any L gran mortaldad, en l'any LI
grans febres, que moriren mes cap de cases que en l'any
pasat de la mortaldat. Los capelans... paguen la mitat de 55
so que tenen.

[1468] CLXXI. *De Pere de Sant Vicent matá son co-*
singerma.

Disapte a VII de maig en la nit, Pere de Sant Vicent,
entre lo portal de Ruzafa e de la Mar, matá a son cosin- 60
germa, que li doná VII colchns, que cascu pasava de part
a part.

Ed. Josep Sanchis i Sivera, *Dietari del capellà d'Anfós el Mag-*
nànim (València, 1932), pp. 136, 157, 162, 165, 170, 188, 198, 290.

68

CURIAL E GÜELFA

(Between 1443 and 1460)

1   ...Los cavallers ladonchs s'aturaren en lo camí, e dix
lo germà del mort: "Senyor oncle: yo·us prech que vós
no metats mà en lo cavaller, car yo·l combatré e venjaré
mon germà, car si abdosos lo combatíam, faríem molt gran
5 vilania e a gran vilania nos serie tengut." L'oncle respòs
que era content.

Per què Carles de Monbrú s'aparellà per a la batalla,
e trameteren lo nan al cavaller, que s'aparellàs a la batalla
fins a ultrança. Curial pres la lança e l'escut, e féu bé
10 strènyer lo cavall, e tench son camí a petit pas tot suau.
Los dos cavallers venien tan corrents, que no·ls era vijares
que jamés fossen a temps a fer son dan. Per què, axí com
foren junts ab lo cavaller, Carles de Monbrú dix: "Ca-
valler, tu has mort mon germà malament." Curial respòs:
15 "Tu ments per la gola, que yo no·l matí malament; e si
tot fuy causa de la sua mort, no·n són en culpa, e, sobre
aquest cas defenent-me, combatré contra tu." Per què, res-
ponent, Carles dix: "Abans que partiats d'ací o pagarets."
Curial respòs: "Tal cuyda venjar les ontes d'altri que creix
20 les sues, e açò moltes vegades avé."

Carles de Monbrú fica sperons al cavall e, ab la major
velocitat que pot, va contra Curial, e fér-lo tan poderosa-
ment, que tota la lança convertí en lenya. Curial, qui viu
que aquí li convenia mostrar tot son esforç, ferí'l tan vir-
25 tuosament, que, traspassant-li l'escut, li mès tot lo ferro de
la lança per los pits, del qual encontre Carles de Monbrú
cayguè a la terra mort, e Curial, rompent la lança, se'n

passà de la altra part. Per què lo seu scuder tantost s'acostà
a ell, e li donà una altra lança molt forts que li aportava.

Presa Curial la lança, mirà envers l'altre cavaller, spe- 30
rant si voldria fer res. Lo cavaller sperava que l'altre·s
llevàs. Per què Curial, veent que lo un cavaller no·s llevava
de terra e l'altre no·s movia, dix al scuder e a la donzella:
"Anem en nom de Déu." E començaren a anar.

Per què Jaques de Monbrú, qui viu que son nebot no·s 35
levava e que·l cavaller se'n anava, cridà grans crits: "Spe-
rats, cavaller, que no partirets així d'açí." E, ficant los spe-
rons, corre contra ell, e fér-lo per mig l'escut així fort, que
la lança rompé, mas, certes, ell no fonch així encontrat, car
Curial lo ferí tan virtuosament, per mig l'escut, que del 40
cavall lo derrocà fort vituperosament, e fonch tan gran
lo colp que pres en la cayguda, que perdé tota la disposició
de combatre. Per què Curial s'arrestà e no·s mogué, sperant
què voldria fer, e donà la lança a son escuder. Lo cavaller,
ab gran treball, se llevà de terra, e, ranquejant, que en altra 45
manera no·s podia moure, dix a Curial: "Cavaller, yo·us
prech que devallets del cavall, car yo·us vull parlar."

Curial tantost se mès a terra, e vench vers lo cavaller,
lo qual lo pregà que li digués com era mort lo senyor de
Monbrú. Curial lo·y dix tot, que no li mentí de res. Per què 50
lo cavaller li dix: "Amich, anats en nom de Déu; yo·us he
per quiti on que vós anets, car vós havets fet ço que bon
cavaller deu fer, e, si als fets haguéssets, haguérets fallit a
cavalleria." Perquè Curial tantost cavalcà e se'n anà. : :

Tanta era la bonança de la mar, que a Curial ne als 55
seus no era vijares que jamés aquell temps se degués mu-
dar; e així anaren molts jorns ab bon temps. Emperò la
Fortuna e la Enveja, qui no dormien, per unes vies e per
altres enfelloniren Neptumpno, déu de la mar, e tantost
ab gran furor tramès-li los seus harauts, publicant-li guerra 60
e maror, per què los harauts, mostrades les esquenes als
navegants, tornaren a lur rey.

Neptumpno, adonchs, muntat en lo seu carro tirat per
quatre dalfins, discorre e comou totes les profunditats de la

65 mar. Eolo romp e trenca totes les coves de Lípar, de Ponça
e de Sicília; ixen vents tempestuosos, féren la faç de aquella
lisa e blana mar, comouen-la, tempestegen-la, e per los
batiments brama e plora; la mesquina, turmentada, moles-
tada e maltractada, lamenta's de haver tan cruel tiran per
70 rey e senyor.

Los mariners, vists los harauts de Neptumpno, aperce-
ben les mans e meten-se en so de defendre, cinyen la sua
galera ab ligams e cordes molt forts, liguen los galiots
per ço que Neptumpno no·ls se'n port ab la sua rapina. E
75 com de luny vessen venir un núvol molt negre, murmurant
e menaçant, cuyten los mariners e lo còmit ab astes de
darts, pregue[n] los galiots que voguen per atènyer a port
de salut. Emperò la pluge ve en gran cantitat, bramen los
núvols e la scuredat creix, la nit mostra la sua bruna ans
80 tenebrosa cara, mouen-se les ones e fan munts e valls, féren
aquella galera que encara no sabia què ere mal, tempeste-
gen-la, ara la menen ençà, ara enllà, ara amunt, ara avall,
ara la meten en la pus alta sumitat de les ones, ara en la
pus baxa profunditat de la mar; torben-se los mariners,
85 no saben què·s fàçan, perden la sperança de lur salut, e
totes les diligències que feyen no valien res, car la tempestat
de les ones e dels vents contraris, qui uns ab altres com a
nemichs se combatien, era tanta, que trenca los rems, romp
les bandes, va la galera entre dues aygues, e a les voltes
90 espirava, a les voltes no aparexia: així que aquella mesquina
gent fonch tan treballada en poca ora, que açò fonch una
gran maravella. No han temps de pregar Déu, ne de invocar
sants ne santes que·ls muden lo temps ne hagen pietat de
lurs ànimes mesquines, ans són en punt de ésser vianda de
95 peys; ara perden un home, ara dos, perden l'arbitre del na-
vegar, cruix la galera, desclava's e desjuny-se, tremola, e
doblegant-se paria enguila. E la nit, si bé era en agost, paria
molt longa...

Ed. R. Aramon i Serra, *Curial e Güelfa*, 3 vols. (Barcelona,
E.N.C., 1930-33), vol. II, pp. 77-9, and vol. III, pp. 94-6; B. N.,
MS. 9750.

69

THE DEBATE OF THE SOUL AND THE BODY

(15th century)

Sagueix se la questio de la anima ab lo cors.   1
E primerament diu la anima:

    O, cors mesqui e pecador!
Vulles pensar en lo teu cor
de un es axit ne es estat,   5
ne Deu de que·t ha creyat;
car si volls ben cogitar
e sovin esmaginar
en so que as a vanir,
ni en lo jorn que deus morir,   10
de ffer mal te guordaries
e lo mon menyspresaries.
Car tu no saps certanament
si morrás soptosament,
ni, lo jorn que tu morrás,   15
no saps en quin loch irás.
Quant serás mort, soterrar-t'an,
e vermens mengar-t'an,
e pudirás ab gran sutzor,
e gitarás fort vill pudor.   20
E axi las cosas demont dites
en breu temps serán complides...

Respon lo cors: ...

    Mas tu, mesquina, un irás,
ne quina vida tindrás   25

quant jaquirás lo cors pude*n*t
e sutza en lo moniment?
Per los peccats que fets aurás
poder en imfern irás...

30 Respon la anima:

O cors, ple de grans uffanas!...
E dic-te, principalment,
que·t guardas sobiraname*n*t
que, per res que ajas a ffar,
35 no vulles Deu axoblidar,
ne per los neguocis temporals
no leys los eternalls...
E prech te molt carament
que·t convertescas de p*r*esent:
40 comensa vuy, no espes dema,
car no saps si viurás ja...

[*The poem ends with a prayer offered by both body and soul*]:

O Senyor de gran potencia,
qui per la tua gran clame*n*cia
nos as de no res creyats,
45 e ab la tua sanch comprats,
gorda·ns de perdicio
e de cruell (*temtacio) dampnacio.
E vos, Verge gloriosa,
qui sou mara de Deu p*r*eciosa,
50 en que avem gra*n* comfiansa,
car sou nostra speransa;
perque·us pregam hu*m*ilment
e·us suplicam devotament
que pregueu sovint p*er* nos.

B. C., MS. 451, ff. 96ʳ-97ᵛ; ed. Ramon Aramon i Serra, "Un debat de l'ànima i el cos en versos catalans," *Recueil de travaux offert à M. Clovis Brunel* (Paris, 1955), pp. 38-52.

70

A VETERINARY TREATISE

(15th century)

3. Quina guarda deu aver lo cavall jove que sia gentill. 1

Lo cavall jove que sia poli[t] deu aver aitall guarda...
Sia li fet lit de palla longua o de altre convinent, quaix
tro sus als genolls, per amor de repos; e lo mati sia li tor-
cat lo dors e los membres ab frigol e ab menil; e puys sia 5
menat a la aigua a poch pas, a vespre e al mati. Sia tengut
lo cavall en l'aygua entro los jenoylls per espau de II hores...

Tant alta sia la menjadora en guisa que tengua lo coll
ben eret e estes, cor per aço lo cap e ell coll fa·s pus prim
et pus sech, e per raho del continuament sofirent que·s fa 10
al denant les cuxes ne·n son fetes mills e pus forts e·n reben
major aexement. E·ncara lo cap del cavall se amagrex e·s
sequa si(a) en aigua freda soven es banyat o levat o fregat...

Lo cavall menuch fen, ordi, e avena e espelta e altres
coses com / semblants herba; empero o feu per raho humi- 15
ditat que han, et exemplen los ventres e crexen los mem-
bres al cavall... Et si de tot en tot era mes magre, seria
pus flach e de pus leya forma; e axi com per trob grant
grexa li ven dampnatge, en axi per trob magrea diversos
mals l[i] porien venir, et per venture serien trob greu de 20
sanar.

11. A cavall enayguat.

...Pren aytan / tost una lanceta de sagnar, e saigna lo
sobre los caps de les ferradures entre·l pel e la ungla en
tots los quatres peus, e veurás li·n exir l'aygua clare mes- 25
clada ab la sanch; e no li leix menjar ni beure tro que
hom vege qui sia millorat — enans lo ti en dieta. Altra

medicina ou cura: li fa hom una grant caldera de cendra-
des, e pren les ayllaces e pailla granada de ordy, e cogua be
30 en la cenrada. Et quant será cuita, geta la aigua en una
pastera, e prenets II home*n*s [e] II manils, e despullen se·n
en camisa per / que mils treballen en ell, e mullen los dits
manils en la cendrada, e ab aquella bate*n* li molt los bras
e·ls pits e los espales e les cames, e embolqueu li be los
35 brassos ab les ayllaces entro als genols... Al terç dia dona
li ung poch de palla, et puis sia·ly donat ung poch de beu-
ratge ab farina, ab levat destrempat de forment, e don li
hom I almut e mig de avena, e aixi vage li ho*m* crexent la
civada, en guisa que no·*us* fart; cor si·u fahia tornar li hia
40 la infermetat, e seria·n cosa [de] major perill. E siats certz
q*ue* ab aquesta medicina guarrá.

12.   De ungle qui·s fa en l'ull del cavall.

Fa·s una malaltia en l'uyll del cavall, a qui dien cas-
tellans uns, e nos ungla; e fa·s de molts flams en allo qui
45 devalla del cap e encaste·ts en l'uyll que no pot exir, e
aqui congela e fa ungla. Es la sua cura que hom li talla una
vena qui va sots l'uyll e travessats la li tota; empero no
ysque sino poch sanch; e sagne·ll en l'altra vena de prop la
cella, que es pus grossa que no es la damu*n*t dita que va
50 de treves dels huylls, e tre li·n una poqua de sanch... E
prent de la polvora d*e* la salidonia e la polvore d*e* la fenta
del hom cremada, e mescla[t] tot, geta li·n en l'ull ab I
cano deus v*eus* lo jorn, tro sia desfeta, e deu esser guarit
a VIII dies...

Biblioteca Universitaria, Bologna, MS. 1880, ff. 8ʳ-9ᵛ, 13ʳ-14ʳ;
ed. Miquel Batllori, "Un llibre de manescalia en català a la Biblio-
teca Universitària de Bolonya," *AORLL*, V (1932), 179-223.

71

SANT VICENÇ FERRER: SERMONS

(15th century)

...E donchs, que vol dir bategat? Esser purificat per 1
babtisme. E tu, peccador, no es ara bategat be, o es estat,
mas depuix has fets tants de peccats que ara ja no es ba-
tegat, ço es, de peccat purificat. E veus-ne aci una sem-
blança. Si huy havia aci hun rey, e per la sua magnificencia 5
volie covidar a tots quants son en aquesta vila, dient axi:
"Tots quants vinguen dema a dinar ab les mans lavades
yo li daré a dinar." E quan ve en l'endema, veus que diu
hun laurador: "O, a dinar m'e a·nar a casa del rey; donchs,
lavar m'c les mans e la cara." Açò es bo. E quant açò ha 10
fet, veus que encara no es hora de anar a dinar, e diu:
"Donques, iré-me·n al ort." E va·sse·n lla, e escampe fems
per aquell ort, e axi, manegant-lo, sulle-se·n totes les mans;
e quan la hora del dinar ve, la trompeta toque. "O, ja
toquen! Iré·m a dinar." E va·s axi a casa del rey ab les 15
mans sullades. E axi, com lo rey lo veu venir axi sutzeu,
diu-li: "E com vens axi sutzeu?" "Senyor, e no digués vos
axi, que qui vindria aci a dinar ab les mans llavades, que
vos li daríeu a dinar?" "Sí." "E yo ja·m laví huy per lo
mati be les mans e la cara." "Hoc, mas sutzeu es ara." Ara 20
be podeu pensar que a aquell aytal que li devie fer lo rey.
O, que·l fartás de bastonades! Sus axi es: lo rey es Je-
suchrist, e ha·us covidats a dinar de gloria, ab que porteu
les mans lavades e la cara, a la hora del dinar; la cara
lavada, açò es, la fe veraya e clara, car la fe lave la cara 25
de la anima; e les mans, ço son los altres peccats; a hora
del dinar, ço es, a la hora de la mort.

Donchs, vet que tu te lavist per lo mati, per lo babtis-
me, quant es petit, mas depuix has manegat fems, ço es,
tants de peccats que has fets; donchs, si tu vas ab les mans 30

sutzees a dinar, per ço dar-te·n han? No pas, ans te metrán
en bon carçre, en infern. : :

E vejau que legim de hun mestre en teologia, fort apte
e bon preycador, en tant que tantes de gens venien per
35 hoir-lo que meravella. E hun dia, veus que·l preycador aquest
hac preycat hun devot sermo, e axi com devallave de la
cadira una dona vella e antiga dix-li: "O mestre! E dau-
me la vostra santa ma e besar-la·us he." Lo mestre, vehent
sa bona devocio, doná-la-li, e ella, quan la tench, besá-la-li,
40 dient: "O, beneyt fo lo dia que nasqués, e tan gran gracia
me feu a mi Deu quan vos bategí!" Respós lo mestre en
teologia: "Que diets?" "O, yo vos bategí! Car quan vos-
tra mare vos infantá vos isqués tot blau, e hom se pensava
que morrieu, e per ço yo vos bategí." Dix lo mestre: "E
45 com me bategás, membre us?" "Si·m remembre? Hoc,
senyor. E si yo n'e bategats en aquest mon mes de cent!
Guardau si·m deu membrar!" Dix lo mestre: "He! Digau-
me la manera com batejau." "Yo·us o diré. Quant vos fos
nat nosaltres nos pensavem que morrieu, e yo prenguí del
50 aygua en una scudella, o altre vexell, e lancí-la·us damunt:
'Yo·t bateig en nom de la Santa Trinitat, e de la Verge Ma-
ria, e de Sent Miquel, e de tota la cort celestial.'" "Oo,
mesqui! E donchs, yo no so christia," dix lo mestre, "car
aquexa no es la forma del bategar!" *Finaliter,* ell se hac a
55 fer bategar, e pendre ordens, e tornar a la primera letra, ço
es, de les ordens. Ara guardau la vella, quants ne havie
enviats a infern. : :

Lo segon babtisme es de gracia spiritual. Veus com.
Si es huy hun juheu, e esta en hun loch, e vol-se bategar,
60 mas no en aquell loch on esta, mas vol anar en altre loch
a bategar-se, e axi com va veus mor en lo cami, que cau de
la bestia e trenque·s lo coll — axi com va aquell aytal, será
dapnat? No pas... car axi com va per lo cami, encara que
trobo aygua, ell mateix no·s pot bategar, axi com negu no
65 pot engendrar si mateix, car la forma diu: "Yo te bateyg."...

Ed. Josep Sanchis Sivera, *Sant Vicent Ferrer: Sermons,* 2 vols.
(Barcelona, 1932-4), vol. I, pp. 100-104; Biblioteca de la Catedral
de Valencia, MS. 281.

72

TWO PRIVATE LETTERS

(15th century)

1. *From Castelló d'Empúries, Luys Sabater to P. Pi*: 1

Honrat sen*y*er e car amich e co*m* a frare: Abans de
totes <coses> me recoma*n* a vos hi al vostra car compayo
he amich meu En P. Font, hi a·n Grabriel Janer hi a ma-
dona sua, hi a tots los bons amichs a qui a vos será*n* vits 5
fasados.

Car amich he co*m* ha frare, le causa d*e* la p*r*es*en*t no
es p*er* p*us* sino p*er*que trobarie singular pleser de saber le
vostra bona sanitat he tots los amichs. Si d*e* la mia os plau
saber, que so*n* be*n* sa e alegre, m*er*ces a Deu. 10

Car frare, jo·m son aturat a Castalo fins hare. Com
p*ar*tí de casa jo·us digué que me·n anav'e P*er*paya; p*er*
pre[c]h de amichs he parens so restat assi. <No> so esta[t]
encare a Girona despuys que es nostra; aquesta semmana
qui ve ffas comta de (ha) anar-hi, si plau a Deu. 15

Des que so p*ar*tit de aqui no e sabude naguna nove de
(*us *fos) vos. Volri(u)e·us pregrar molt que·us volgueseu
entremetre e sertificar me de so que vos he jo roma*n*guem
a casa vostra d*e*l ffet d*e*l bon hom d'oncle, axi matex d*e*ls
vostres afes, si á res qu'i ffaç'a adobar; car jo·y ic iré volen- 20
tes p*er* honor he p*er* profit vostra.

Digau al Grabriel Ganer hi al demo*n*t [d]it Font hi ha
vos matex que jo·us vul recordar que no·us desme*m*bre lo
fet d*e*l manar d*e*l anque ab le hobre de·n Juanet, car be
si [ha]gués (*predi *pretig) preticat he pretiqua tots t*em*ps. 25

Car frare, d*e* l*es* noves qui son aqui avisau (*nos-en)
<nos en> poch ho molt; d*e* l*es* que nosaltres ave*m* asi
jo·us (s)en vul avisar. Hi haso teniu p*er* sert — car pere*n*s

meus n'a viṅguts qui ho an i vvist — com aribades cotre
30 sentes lances en [N]arbone e que n'á sent homes entre Salses
he Ribes al Ted he Perpaya; he a desavuyt de aquest an
a ser totes dins lo Prinsipat.

Recomanau-ma molt a madona vostra, he axi matex
molt a mosen Antoni Vilanova he a tots los bons amichs,
35 mes que mes als feels crestians en la ffe. Jo <he> entencio,
si plau a Deu, tentost com les montayes sien preses, de
pugar aqui.

Le Sante Trinitat sie ab tots, amen.

Escrite a Castalo, a vuyt de setembre. Mena bort, mene
40 fort. Luys Sabater, com a germa vost<r>a, prest a vostra
honor.

Prech vos que·m doneu aquexe letre qui va dins (*le) le
vostre de vostra ma an aquel en qui va.

2. *From Valencia, Andreua to her daughter:*

45 Molt amada e de mi cara fila: ...me feu a saber del
vels e bosa quins los vul; los que vos me trametreu yo·m
tenré per contenta e aportaré per amor de vos, car yamay
los que tinc al cap se lavarán ni·s farán bels en fins que aya
resposta de vos, car no·ls e fets bels des que·us escrigí fins
50 ara e agut resposta de vos. Car certes no estic gens alegra,
car veg-me despulada e no he que calçar ne vestir, ans vag
masa am gran vergonya. Perque·us prec, cara fila, que·m
façau tanta de gracia e de almoyna que·m trameteseu huna
gonela o huna cota, que anás almenys cuberta, que no amos-
55 trás les cans de la mia presona; car no podeu fer mayor
almoyna al mon que crobrir a vostr[a] mare matexa; car
d'aquexes goneles que sobren a vos yo·m tenré per contenta
per sotils que sien. Perque, cara fila, si fer ho podeu — car
segons m'an dit estau poxant he fort be — que·m volgeseu
60 dar la gonela blava ho vermela e la cota burela, e que m'o
trametau casa de mosen Perot mercader, tresorer de la sen-
yora reyna, car an dit a la senyora sa muler que vos sou
molt cruel e avariciosa. Per aço auré plaer que m'o tra-
metau a sa casa.

De vostre pare, cara fila, vos dic que·l esper am la pri- 65
mera fusta, car ja i es la provesio de la senyora reina que·l
dexen venir la hon no vula venir. Yo e mosen Perot e lo
balle e los senyos la hon estan vostres germans y proveirán
per gosticia, que yo seré be contenta d'el encara que no vula,
car per gracia de Deu yo é tal entrada en casa de la senyora 70
reina que totora q[ue] y vul parlar y pux parlar.

Item, cara fila, moltes diverses vegades vos e scrit que
vingeseu, que may no n'e hagut resposta sino de huna, la
qual nit (*e) he dia port en los pits e la bes diverses vegades
per amor de vos; perque, si foseu venguda ni veniu, sé be 75
que seria gran profit vostre e meu. Perque vos prec, cara
fila, quant qu'e Deu plácia que vingau, que vinga vostre
germa Simo am vos, del qual me fareu gran plaer, car axi
lo desig veure com a vos matexa; car si vol trebalar ho
romandre aci, tan bon recapte i trobará aci com ala, e 80
milor...

Item, cara fila, vos prec del cinel e de la ma ho rosa
de la Verge Maria am la bosa e lo sagel e hun diner, e axi
ajau-ho, car gran plaer me·n fareu. Perq[ue] auré plaer
que vengau am vostre germa Simo, am tot ço del vostre, car 85
moltes coses me fan a mi fretura que si o agés dut no·u
fera. Axi que tan be·us será honro que vengau am tot ço
del (del) vostre, e encara que mes tingeseu que o aporteu
tot...

Escrita en Valencia ha XX del mes de deenbre. 90

N'Andreua, mare vostra, que molt vos saluda e nit e
dia esta am vos, do<r>mint e vellant.

Item, cara fila, vos avis que d'aquels XXXXII florins
(* de·n) que yo aví de rebre, En Ribes se·n portá la provesio
de la senyora reina; axi sapiau que n'a fet, si·ls a·guts ho 95
no. Axi vos matexa anau casa del governador a parlar ab
En Ribes, e si·ls a·guts ho no feu m'o a saber, perque vos
prec que·y trebaleu que aya aqux dines, car am masa pro-
besa estic.

A. M. B., B-135, cartas 28 y 24; ed. Francesc Martorell, Epis-
tolari del segle XV (Barcelona, E.N.C., 1926).

73

JOANOT MARTORELL: *TIRANT LO BLANC*

(Between 1450 and 1490)

1   *Capitol CCXXX.   Les rahons que passaren entre Tirant
e la Princessa e Plaerdemavida.*

Qui promet en deute·s met.

"La promesa", dix la Pri[n]cessa, "no·s feu ab acte de
5 notari." E Plaerdemavida, qui prop d'ella era e hoy la
resposta d[e] la Princessa, prestament li dix: "No senyor,
que promesa de compliment de amor, ni en exercir aquell,
no·y cal testimonis ni menys acte de notari.   Ay tristes de
nosaltres si cascuna vegada se havia de fer ab scriptura!
10 No·y bastaria tot lo paper del mon. Sabeu com se fa? A
les scures, que testimonis no·y haja; car james se pot errar
la posada." "O d'esta folla," dix la Princessa, "e tostemps
me parlarás a la ma?"

Tant Tirant no li dix, tant no la suplicá, james volgué
15 fer res per ell. Com foren dins la cambra, l'Emperador
cridá a Carmesina e dix li: "Digau, ma filla, les paraules
que Plaerdemavida ha dites, de qui les ha?" "Seguramente,
senyor, yo no·u sé," dix la Princessa, "ni james de tal cosa
li parlí; mas es folla e atrevida en parlar, e diu tot lo que
20 li ve a la boca." "No es folla," dix l'Emperador, "ans es
la mes sentida donzella que en la mia cort sia, y es donzella
de molt de be, e dona tostemps de bons consells. E no
veus tu com vens al consell, com yo la fas parlar, com parla
ab gran discrecio? Tu volries al nostre capita per marit?"

25   E la Princessa torná roja e vergonyosa, e no pogué res
dir. E apres hun poch spay, recobrat animo, dix: "Senyor,
apres que·l vostre capita haurá complida la conquesta dels

moros, en aquell cars yo faré tot lo que la magestat vostra
me manará."

Tirant se·n passá a la cambra de la Duquessa e tramés 30
per Plaerdemavida, e com li fon present dix li: "O gentil
dama, yo no sé quin remey pendre puga en mos fets, car la
mia anima se rahona ab lo cors, e axi be desige la mort com
la vida si vos remey no donau a ma dolor." "Yo·l vos daré
en aquesta nit," dix Plaerdemavida, "si vos me voleu creu- 35
re." "Digau, donzella," dix Tirant, "sí Deu vos aumente la
honor: les paraules que digués en presencia del Emperador,
de la senyora Princessa e de mi, qui·us pregá que les digues-
seu? En gran pensament posat me haveu, que·u desige molt
saber." "Aqueix propi pensament que vos teniu," dix Plaer- 40
demavida, "té ma senyora, hoc encara l'Emperador, com ell
m'o ha demanat, e yo li he fetes altres pus forts rahons
com vos sou digne de haver la Princessa per muller. E a
qui la poden dar millor que a vos? E si en les coses del
mon no·y ha principi, tan poch no·y pot haver fi. E res 45
que yo diga tot m'o pren en be. Lo que es causa de aço
yo·us ho diré en secret. Ell se fa enamorat de mi, e vol-
ria·m alçar la camisa si yo lo·y consentia, e ha·m jurat sobre
los sancts Evangelis que si la Emperadriu se moria decon-
tinent me pendria per muller, e ha·m dit: 'Per seyal de fe 50
bese[m] nos, e aquell besar seria poca cosa, mas será mes
que no res.' E yo li responguí: 'Ara que sou vell sou luxu-
rios, e com ereu jove ereu virtuos?' E no ha moltes hores
passades que·m ha dat aquest rastre de grosses perles, e ara
sta ab sa filla demanant li si·us desija per marit. E sabeu 55
per que lo·y diguí? Per ço que si vos entraveu de nit en
la sua cambra e fos mala sort se errás, e·m volguessen dar
carrech negu, que tinga paves ab que cobrir me puga, dient:
'Senyor, ja·u havia dit a vostra magestat. La Princessa me
maná que yo·l fes entrar.' E per aquesta forma tot hom 60
haurá de callar."

Dix Tirant: "Sàpia yo la forma com se ha de fer, que
molt ho desige saber."...

Capitol CCCXXV. Replica que fa Tirant *a la Reyna.*

65   "Les paraules son senyals ab los quals nostres intencions
se mostren, car en altra manera, elles, closes dins los corpo-
rals murs e sagellades ab lo secret sagell de nostra voluntat,
sols a Deu son descubertes. E axi, senyora virtuosa, yo·us
ame de verdadera amor, e·us desige servir; empero no en-
70 cara segons la senyoria vostra ho accepta, mas quiti e des-
pullat de sensibles passions, e apartat de tota amor libidi-
nosa, sino ab verdadera caritat mas acostant me a la senda
per hon les passions caminen, puix amor ha en mi en tan
strem pres posada. Mas la felicitat e promptitut de atten-
75 yer delits no·m fa desviar de la fi a la qual com a derrer be
sguarda, ans les dificultats si en contrastar a mon voler
s'esforcen, com l'aygua al carbo encen majors flames de ma
benvolença, e axi ab malalt e infecte gust, les coses als altres
no poch dolces a mi en egual de fel amarguen, per ço com
80 natural raho me força de servar la promesa fe. E encara
que no siau senyora de la mia persona, ho sereu dels bens
e de la voluntat, e per mi será aumentada ab multiplicades
virtuoses obres la honor de vostra fama, reservant la vida
per actes de virtut stimada que dels prudents s'espera, en
85 diferencia de aquells qui no volen usar de natural raho, que
los folls perills squivar solen les dames qui son virtuoses qui
viure volen virtuosament. E aquella cosa rectament es de-
sijada la qual apres que es atesa fa milor al qui la poseheix.
E per ço, algu de virtut acompanyat no deu elegir la mort
90 sino per valua que mes que la vida dignament s'estime. Per
que suplich, senyora, a la senyoria vostra vos plácia rebre lo
sanct babtisme de la sancta e verdadera ley crestiana, si
voleu ab Deu esser acompanyada, ab auxili del qual, si yo
vixch, sereu senyora del regne vostre; e dar vos he marit
95 rey coronat, jove e virtuos, que de mi, com vos he dit ab
tota veritat, no puch muller pendre, que ja·n tinch; e si tal
cars cometia, no serieu dita muller, mas amiga, e la vostra
excellencia merexedora es de major de mi. E, sí·m ajut Deu,
senyora, no·u fas per que la vostra gran bellea e molta virtut
100 no sia a mi mes en grat que de dona ni donzella que en lo

mon yo haja vista, car no es cavaller en lo mon, per gran
senyor que sia, que no·s tingués per benaventurat que la
vostra amor pogués aconseguir.   E no dubteu, se[n]yora, en
lo que·us he dit, car si yo moria en aquesta conquesta ha-
vent vos sposada, seria molt gran dan e desolacio vostra, 105
que restarieu destroyda e sens reparo.   Donchs, molt mes
val a la senyoria vostra pendre altre marit, lo qual per raho
sia mes vividor que yo per no passar tants perills, car sabu-
da cosa es que qui sovint en armes va, y dexa la pell o la·y
dexará; e per be que ara los vostres agraciats ulls en la pre- 110
sencia mia se planyen e destillen lagremes de amor, no pas-
sará molt que per vista de algun gentil cavaller se riurán."

E, doná fi Tirant en les rahons...

B. M.; ed. M. de Riquer, *Joanot Martorell-Martí Joan de Gal-
ba: Tirant lo Blanc* (Barcelona, 1947).

74

ST. GAUDERIC'S RELICS COME TO PERPIGNAN

(1456 and 1486)

1   Divendres demati que teniem XXIII del present mes de
abril, any MCCCCLVI, Moss. Jordy Ramis, mongo de la
present sglesia, Moss. doctor Batle... ꝫ Jacme Miranda...
per prechs fets als hon. sindichs que volguessen tremetra
5 alsguns preveres a Sant Marti de Canigo per acompanyar lo
cors sant de Moss. Sant Gauderich qui devia venir en la
present <vila>, que ells hi havien ja tremesos los hon.   En
P. Grimau, burges, ꝫ An Boscarros, mercader, ꝫ que ells
volien que los preveres qui lla irien anassen a messions de
10 la dita vila, per que... tremeteren... los dits sis preveres, qui
partiren de·ci lo dit divendres demati ꝫ arribaran lo vespre
a Vilaffrancha... Dita la missa ꝫ esser dinats, lo dit cors
sant vingé dormir a Vinsa, ꝫ lo diluns I dels dits preveres
de·ci dix la missa sollempniter, ꝫ los altres foren ministres
15 ꝫ tingueren lo cor ut supra.   Esser fet lo offici (*i) ꝫ esser
dinats vingueren dormir a Ylla... ꝫ vingueren se dinar al
Soler.   Pero tots temps esser partit lo dit cors sant de Sant
Marti, tots temps vingué processionaliter, ꝫ los dits preveres
de·ci tots temps regiren la proffesso ab dos bordons que por-
20 taven, qui eren de Vilafrancha.   E ells esser dinats al Soler,
ꝫ los preveres de·ci volents pendre los bordons, axi com
havien acustumat, fou (*lus) lus feta gran resistencia ꝫ vio-
lencia per los mongos... ꝫ fayeren gran scandol... per que
fou acordat... que james pus no hi vaja prevere de·ci...
25 ꝫ lo digous ploch an la nit sufficient, ꝫ an lo divendres de
mati, e <tots temps lo dit Sant stech en lo dit altar>.
    [1486]:   (*Dilus) dimars ha dos de matg del any desus
scrit... isqué la professo generall... so es dos creus de la

present sglesia; e totes les paroquies e tots los monastis hi
anem fins al pont nou vulgarment apellat la Palancha de·n 30
Roma, lo qual es al cami qui [va] al Soler, e aqui cantem
lo respos Sancte Gauderice... Item, lo dimecres que era la
vespre de la Assentio... aportárem lo (de) demont dit cors
sant... e dita la missa de dita vigilia... anam a la Tet... he
quant la predita profa[sso] fo a la Tet (*q) aqui bayaren 35
los demont dits cosos e la vera creu... E dita la missa e
dinats tant los preveres com los laycs, diguem vespres dins
la sglesia de madona Sancta Maria la Mar sollempnament.
E per so que sia mamoria per avant, la missa demont dita
fo de la Assentio, per so com ja en la demont dita vila de 40
Perpaya se avia fetas quatre professons de VIIem gaudiis;
hi aquesta era la sinquena e per tant com era disapte.

A. P. O., G236, ff. 67v-68r and G237, ff. 218r,v; ed. P. Vidal,
Ruscino, I (1911), 403-5, and II (1912), 313-15.

75

JAUME ROIG: *SPILL*

(*c.* 1460)

1   ...He rominant
       ma calitat,
       yo fuy temptat,
       com no tenia
5   ni·m romania
       algun ereu,
       lo temps tant breu
       de pocha vida
       a mi convida
10   prengués muller,
       sols per haver
       o fill o filla,
       he fos clavilla
       del fust mateix;
15   de hun <gra*n*> feix
       de mes parentes
       he ben volentes
       huna·n triás
       qual me semblás
20   voler menys guala.
       He pensant quala
       yo·m alegrava,
       car yo·m cuydava
       lo parentat
25   nostr'amistat
       redoblaria;
       forçar la·n hia
       deute y natura.

Llur oradura
apres penssava;
delliberava
tot lo contrari.
Trobant me vari
d'opinions
ffeya·m rahons
del divinal.
A la final
yo·m delibere
que pus no spere,
prengua parenta,
sols hi consenta
lo sant decret;
si fent pertret
en cort romana
de molta llana,
ffer se poria,
axi·s faria.

... ...

Tota llur çuna,
ley, art e manya,
pratica stranya,
ypocresia
he ronceria
te vull mostrar

he declarar
curt en semblances.
Per llurs husances
axi diverses,
he tan perverses
obres e manyes,
son alimanyes;
serp tortuosa
son e rabosa,
mona, gineta,
talp, oroneta,
muçol, putput,
guall, cutibut,
arany'ab tela,
tava, mustela,
vespa, alacra,
he rabios cha,
la sanguonera
he vermenera,
mosca e grill,
llebre, conil,
drach calcatriç,
tir basalis,
vibra parida
he cantarida,
la onsa parda
he leoparda,
lloba, lleona,
la escurçona.
Son llop de mar,
lo pex mular,
drach e balena,
polp e serena,
de mila coha.
A qui la lloha
de llur bellea,
mes de noblea,

son bellmari;
de llur veri   30
hoyr no·ls plau.
Si n'éscoltau
qualsevol d'elles
dir maravelles
he grans llahors   35
del llur bell cors,
no·s farta may.
... ...
    Si·m fas contrari
del manament   40
seguonament
en parays
(ans del divis,
ja provehit)
per Deu fon dit: 45
"Multiplicau
he aumentau,
honpliu la terra";
qui no·s afferra
ni se·n á cura,   50
seguint natura,
ans (*d) se·n desix,
poch obehix,
trenca·l manar;
responch de clar,   55
tal argument
es defallent.
Adam creat
ffon e format
engendrador,   60
començador
d'uma llinatge;
ffera ultrage
he greu peccat
si engendrat   65

ell no·n hagués;
tots los apres
Adam venguts
no·y son tenguts.
70 Tambe peccara
si no·ngenrara
Emanue;
Abram tanbe,
he Jhoachim;
75 ffora gran crim,
en aquells dies,
si Zacharies
se·n fos estat;

no fora nat
aquell Johan,
dels nats pus gran.
… … … … … …
L'omnipotent
Jhesus, hom ver,
no hac muller;
si·n fos tengut
n'aguera·gut.
Nunca peccá;
donchs may trenchá
la lley aquesta.
…

Biblioteca Apostolica Vaticana, MS. 4806, ff. 47ᵛ, 56ᵛ, 109ʳˑᵛ; ed. Roque Chabás, *Spill, o Llibre de les Dones, per Mestre Jacme Roig* (Barcelona, 1905), and Francesc Almela i Vives, *Llibre de les Dones, o Spill* (Barcelona, E.N.C., 1928). The MS. is datable between 1491 and 1492.

76

A TREATISE UPON LINGUISTIC PROPRIETY

(Second half 15th century)

4. Es primerament evitar de mettre a per e ni fer lo 1
contrari, com dir: *5.* Pera per Pere; *7.* hom per ho-
me; *8.* animas per animes, e semblants. *11.* servell per
cervell, e los semblants; *21.* peltrigar per calcigar; *23.*
negueleix y neleix per dir immo etiam vel nec etiam; *24.* 5
fonoll per fenoll; *30.* canyem per dir canem; *33.* talent
per appetit o fam; *35.* exequar per dir alçar; *37.* gerar
pcr dir apartar; *40.* poder yo·u faré per voler dir força
o per ventura yo·u faré; *41.* gayre per voler dir molt o
prou o asay; *43.* cabre per caber; *47.* perea e probea 10
per dir peresa e pobresa, e semblants; *49.* vaig anar e
vaig venir per aní e venguí, e semblants; *52.* leguiar per
tardar o trigar; *54.* teich per dir tysich; *63.* promeya
per dir primitia; *67.* Galcera per dir Galceran; *70.* ti
per dir té (*axo) aço; *72.* spicies per species; *74.* onclo 15
per oncle; *80.* no·n (*i) <hi á> cap per dir no·n hi ha
gens; *81.* gont per dir (*gint) guant; *84.* umplert per
dir umplit; *86.* unflat per dir inflat (*ed.* vurlat per dir
intlat); *91.* stiu per dir estiu; *94.* nosatres per dir nosal-
tres; *95.* que deyts per dir que dieu; *105.* ayguo per dir 20
aygua; *107.* cuydar per cogitar o creure; *110.* mato per
brossat; *112.* homey per dir homicidi; *116.* vijares per
dir parer; *122.* pleyt per plet; *125.* dexondar per des-
pertar o esvellar; *126.* sodrach per colp; *138.* exovar
per dot; *141.* giner per gener, e semblants; *153.* tots 25
plegats per tots ensems; *154.* arribárem per arribam;
159. Candia, nom propri de dona, per dir Candida; *163.*
punxor per dir punxo. *165.* Mes avant son de evitar sobre

tot tots vocables los quals manifestament se coneix son de
30 payssos de Catalunya o Valentia diversos dels catalans, com
es: *166.* ça casa per la casa; *167.* es pa per pa; *168.*
nosaltres anem per anam; *169.* yo li dix per dir yo diguí;
170. anave per dir anava. *173.* No res menys, entre per-
sones de bon ingeni e experientia, facilment se coneix dits
35 vocables esser de Empurda, o de Urgell, o de Mallorques,
o de Xativa, o de les Muntanyes, o pagesivols, dels quals
no acustumen usar los cortesans ne elegants parladors e
trobadors: *178.* clotell per dir (*ed.* dit) tos; *179.* tots
tresos per dir tots tres; *183.* jaquir per lexar o dexar;
40 *184.* amendosos per dir los dos; *187.* birbe per bisbe;
188. retxat per rexat; *192.* cussogues per dir cossegues;
195. xiular per siular; *196.* ledesme per legitim; *206.*
meua per dir mia; *220.* dos pams per dir dos palms;
222. la passio de Jesuchrist se canta, no la passia ne el
45 passi; *233.* se lavors per dir les hores o a l'ora; *239.*
aulor per dir olor o odor; *244.* lesta la letra per dir legida;
250. ifern per dir infern; *253.* cluquer per dir campanar;
262. calabruxo ha caygut per pedra ha caygut; *263.* supo-
til s'ou molt per dir inepte; *267.* no pot ser per no pot
50 esser; *271.* un petit de pa per un poc o un poquet de pa;
276. de gom en gom; *279.* rinxo rinxo; *280.* a boca-
dents; *283.* bell no res; *286.* de bat en bat; *293.* pa-
peyo per pavello o papello; *296.* setrot o pitxer per carre-
ga; *299.* culgar per colgar; *302.* babor per vapor; *304.*
55 tella per tea de pi; *308.* tost e cuinent; *309.* tamal seny;
315. no·y sce res; *316.* temiau-me. *323.* Notau que, en
scriure lettres en vulgar, es manester usar de bona ortho-
graphia, ço es: yo amaré, aquell amará (/-ré, /-rá), yo ca-
mine (ab e), aquell camina (ab a), yo ame, aquell ama.

Ed. A. Badia Margarit, "'Regles de esquivar vocables o mots
grossers o pagesívols'. Unas normas del siglo xv sobre pureza de la
lengua catalana," *BRABLB*, XXIII (1950), 137-52; XXIV (1951-2),
83-116; XXV (1953), 145-63. The MS. is in the Archivo Capitular,
Gerona, MS. Carbonell — Arm. I — Est. III — no. 22-69, ff. 200ʳ-
202ʳ.

77

FRANCESC ALEGRE: *SOMNI*

(Second half of 15th century)

Vengut lo jorn, qui·m fa recort de aquell quant vos 1
singular me cativás, pensant ab continuats serveys, ferm
amor, execucio de perills e durade de temps no poder vin-
clar vostre cruesa — les quals coses bastan no sols a per-
sona mortal mas als infernats sperits de tots bens separats 5
gonyar la voluntat — en strem me anuge ; sobre que, havent
pensat qual, seguir ho dexar, fore per mi mes bo, trobe tan-
tes esser les singularitats qui tenir, no dexar, ans ab major
treball seguir vos me obligan, posat mal tractat sia, tans
de la part altre desdenys y pratiques, destrouidores de ma 10
speransa, abandonar y desfiar de tot vostre concert me obli-
den, que entre dos strems no sé a qual declinar. Per hon,
conbatut de ancia mon congoxat pensament, cansat de tal
pensar, acostant se la hora que al un dia fi <y> al altre
comens dona, cloent los ulls ab son, pensí repos attenyer 15
los membres tots, qui no mes del corporal que del mental
treball agreujats resten. Mes lo contrari provant, tant de
treball qui desigant repos ell alegir me feya, com ha <de
venir> sol que de molt pensar se causa <en> la fantesia
continuu recort del ymaginat, parech-me esser en un loch 20
tant plasent que, tot altre oblidat, digne se mostrave de ver
avantage ser mencionat. : :

No poch content restí, pus viu aquell esser present qui
mon viure guiave, Ffrancischo Petrarcha, companyia plasen
en les (*adversitats) prosperitats e sol reffugi en les adver- 25
sitats. Conaguí·l, no per que vist lo hagués james, mes
per les pacions que reonave recitant la pelleya de Amor y
de Laura, de que era informat per lo primer Trihunfo dels

sinch se*us* excellents. Acostant m'i, donchs, comensí·l a
30 requerir d*e* ajuda... e sí pensau la sentida alegria com p*er*
l'antich tosca fos informat del esser del Amor, y d'ells que
a ell seguien no tardar*en* respondre al demanat. "No te-
nia*n* mos s*er*veys merescut tant digna resposta com d'asso,
mes pus son de mals no ignorant als affligits socorer (*)
35 nu*n*qua sesse. Es aquest loch hon d*e* Amor se disisexen
causes, e p*er* ço van primers los advocats, jutges y scriva*n*s
a pendra loch en la gran audiencia apres d*e* aquest carro
porta*n*t lo forn, hon se obren stralles p*er* qui lo sentenciat
se axecuta, tira*n*t ab l'arch que porta aquell patge. E si
40 <de> deurades los dos ferits se troben, parame*n*t amant
y satisfent se entracambiadame*n*t lurs voluntats, beneven-
turada vida passen..."

    B. U. B., MS. 21-4-1 (*Jardinet d'Orats*), ff. 239ʳ-240ᵛ; ed. R.
Miquel y Planas, *Novelari català dels segles XIV a XVIII*, vol. III
(Barcelona, 1908-16), fasc. 6. The MS. was completed in 1484.

78

JOAN ESTEVE: *LIBER ELEGANTIARUM*

(Pre-1472)

A bona fe tu est embriach: perpol tu non es sobrius.   1

Ab lo ale m'escalfe les mans: calore oris algentes manus refocillo.

Ab qui·d creus pendre?   cum quo credis agendum esse tibi?

5

Aci tantost: ibi proximum est.

Aci: hic; significat enim hic locum proximum dicenti. Istich autem locum proximum audenti.

Aço no res: nullius precii est hoc.

Aço ve en util meu: hoc in rem meam conducit.   10

Agulla de ferre la qual calenta embolicada entre los cabells los fa tornar rulls: calamistrum, -tri; acus ferrea in similitudinem calami facta in qua crines retorquentur ut crispi siant.

A·ls esquexats la vestidura: discidit vestem.   15

Alçá la cama dreta e lançá·s un gran pet: suspenso dextro crure pergrandem ventris crepitum dedit.

Alguns dien que es aspia: quidam exploratorem affirmant.

Allo·m contrasta o·m empacha: illud mihi obstat; illud   20 me impedit.

Asnets chichs: aselli.

Ausades: utinam.

Avet me aci: tibi assum.

Axi com fora de seny, o empeguit, o perdut lo animo: 25 velut amisso spiritu.

Callantivol: tacitus, qui tacit; hoc est taciturnus.

Com ho hajes fet digues m'o: ubi feceris mihi nuncia.

De bell nau: de integro; denuo; nuper.

30　　Despus ahir: pridie ejus diei; nudius tertius.

Emigros: molestus.

Encepegar: cespitare.

En seny so que·t do una morrada o bocinada: vix me
contineo quin pugni continuo in mola hereat.

35　　Entrebonir o parlar a la orella: sursurari.

Fes fes: age age, ut libet q*uasi* dicat noli facere.

Grunzadora: oscillum, oscilli. Quodam genus ludi, sci-
licet cu*m* funis suspe*n*ditur de trabe i*n* qua pueri *z* puelle
sedentes impelluntur.

40　　Ja ha bona stona: jamdudum.

La qual com se reya en cascuna galta li·s feya un clotet:
que cum rideret in p*ar*va*m* utrinque gene deiscebant foveam.

Lepols: delicatorum gule.

Legons: rastros.

45　　Lo drap de torquar les scudelles: penniculon.

Lo toç: occipiu*m*, -pii; occipitium.

Orguinetes o beaces: pera, -re.

Pensí que digués v*er*itat: eam vera loqui arbitrabar.

Peixcar: piscor; expiscor. Differunt: piscari est pices
50　inquirere, expiscari est piscando pices capere.

Vench-li al davant un onso: fit ursus obviam.

　　B. C. On this important work see F. de B. Moll, *El "Liber
Elegantiarum"* (Barcelona, Universidad de Barcelona, Facultad de
Filosofía y Letras, 1960). Esteve's work was published in Venice
in 1489.

79

ROIÇ DE CORELLA:
LA HISTÒRIA DE LEANDER I HERO

(Pre-1486)

...No pogué mes avant parlar la trista donzella, quant 1
respós la prudent esforçada dida: "Per fallença de seny
entre·ls mes sabents se declara afermar les coses esdeveni-
dores, que sol al gran Jupiter son descubertes, hi flaquea
de animo se stima ans que la causa de la dolor sia mani- 5
festa, avançant sos mals, començar primer a doldre·s. Ab
tot que alguns filosofs han volgut declarar: quant tristor
nos asalta per cosa no sabuda s'esdeve que, per esser luny
la causa de nostra dolor, no presenta en nosaltres conexença
del que·ns dolem, mas una lenta tristicia, senblant a·quell 10
qui dels enemichs se recela, que fuig qualsevol que al
encontre li vingua, encara que no conegua qui es aquell de
qui s'aparta. Pero aço es mes sompni de vanes fantasies
que no veritat declarada, per que es certa cosa algu no s'en-
tresteix si primer no té en hoy la causa per que sent tris- 15
ticia, ni algu no pot tenir hoy si primer no coneix. E axi
s'esdeve ara en tu, estimada senyora e filla, que la remor
de les braves ones que tota la nit la nostra rriba ab gran
furia baten, a les quals tens gran oy, han entristida la tua
enamorada penssa, sotlicita de la venguda de Leander, a 20
qui meritament tant ames. Deuries penssar es axi prudent
que no empendrá tant perillos viatge, ho si·l empren, ab
esforç de enamorat animo ja acostumat de les ones, passant
la mar sobre la qual tantes vegades ha navegat segur viat-
ge, pendrá port en lo teu desigat estrado, e ab aquestes 25
teles les tues mans l'exugarán. E per lo treball que per tu,
en aquest mes que en los altres viatges, ha sofert, ab poch

afany lo pregarem qu'entre nosaltres mes del acostumat descansse." : :

50 Hon es Homero, hon es Virgili, qui en metres; hon es Demostenes, hon es Tuli, qui en prosa; hon son los tragichs grechs e latins poetes que tanta dolor escriure puguen? Hon son tots los qui tristicia, dolor e miseria sostenen? Ligen hi entenguen, y ensemps lurs mals obliden, e ploren 35 ab Hero la dolorosa mort de Leander.

Pujá sens tarda la miserable donzella, ensemps ab la esforçada vella, en la alta torre; e mirant per la lum escura de Diana si Leander poguera hoyr ho veure, baixá los plorants ulls, que fonts amargues destillaven, a la rriba hon 40 les ones batien. E ab les mans, de la vista apartant les lagremes, conegué lo cors del seu Leander que·l acostumat gest no portava, ans, la cara girada a la ensenya de la torre, les espatles (*) en la arena, les ones, sens propi moviment del cos, a la rriba lo portaven.

45 Seguí al doloros mirar un crit de veu espantable: "O Leander, respon a la tua Hero, la qual encara viva mirant te crida." No tardara sobre lo cos mort la ja quasi morta donzella saltant de l'alta torre acabar de matar-se, sino • que volia, encare vivint, la boca freda besar de Leander. 50 Rompé los seus cabells, les vestidures ensemps ab lo cuyro dels pits e de la cara, la trista sobre totes les altres adolorada, e devallant de la torre per aquella porta secreta que Leander entrar solia, ixqué al cos mort, banyat hi fret, de aquell qui ab inefable delit viu esperava. Hi estesa sobre lo 55 cos, besant la boca freda, mesclava les sues lagremes calentes ab l'aygua de la mar amargua; e volent pronunciar, no (*pd) podia ni sabia tristes paraules a tanta dolor conformes; hi ab les mans tremolant los ulls de Leander obria, los quals primer ab la boca hi apres ab los ulls besant, axi 60 de abundants lagremes omplia que semblava Leander, encara mort, plorant la dolor de la sua Hero viva, planyent deplorava...

B. U. V., MS. 88-4-19, ff. 32ʳ-33ʳ; ed. R. Miquel y Planas, *Obres de J. Roiç de Corella* (Barcelona, 1913).

NOTES[1]

1. The restored cathedral of Urgell was endowed in 839, the Act of Consecration listing 289 localities subject to its jurisdiction: 129 in Alt Urgell and the Solsonès, 85 in Cerdanya and the Vall de Ribes (upper Ripollès), 31 in the Berguedà, 42 in Pallars and 2 in Ribagorça. A *capbreu* was drawn up three days after the consecration, and is extant in a 12th century copy (A.C.S.U., Cart., f. 11, d. 15) followed by a copy of the original Act (f. 12, d. 17). The numbering in the extracts reproduced represents the order in which the localities are mentioned in the Act, and the first three forms quoted are from, respectively, the original document of 839, the 12th century copy of the *capbreu* (from Pujol's edition), and the 12th century copy of the Act (also from Pujol); the modern form of the locality follows in brackets, again from Pujol. A dash indicates that the form is lacking in the *capbreu*.

The place-names in the Act have been studied by W. Meyer-Lübke, 'Els noms de lloc en el domini de la diòcesi d'Urgell', *BDC*, XI (1923), 1-32, and the majority of them have been mapped by Abadal (op. cit., Introd., n. 16); the maps are preceded by a bibliography of works upon medieval toponymy, to which will soon be added Coromines' *Onomasticon Cataloniæ* (see Baldinger, p. 216).

As might be expected, the *capbreu* shows more popular development than does the original Act.

2. It has proved impossible to localise definitely the toponyms figuring in this text. *Castro Tarabaldi* is possibly to be related to the *Valle Taravaldo* figuring in the Act of Consecration of the Seu d'Urgell (not included in § 1 above), or with the *castrum Taravalli* of the *LFM* (Miquel, I, docs. 54 and 122 — also in the form *Taravaldo* in I, doc. 121).

Our text is not only very anarchic from the point of view of spelling (1 *binditor bos*, 4 *abenid*, 6 *origentis*, 14 *vus*, 27 *decem secte licteras*, 31 *iscripsi*), but is also evidently the work of a scribe who ill understood some of the basic formulae of his trade: 10 *in adera aderato et defito precio* for IN ADAERATO ET DEFINITO PRETIO, and 23 *infera bel infera* for INFERAT VEL INFERAM. The passage clearly reflects the collapse of the C.L. declension-system (1 *Ego Koigo*, 3 *binea*, 6 *que* for QUI, 9 *qui* for QUOD, 21 *filiis mei*, 27 *cum... licteras*), the propensity of Romance for the creation of compound prepositions and adverbs (8 *de subtus*, 25 *in ab antea*), phonetic confusion of AB and AD (16

---

[1] The numbers preceding or following items commented upon in the notes are to be interpreted as follows:

15 — a reference to line 15 of the text in question;

§ 15 — a reference to text 15;

§ 15:15 — a reference to line 15 of text 15.

ad me...tradita) — on which see *GMLC, ad* and *ab* —, the common pleonastic use of FACERE (20 *fieri minime credo esse benturum,* 24 *conponere faciad*), and the use of the Latin future perfect in clauses expressing present or future possibility (18 *bolueritis,* 22 *inquietaberit*); the artificiality of this tense is obvious in that OCat. employs no derivatives therefrom, cf. § 6:5 *menus venerit,* and § 7:13 *mens venia.* Traits of less widespread currency are: 2] *constad me vobis aliquid bindere deberem,* showing a confusion between a construction with UT and one employing the accusative and infinitive; 8] *binea Altemiro,* exemplifying the use of the accusative minus a preposition to express possession (see Bastardas, pp. 20-3); 12] *balente solidos triginta tantum,* employing an accusative of price (Bastardas, pp. 51-3); 17] *receabendi,* reflecting a confusion of RECIPIENDI and HABENDI.

For Catalan M.L. see especially Bastardas and the fascicles of the *GMLC.*

Words enclosed in square brackets are taken from Udina's version.

3. The toponyms in this document place it in the area of Ripoll; it is a deed of gift to the religious house of Sant Joan de les Abadesses, and refers to land in Vallfogona.

Less corrupt in spelling than the preceding text, it shows otherwise very similar traits. Apart from those already mentioned in § 2, we might mention the writer's indulging in verbal periphrases (2 *videtur,* 23 *vissa sum* — with present sense), his use of a common Romance turn in 3-4 *pro... redimere* (C.L. AD PECCATA MEA REDIMENDA, etc.), his employing a deponent verb with passive connotation in 5 *consecuta,* his making the common error of assigning 6 *domum* to the masculine gender, and his ultracorrecting of DICI to 26 *dicit.* His use of the dative-cum-ablative for the accusative in 24-5 is another common trait (see Bastardas, pp. 27-8).

4. The monastery of Santa Maria d'Ovarra, in Alta Ribagorça, was founded in the 9th century. As from the close of the 10th century Ribagorça, separated from Pallars *c.* 962, entered increasingly into the sphere of influence of Aragon.

Linguistic traits of especial interest, and of which specific mention has not been made in earlier notes, are the use of the substantivised infinitive (1 *ipso avere*), the confusion of AD and IN (7 *solidos ad argenteis*), the impersonal use of forms of HABERE (7-8 *ubi non habebat*), the use of *sic* in the sense of OCat. *sí* (line 15), and a typical misuse of a transitive verb in 19 *efficiat* for EFFICIATUR.

The text presents some problems of interpretation. The *nisi* of line 8 is translated by Bastardas (p. 181) as 'pero', the sense of the phrase in which it occurs being: 'a sword which had no baldric (?) or hilt (?), but which was worth VC golden shillings'. In line 13 however, the *nisi* appears to mean 'except': 'some silver spurs where only the prick was of iron'. Lines 11-12 may perhaps best be rendered 'and a cloth (or) mantle woven with gold (thread which) was worth C shillings'. The *vobis* of line 15 is an error for *nobis.*

Note the Germanic element in the specialised lexicon.

5. The text comes from the Chartulary of the monastery of Sant Cugat del Vallès, near Barcelona, and presumably reflects the language of that area.

Apart from traits already dealt with in earlier notes the following are worthy of mention: 1] *sanamente* — the typical adverb of Romance; 2] *concilio* for *consilio* — confusion of *s* and *ć* after alveolars is early and widespread; 5] *firmis* for FIRMUS; 10] *ibi* for ILLI — see

Bastardas, pp. 76-7, and Introd., n. 69; 11] *alaudem* in the masculine gender — cf. § 12:8 *achelas alods,* and see *GMLC* and Rodón, *alodis;* 12] *ereditare debeo* in the same sense as a M.L. *hereditavero* — see Bastardas, pp. 159-60, for the pleonastic use of DEBERE; 24] *donare faciatis,* where the finite verb appears to preserve its factitive sense, although from here to *donatis* (for DONETIS) is but a step; 34] *in* — see Bastardas, p. 91; 36] *suis* 'their' — cf. § 7:16 *suo,* § 8:17 *illorum,* § 14:61 *lor,* § 25:18 *lur;* 41] *ipsa* — clearly lacking in demonstrative sense.

6. On this oath of loyalty to Ramon Berenguer III of Pallars see F. Udina Martorell, 'Sacramental original romanceado', *BRABLB,* XVII (1944), 273-7; it is one of the earliest extant in its original form, although copies of older ones have been published by Milá and Miret (see Bibliography). The *LFM* is our richest source of feudal documents, and the earliest oath datable therein belongs to the period 1018-1023.

The language is clearly Catalan superficially latinised; we note especially: 1] *a te* (MCat. *a tu,* cf. § 37:13 *de tu*) — see Bastardas, p. 63; 3] *go* < *EO, with *g* representing the palatal yod; 4] *vos ende seré,* showing the pronominal use of the derivative of INDE (see Badia, *Complementos),* and the future tense fully formed; 4-5] *devetare no llos vos faré* — on constructions with FACERE plus infinitive (cf. § 5:24 *donare faciatis)* see D. Norberg, *'Faire faire quelque chose à quelqu'un':* *recherches sur l'origine de la construction romane,* Uppsala, 1943; 5-6] *menus venerit* — see Rodón, pp. 177-9; 7] *quamu* < *QUOMO — see Introd., p. 27; 8] *ateré* — probably an error for *o tenré* (see *GMLC, attendere).*

It would seem that the scribe shows an aversion to the voicing of intervocalic surds and the loss of atonic vowels: *chomite, fideles, devetare, Giriperto* (but *Radolf Oriol), atenderé, lochoro* < LUCRU, *pote, enchanno.*

For works on feudal terminology see Introd., n. 17.

7. It has proved impossible to identify the principals concerned in this document.

Details of especial linguistic interest are: 1] *ad ti* (cf. *a te* in § 6), and *ti, mi,* for both accusative and dative in lines 2, 5, 9, 10; 2] *fidels* — nominative; 3] *ton* (and 4 *son),* but the fuller *tua* in lines 5 and 6 — cf. the fuller forms preceded by the article in § 5; 3] *con* < *QUOMO — early confused with *con* < QUANDO; 4] *ad qui* — see Introd., pp. 40-41, 47, and § 10:5, § 12:4, § 16:10 and § 20:4 for examples of *cui* (early confused with *qui);* 6] *si tene* — the *si* according with the scribe's system *(mi, ti* above), the verb showing *membra's* being viewed as a singular (cf. § 12:8); 6] *vestro* — employed indiscriminately with the singular forms *ton, tua;* 8] *quantra* — cf. § 6:7 *quamu;* 9] *buegan* implies VOLEANT, but OCat. does not commonly employ the present subjunctive in this type of phrase (cf. *tolrán* preceding, but § 12:11 *tola,* § 15:70 *tolen),* and the apparent diphthong *ue* does not accord with the more advanced evolution 7 *ui;* 9] *che* — for its use with temporal sense see Bastardas, pp. 195-6; 11] *les chasteles* is unusual; 13-14] *mens venia* — for the phrase see § 6:5-6, for the imperfect see Bastardas, pp. 144-5; 15] *dubitaretes* — see Rodón, pp. 92-4; 16] *suo* 'their' — cf. § 5:36.

8. Most of the difficulties in this text are of lexicon, and are resolved in the Glossary. Of linguistic interest are: 1] *proclame* — early closing of final *a* in verb forms, probably through analogy with its evolution in -AS and -ANT; 2] *ad* — for the maintenance of the dental see *GMLC, ad,* n. 1; 5] *feneschat* (and 10 *jakescha*) — see on the suffix Moll, pp. 242-5; 10] *quod* — for MCat. *que* (cf. 4 *ut,* 18 *qui*); 10] *li·o* contrasts with *le·n* in many early texts (e.g. *ne li·o tolre ne non le·n tolre,* Miquel, I, doc. 150), and although the first example of *li·n* does not figure in our collection until the 14th century (§ 46.32) this gives a false impression; the nexus is documented in the 11th century; 13] *so ... de* is a common pleonasm.

The last sentence presents problems. The sense of 18 *qui* would seem to be that of UT, in that one would expect a relative to be followed by the Latin future perfect or the Romance future; Bastardas, p. 187, quotes other examples of *qui* for MCat. *per tal que* or *perquè.* The *si pharà·n,* if that is how it should be read, is unusual; one expects *si·n pharà.* For *fromiment* see Brunel, *formiment.*

Using Pujol's edition as a basis the text has been adapted as follows: *i* and *.j, u* and *v,* long and short *s* have been regularised, the words have been separated to accord with modern usage, capitals have been supplied where now conventional, and the whole has been repunctuated. The brackets in line 3 are Pujol's.

9. The oath is sworn to Ramon IV of Pallars.

Notes: 1] *Remonnus* (and 4 *chomanna*) are the first cases in this selection of the reduction of -ND-, although the evolution is documented in the 9th century *(GMLC, attendere,* n. 1). Provençal most commonly preserves the group.

10. All the texts in this section concern the Counts of Pallars.

Notes: 8] *erat redretum* — on the formation of the Romance analytical passive and its reflection in Catalan M.L. see Bastardas, pp. 127-37; note too the imperfect in a conditional clause (see § 7:14); 21] *frabezim* suggests a base *FRABICA for FABRICA, but the word is unknown (Miquel transcribes *trabezim);* 27] *la* — redundant; 29] *venit* — preterite in a conditional clause, cf. 65 *voluit;* 29] *asi* is unusual for either *sí* or *acsi* (MCat. *aixi);* 30] *que* 'to whom' — for *cui;* 41] *fed* < FECIT and 44 *fed* < FIDE — see Introd. pp. 32-4; 44] *a lui* coincides with Gallo-romance development, while the MCat. *a ell* is reflected in e.g. § 9:8 *ad illum;* 49] *pater* — see Coromines, *Lleis,* pp. 201-5; 59] *lo li* — cf. 44 *lo·i* and 64 *li·o;* 72] *fuit* for FECIT — cf. § 39:44 *fou;* 73] *presod* (OCat. *pres*) recalls the *venot* and *fezot* of the Glosas Emilianenses (Pidal, *Orígenes,* pp. 4, 8); 81] *si* — MCat. *ell.*

11. Like § 5, from Sant Cugat del Vallès, and referring to property in the Maresme.

The language is an acceptable M.L., with the usual relapse into the vernacular where the bequests are concerned. We note: 18] *maiola* < MALLEOLA and 20 *reia* < REGULA reflect delateralisation of the palatal *l* (but 26 *tovalias);* 25] *guadengs* is more commonly feminine (§ 17:5 *guadengas*) and this may simply be a slip; 26] *quat* for *cot* — see Introd., p. 27.

12. It has proved impossible to identify the principals concerned in this document.

Notes: 2] *eu* — cf. OProv. (Brunel texts passim); 3] *serei* — suggests Gallo-romance influence, as does *engien* if its *i* is an element of a diphthong from Ē; 9] *meu* — unusual in that it is not preceded by an article; 12] *fez* < FIDE and *veds* < VICES — cf. § 10:44 *fed.*

13. Notes: 3] *donatores sumus* — see Bastardas, p. 163, and cf. § 2:1 *binditor,* § 3:1 *donatrix,* § 7:7 *agutor;* 4] *qualiter* — see Bastardas, pp. 188-9; 8] *ut* — for QUOD or *quodcumque* (§ 15:57) 'whatever'; 15] *sequet* illustrates the usual fate of deponent verbs.

14. Notes: 5-6] *comanná...mi* exemplifies a not uncommon shift from the 3rd person (scribe's point of view) to the 1st person (client's point of view); on this see Bastardas, pp. 10-12; 8] *volgés* illustrates again the artificiality of the Catalan M.L. future perfect, as does the *facia* of this line; on the Latin pluperfect subjunctive in Catalan M.L. see Bastardas, p. 155-7; 14] *siria* and *afolia* are employed with the same temporal value, the latter form is possibly a slip; 17] *donavit* for *donavi* — cf. 18 *fuit* for *fui*, and 21 *chuit* for *cui*; 23] *fait et dict* probably reflect scribal conservatism rather than Gallo-romance influence; 26] *fedés* — see Introd., pp. 32-4; 28] *fforon* shows an *-on* unusual in Catalan but common in Provençal; 32] *lo men* suggests a cross between *lo meu* and *mon*; 33] *sobud* and 35 *sub* recall Gallo-romance solutions; 35] *fuerit* referring to a past situation again reflects the artificiality of this tense in our texts.

15. In most of these texts toponyms provide a clue to their localisation; apart from these, no. 5 concerns the abbey of Sant Joan de Besalú, and no. 7 the House of Montcada (on which see Sobrequés, pp. 57-63).

Notes: 6] *·ls* and 8 *lur* exemplify both types of OCat. dative plural masculine pronoun; Bastardas, pp. 65-7, considers the latter a Provençalism; 13] *teré* — probably an error for *tenré*; 23] *tro...agéss* — cf. § 14-35 *entro mortuum fuerit;* 23] *don* < DAMNUM — see Introd., p. 35; 26] *quia* — cf. *qualiter* in § 13:4, and *quod* passim; 32] *tener* (MCat. *tenir*) — cf. *ligere* (MCat. *llegir*) in § 6:8; 33-4] *volgesen... tolgesen* again illustrates the temporal dislocation of the Latin pluperfect subjunctive — see Bastardas, pp. 155-7, and cf. § 14:8, § 29:8, or line 23 here; 37] *no no* — for *ne no;* 49] *engannarems* (and similar forms elsewhere in the passage) — Latinism? 66] *qual* — MCat., MSp. *la que;* 66] *aurés* suggests Provençal desinences, cf. the more usual OCat. 73-4 *comonreds,* 107 *aveds,* and *-ets, -etz* passim; 68] *vostro onore* — cf. 72 *vostra onor;* the feminine is more usual; 70] *tolent* and *tolen* < TOLLANT — cf. the frequent use elsewhere of the Latin future perfect; the instability of the subjunctive mood will by now be apparent; 84] for *unde* (MCat. *on*) replacing UBI, or in the sense of 'concerning which', 'by virtue of which', see Bastardas, pp. 56 and 72-6; 95] *ched* recalls Provençal developments — see Bruncl, and cf. §§ 18:6 and 43:61 *quez,* § 18:39 *ques;* 106] *quars* < CORPOS — cf. 107 *cors,* and see Introd., p. 27.

Texts 4, 10 and 11 have been adapted in the same way as § 8.

16. As the original editor of this fragment says, the text shows no 'provençalismes declarats', although the following forms are unusual at this date: 1 *exes;* 2 *galidansa, foron;* 3 *pogron, ademplir, aicelo;* 10 *fon.* It will be readily understood that it is difficult to claim Provençal ancestry for forms which one may surmise for pre-literary Catalan; in our early texts it is difficult to draw a line between archaism and Provençal influence.

Notes: 2] *leial* — for *regia* of the original Latin; 3] *·o* — pleonastic; 5] *publicat* — for *publicada;* 11] *pogren* — past conditional, see Introd., pp. 49-50.

17. Miret gives no details of this text's first provenance, but 3 *lin* and 6 *tovaies* suggest ECat.

Notes: 2] *parilios gallinas* — the lack of a partitive *de* may be no more than a professional shorthand, or it may hark back to such examples as § 2:8 *binea Altemiro;* 5] *cabridis* — the ending may be due to latinising (but *-br-* and *-d-*?) of a basic suffix -ITOS or -ITAS, or to an assimilation, or simply to carelessness; 5] *guat* — either a slip for *guant,* or a hypercorrection for *cot* (cf. § 11:26 *quat);* 7] *caseos* — cf. § 34:26 *fortmages* and MCat. *formatges;* 8] *ercudeles* suggests MCat. *escudelles* — a slip? 10] *dineres* — probably an error for *diners,* which suggests that 8 *ercudeles* might conceivably be an error for *argadells;* 11] *cavadel* — but for the clarity of the manuscript's *u* one would suspect *canadel* 'ladle'; as it is, one may surmise a formation upon *càvet* (standard *càvec).*

18. Our first text may arouse objections to transcriptions of the type 1 *tons,* 22 *ditans;* we feel them to be justified by e.g. 4 *ogans* < AUDIATIS, 23 *aquens* < ACCU-ISTOS. It would appear that for this scribe the dental element in *-ts* was scarcely more perceptible than the adventitious dental between the alveolar *n* and final *s* of *-ns;* also interesting in this connection is 24 *ditas.* No further reference will be made to this point.

Notes: 3] *que* — possibly 'for', 'since', although 20 *que* supports a reading 'who'; 6] *quez* and 39 *ques* — see § 15:95 *ched;* 6] *faie* — for the loss of *-ć-* see Introd., pp. 32-4; 8] *ahi* suggests MCat. *ahir* < HERI, but the 12th century is early for the loss of *-r;* we may have here a case of analogy with *ui* < HODIE (§ 7:7); 10] *perque* 'because of which' — for the expression of 'because' see § 20:18, note; 10] *e* (MCat. *és)* is common in modern dialects; 10] *pis* < PEJUS is marked by the *DCVB* as a modern gallicism; 15] on *sensum* < CENSUM see Introd., p. 30; this form in the nexus *a sensum* (as opposed to *e·l sensum,* with its preceding alveolar) may be due to a residuary dental in the derivative of AD; 15] *fore obs* retains a pluperfect connotation (MCat. *hauria estat convenient);* 24] *clamans* — here a present participle (see Introd., pp. 47-8); 28] *az* < AD IPSU; 31-2] *vingu·i...e fa·i* — the first form is unusual (cf. *veng* in the same line), while the second is probably an historical present; 39] *queocom* — MCat. *quelcom* (cf. Prov. *calacom,* etc.); 48] *Pesquels,* if not a toponym (Pujol transcribes *depes quels),* suggests nothing to this editor; 61] *ez* — a Provençalism; 65] *una quiega* 'each' — id.; 68] *dret... fermat, giat...avien,* are two absolute constructions; 69] *trascen* — a variant upon 66 *traseren,* or a slip? 71] *(tout) ge* — presumably *tavega* 'dungeon'; 72] *tolé* — cf. the more usual strong preterites *tolg, tolc,* of OCat.; 73] *cobré* shows a Provençal-type desinence.

Text 1 has been transcribed from the facsimile, text 2 has been modified in the same way as § 8.

19. The Knights Templars, established in Catalonia in the early 12th century, were of French origin, and many of the documents concerning them betray the influence of Gallo-romance; hence here: 7 *feuz,* 14 *chausas,* 20 *agues,* 30 *morts.*

Notes: 5] *degre* — conditional; cf. § 16:11 *pogren,* past conditional; 11] *abeant* — for *habebant;* on the Romance pluperfect see Bastardas, pp. 139-43; 26] *pendre* — a typical dissimilation current in MCat.; 34] *volgés,* like *pogre,* appears here to retain pluperfect sense — see Introd., pp. 49-50; 37] *ços* — definite article; 46] *cada* — cf. *quiega* in § 18:65; 50] *faed* might reflect a tonic neutral vowel — see Introd., p. 24.

20. This famous text betrays somewhat more obviously than the Catalan translation of the Forum Judicum (§ 16) the influence of literary Provençal. Some clear examples are: 14 *nient,* 22 *rauben,* 23 *maiso*, 25 *pauc* (cf. 7 *gog*), 47 *mals* and *ardidz*, 51 *lexet*, 66 *majer ment*, 89 *aizela*.

Notes: 4] *a cui* — see § 7:4; 7] *peridors* — the lack of the feminine *e* here suggests a fusion of the two suffixes -TOR and -TORIU, on which see Moll, pp. 295-6; 16] *tornad* is perhaps a regression from *tornats* (normal OCat. and OProv.) rather than a derivative of the plural imperative proper; 18] *per qe qar* is but one of a variety of turns replacing C.L. QUOD 'because'; already in our texts we have § 10:72 *quare*, § 14:19 *quar*, § 14:34 *per ço...quar*, § 19:15 *per zo quan*, and in line 30 of this text of the Homilies *per zo qe* coinciding with 32 *per zo qe* 'in order that' (cf. MCat. *perquè* causal and final). For a useful summary of the possibilities see Moll, pp. 393-7, 399-400, and for M.L. also Bastardas, pp. 189-92. 23] *altrui* occurs again as a possessive adjective in § 42:69 *altruis cosses;* 25] *pren* — one would expect in MCat. a subjunctive (cf. § 34:25 *prena);* 49-50] *pogra... volgés* — both with pluperfect sense; 55] *docs* — for *doncs;* 61] *exajá* — cf. the Provençal-type 54 *exajet;* 71] *odir* — cf. the provençalising 47 *audir;* 71] *parcesqe* — for the suffix of this uncommon derivative of PARCERE see Moll, p. 303; 87] *donces* — cf. OProv. *doncas*, and MCat. vulgar and north-eastern *donques;* 87] *per qe qan* — see n. 18 above; 88] *za* — definite article.

21. Gallo-romance influences in this text are more obtrusive, and of a different order, than those evident in any of the texts preceding. Unlike many of the forms quoted as being likely Provençalisms in our earlier selections, and which could often almost equally well be attributed to archaism, the following can with difficulty have been indigenous in Catalan: 40 *tuit*, 43 *li ome*, 50-1 *li prohome*, 54 *lei*, or 39 *acorder*, 40 *donessem* (at this period), 46 *aneren*, 52 *trairia*. Apart from these there are a host of forms of wider currency, of a type already encountered in earlier selections.

Notes: 1] *sabida* — unusual, but not necessarily non-Catalan; 1] *can* < QUANDO, and 12 *cant* < QUANTUM — Catalan normally either retains the Latin labial, or reduces the *ua* to *o*; 2] *dis* — Provençal influence; 4] *pobol* — apparently semi-learned, it occurs again in § 37:3; 9] *avia* — for *avian;* 14] *mandá* — at this date suggests by its -*nd*- the influence of Provençal; 26] *·sfrais* < *EX-FRAXIT, cf. § 10:5 *fragien*, § 15:73 *frania;* 27] *traselet* suggests a basic TRANSILIO, a word which found no great favour in Romance; 30] *corre* — rather than the loss of -*r* we have here the elision of a postonic vowel; 31] *agren passada* — OCat. shows a predilection for the preterite plus past participle after expressions of time (cf. MSp.); 41] *lai* 'there' — Provençal? 56] *pogué* — an unusual weak preterite at this date, cf. *pog* or *poc* passim — but also § 18:72 *tolé;* 62] *le·n* — perhaps better transcribed here *l'en* < ILLU INDE, but given the impossibility of ascertaining precisely what was the evolution of ILLI INDE and ILLU INDE, and given the possibility of analogical pressure from ME, TE (accusative and dative) INDE, we have opted indiscriminately for *le·n;* 63] *laus* — a hyperprovençalism upon *los;* 63] *presés* — the subjunctive after an expression of opinion is common in OCat.

Up to line 23 (*morabetins*) we have transcribed from Miret's facsimile, thereafter from his edition.

22. Drawn up by a royal notary, this text must reflect very much the official Catalan of the time.

Notes: 1] *totz* — spellings with -*tz* (as opposed to -*ts*) reflect Provençal scribal habits; 6] *treta* — a slip for *tret* or *trets;* 9] *ou* — for *on;* 11] *preses* and 12 *deliures* — for -OS > -*es* in this position see Introd., pp. 28-9.

23. For what is known of the sender of this letter see Miret, pp. 170-1; his language, while showing no strikingly unusual or dialectal features, appears to be ECat.

Notes: 2-3] *saluts ç amors* was a common form of greeting in epistolary usage; 5] *il* — a scribal aberration? 8] *els* — see Introd., p. 44; 14] *tramesses* (MCat. *trameses*) shows an etymologically correct spelling in -*ss*-; cf. § 20:19 *messes* < MISSAS; 21] *jo son* is inserted in a different, and later, hand; 24] *mo,* like e.g. *so* in § 8:13, is a straightforward development from the accusative singular.

24. According to Miret, p. 172, this text comes from the Alt Penedès; it may be earlier in date than § 23.

Notes: 8] *ab* — for *a;* 8] *quinia* < *QUINIAM (Grandgent, p. 110); 9-10] *pero que·n...en ver* presents difficulties; Miret's edition, upon which this is based, reads: *pero quen lo li aurien retut si non era pagat metesso el en uer;* 14] *muria* — the closing of the pretonic vowel is due to assimilation (see Introd., p. 29); 14] *posar se·n an* — the 'split future', used for effect; our earliest texts have shown the Romance future fully formed.

The text is interesting in that it shows complete stability in the evolution of -D- and -Tĭ—: 12 *preá,* 18 *Beneet,* 19 *peu, graa, palau, seen,* and 22 *oir;* the final -*ts* of the 2nd person plural verbal desinence and of the past participle both remain, spelt -*tz:* 6 *prestatz,* 11 *diretz.*

The text has been adapted from Miret's edition in the same way as § 8 from Pujol's.

25. From the Cathedral Archives of Barcelona, the forms 10 *cenayes* and 11 *cuyeres* suggest an ECat. scribe (MCat. *senalles, culleres*).

Notes: 4] *caulera* < CALDARIA — see Introd., pp. 39-40; 6] *bassi* points to a de-affrication of [ts]; other forms which might appear to show the same feature are of doubtful probatory value: 5-6 *cetres* (Arabic?), 10 *cerons* (Arabic? Basque?), 15 *cedaz* (assimilation?); 8] *cuyeser* — *cullerer?* 9] *canebans* (cf. Sp. *cañamazo*) points to a confusion of -*ns* and -*ts,* presumably, then, to de-affrication of [ts] as in 6 *bassi;* for a somewhat earlier confusion of -*ns* and -*ts* see § 18, initial note. 15] *puluyera (pulnyera?)* — for *punyera.*

The text has been adapted from Miret's edition in the same way as the preceding.

26. Notes: 20] *fazçad(s?)* — see Introd., p. 33; 20] *ting* — cf. § 22:2 *venc.*

27. Notes: 1] *contençoz* — cf. § 18, initial note, and § 25:9; 9] *e o foren III ans* 'when three years had passed' — the *o* suggests UBI (cf. § 22:9 *ou*); 20-1] *no·ns-en pog (m')avenir* — probably *no·ns en pogrem avenir;* 29-30] *la un...tolie* — sense? 33] *jaquisa* — a WCat. form now; 37] *jo·n* — better *jo·m;* 41] *ed(impse)* — sense? 47] *destrig* suggests Provençal influence.

Our version is adapted from that of Pujol, from whose readings we have departed only as in § 8.

28. The sections square-bracketed are taken from Miret.

29. Notes: 14] *volla* suggests Provençal influence, as do 16 *aclo* (cf. Corominas, *Vidas,* p. 200) and spellings in -*tz,* etc.; 31] *la u* < *lo u* — a dissimilation.

30. Notes: 3] *Det* and *espitat* show clearly the semi-vocalic nature of *-t* here; 4] *mels* — see Introd., pp. 37-8, and cf. 9 *delme;* 8] *porc* — facsim. apparently *prece.*

31. An archaising (provençalising?) text from the west of the domain: 3 *ten, can,* 5 *possedia,* 9 *maire* (see Coromines, *Lleis,* pp. 201-5).

32. See Riquer's edition for a restoration of the text different in some respects from our transcription, and for a commentary. The poem is included here because of its relative lack of Provençal traits.

33. Notes: 14] *trametet,* imperative. In view of 3 *plat* (cf. § 30:3 *Det, espitat*), the *-t* here may represent a semivowel from *-ts;* cf. also § 26:20 *fazçad(s?),* and § 20:16 *tornad;* 25] *paire* — cf. similar forms in § 31; 27] *saludez* — the *z* here is clearly [ts], in view of 34 *estaz,* 39 *toz;* 32] *dedme* — cf. 41 *deume;* 33] *feve* — still extant in WCat.; 41] *primia* — popular development, as opposed to the more usual *primicia.* The Gascon-like redundant *que* of lines 33, 34, 40 is interesting.

Texts adapted as in § 8.

34. See Coromines' study accompanying his edition. We retain his accentuation, etc.

35. See Badia and Moll, 'La llengua de Ramon Llull', pp. 1299-1358 of *Ramon Llull: Obres Essencials,* ed. Miquel Arbona, II (Barcelona, 1960). Both our MSS. show ECat. traits, and a number of literary Provençalisms.

36. Among the non-Catalan elements of this text from the Vall d'Aran there figure most prominently: 4 *los causes,* 5 *dexs, poi,* 8 *Orelha* (by its *-lh-*), 9 *sas fraires,* 18 *denz,* 19 *le,* 21 *perder, tuit li,* 27 *nuls,* 28 *poscha,* 29 *daun.* Also of interest is the *-b-* of *deben* in line 23.

37. The MS. used by Llubera is of Majorcan provenance, and although our selection shows no evident Majorcanisms it clearly belongs, as did Jafuda, to the ECat. domain.

Notes: 10] *que·n* — MCat. *del qual;* 11] *senyor* — in this sense probably a Hebraism; 12] *qui l'es* — MCat. *a qui (li) és;* 20] *que* — MCat. *als quals;* 24] *en* — as often still in spoken Catalan; 24] *coze* — *z* for voiced *s* is a graphy favoured in Provençal; 30] *que...li* — MCat. *al qual...el.* Note also the clear de-affrication of [ts], as in §§ 25, 34, 35, 38, 40, etc., all from the east of the linguistic domain.

38. Notes: 2] *fey* (MCat. *feix*) — the scribe employs *y* for a variety of sounds: 3 *ay,* 5 *seyor, rey,* 10 *companaye,* 16 *puya;* 28] *quasta* — scribal slip or tonic neutral vowel? 34] *rasi* — see Coromines, *Vidas,* pp. 161-2.

The Vall de Ribes is *rossellonès*-speaking.

39. For a concise linguistic study see the edition cited, vol I, pp. 105-15; Coll finds the language of MS. 486 indicative of north-eastern provenance.

40. The most striking non-standard traits of this text are: 1 *Pruis,* 3 *does,* 7 *ermenis,* 9 *crusha,* 14 *rocis* (and similar endings), 16 *coton, coyre,* 17 *rauza* (cf. § 34:9 *ros*), 22 *causes,* 32 *penre,* 34 *amont.* On medieval *rossellonès* see Coromines, *Vidas.*

41. On the language of this MS., a copy at at least one remove of an original probably written in Roussillon, see Coromines' fundamental study. Striking features of our selection are: 1] *veni* (OCat. *vine,* as in line 8, or *vin*); 8] *diens* (and other present participles — cf. § 35, text 1); 12-13] *enlumenadors* (and similar constructions, still current in MCat.); 15] *lud* < LUCE (OCat. *lum*); 26] *leugiers* — for its *ie;* 27] *em* — standard *som;* 42] *donetz* — cf. 40 *donás;* 52] *enclausi* — cf. § 38:34 *rasi*); 54] *temi* and 56 *m'alegri,* showing the typical *-i* desinence of *rossellonès;* 60] *poyré* — cf. § 40:16 *coyre;* 64] *saub;* 65] *passesen* — and other forms with tonic *e;* 66] *vesec* — Provençal-type; 79] *seua.* Most of the above forms could well have been current in medieval *rossellonès.*

42. For the many problems involved in the compilation and transmission of the Usatges see the introduction to Rovira's edition. Both our MSS. appear to have been produced in eastern Catalonia.

43. For the language, heavily provençalised but basically Catalan, see Coromines' edition.

44. Batllori suggests the translator of the *Regiment de Sanitat,* originally written in Latin for Jaume II, may have hailed from Girona (because of e.g. 4 *un* for *on,* used regularly throughout); our MS. is certainly ECat.
The letter we print shows no departure from the cultured norm, although Vilanova is thought to have been Valencian.
Batllori's accentuation has been adapted to accord with our own system.

45. From Roussillon, the text betrays some clear north-eastern traits: 2 *aujats* (and other cases of *au* retained), 17 *conclusen,* 22 *passés* (cf. § 41:65), 31 *lany* (for *leny*), 46 *damont,* 52 *seua* — cf. § 41:79.

46. The letter would appear to have been written from Villena, now outside the Catalan linguistic domain, but betrays no obvious dialectal traits.
The text has been adapted from Miret's edition after the same system as § 8.

47. On the elaboration or translation in the early 14th century of this chronicle see M. de Montoliu, *Les quatre grans cròniques* (Barcelona, 1959), pp. 21-49, and on its language the same scholar's 'Sobre la redacció de la Crònica d'En Jaume I', *ER,* II (1917), 25-72. Note 3 *sa* and 16 *es* (see Introd., p. 44).

48. An ECat. text with obvious archaisms-cum-provençalisms.

49. The language of the text, like the testator, is clearly from the north-east: 4 *girman,* 5 *eu,* 8 *meues,* 15-16 *resembre,* 16 *paubres,* 27 *visoatge,* 38 *mescios,* etc.

50. From the north-eastern limit of Catalan, the language of this letter shows the writer's vacillation between Catalan and Languedoc solutions: 1] *aytz* (but 3 *autz*); 5] *fau* (OCat. *faç*) — cf. the reverse situation in Cat. *palau,* Oc *palatz;* 9] *caurels* (but 12 *cayrels*); 10] *ey* (Prov. *eu*).

51. The MS., the oldest and most complete of this chronicle, shows sporadic ECat. traits. There is really no good complete edition of the Chronicle, but for basic bibliographical details see Josep Romeu, *Literatura catalana antiga,* II (Barcelona, 1961), p. 18. On the '*va* + infinitive' preterite (lines 8, 34-5, etc.) see Colon.

52. The MS., a copy of one now lost, is ECat. (Girona?); there are a number of archaisms which lead Bofarull to suggest that the lost original *may* have been composed in the late 13th century.

53. The MS., whose procedence is unknown, suggests by its language a north-eastern provenance. There is some influence of literary Provençal.

54. Although the MS. is from Lleida its language suggests to Bohigas an eastern provenance. See his 'La llengua dels miracles de Maria, del manuscrit de Lleida', *BDE*, XXXIII (1954-1955), 285-96. We have adapted the punctuation etc. to our own system.

55. A text from the north-east, notable for its clear reflection of the tonic neutral vowel (6 *antra*, 12 *prase*) as well as for confusion of atonic *a* and *e*, and of *ć* and *s*. The forms 24 *aneygar* and 26 *anaugás* recall by their *u/y* vacillation our § 50.

56. An ECat. MS., to judge by the treatment of the atonic vowels.

57. Probably of Majorcan provenance, not only because of 6 *pla*, 24 *avar*, etc. — a trait evidently not unknown in the Empordà (cf. § 55 above) — but also in view of 2 *bistias*, 7 *aspisias*.

58. For a thorough study see Casas Homs' edition. The text would appear to have been written in Ripoll, and Provençalisms are also present (principally in spelling).

59. The oldest MS. of the *Terç* (written in 1389) is in the B. U. B.; the MS. we use is a faithful copy of this. The edition we have quoted is the most accessible; the best is that of the P. P. Martí de Barcelona and Norbert d'Ordal, 3 vols. (Barcelona, E.N.C., 1929-1932.)

60. Two clearly ECat. texts by ill-educated writers, these have been studied concisely by their editor Serra i Ràfols. We have adapted his punctuation, etc.

61. The copyist of the MS. we have used was clearly an ECat. speaker, and possibly, like Metge himself, from Barcelona. On Metge's language see Par.

62. Casas Homs suggests that the MS. may well be by the hand of Averçó himself, a native of Barcelona. The text shows Provençal influence, notably in the spelling.

63. Tous is in the Segarra, Maldà in Baix Urgell, Peníscola in the Baix Maestrat, Núria near Queralbs in the Vall de Ribes (Ripollès), and Poblet in the Conca de Barberà. There is of course no guarantee that these inventories were prepared by natives of the areas concerned.

64. A typical example of 15th-century oratorical prose. The punctuation and accentuation system is that normally followed in the E.N.C. series.

65. On the MSS. of Ausiàs March see the two editions cited. The punctuation, etc., is adapted to our own system.

66. A WCat. text. Note the subjunctive desinence in *-o* (lines 20, 43), which occurs also in § 71:64.

67. Written in Valencia, the text shows traits of that city's dialect: 2 *diumenche*, 9 *fonch*, 13 *vien* (and similar forms elsewhere), 23 *poseys*, 26 *ve*, 32 *juraren*, 33 *puxá*, 40 *fon*, 47 *veure*, 51 *pobrea*. See Introd., n. 56.

68. The sole MS. of this work, a copy and not the original, betrays ECat. traits; on its language see Par, *Curial*. The accentuation is that of the E.N.C. series.

69. Clearly ECat., Aramon considers the text may have been composed in the area where it was found — Crespià (Gironès).

70. The MS. is clearly ECat., possibly Majorcan (44 *flams*).

71. The MS., probably a copy, may have been written around the year 1430, earlier than our § 66, but this is by no means certain.

72. The first letter is clearly ECat. The second, while not appearing especially Valencian, does not show those spelling confusions of atonic vowels so common in texts from the north-eastern areas.

73. There are no MSS. of the novel extant; the B. M. incunable is a copy of the first edition, Valencia, 1490. On the language of the *Tirant* see Riquer's edition, pp. *158-*174; there are Valencianisms.

75. The Vatican MS. is the only one extant; its language shows Valencian traits.

76. Composed by the humanists Bernat Fenollar and Geroni Pau, and copied by Pere Miquel Carbonell, this text takes as its norm the good usage of 'Catalans e valentians'. Badia provides a full study.

77. The MS. shows ECat. traits. Alegre was a *barceloni*.

SELECT BIBLIOGRAPHY

The Bibliography contains in Section I expanded references to those books, articles, journals, archives and libraries cited in abbreviated form in the Introduction, in all notes to the Texts, in the list of Toponyms, and in the Glossary. The references to archives and libraries are inset.

Entries preceded by an asterisk are of especial bibliographical value, while those preceded by the symbol † were used in the elaboration of the Glossary.

Section II of the Bibliography contains works, other than those already entered in Section I, which were consulted in the preparation of the Glossary.

The bibliography is followed by a list of the abbreviations, other than those of journals, archives, etc., which have been employed in this book.

I

ABADAL: Ramon d'Abadal i de Vinyals, *Els primers comtes catalans* (Barcelona, 1958).

ABADAL, *Pallars*: id., *Catalunya Carolíngia, III, Els comtats de Pallars i Ribagorça*, 2 (Barcelona, 1955).

A. C. A.: Archivo de la Corona de Aragón, Barcelona.

A. C. B.: Archivo Capitular de Barcelona.

A. C. S. U.: Archivo Capitular de la Seo de Urgel.

A. H. N.: Archivo Histórico Nacional, Madrid.

AIEC: *Anuari de l'Institut d'Estudis Catalans* (Barcelona, 1907-).

ALARCOS: E. Alarcos Llorach, 'Algunas consideraciones sobre la evolución del consonantismo catalán', *Miscelánea homenaje a André Martinet: Estructuralismo e historia*, II (Universidad de La Laguna, 1958), 5-40.

ALART: J. B. Alart, *Documents sur la langue catalane des anciens comtés de Roussillon et de Cerdagne* (Paris, 1881). This is a reprint of contributions in *RLR*, III (1872), 265-91; IV (1873), 44-61, 244-56, 353-85, 502-14; V (1874), 80-102, 305-29; VII (1875), 42-61; VIII (1875), 48-70; X (1876), 57-69, 241-53; XI (1877), 173-7.

AlCart.: id., *Cartulaire roussillonnais* (Perpignan, 1880).

ALONSO: Amado Alonso, 'Partición de las lenguas románicas de occidente', *Miscel·lània Fabra* (Buenos Aires, 1943), 88-101.

A. M. B.: Archivo Municipal de Barcelona.

ANGLADE: J. Anglade, *Grammaire de l'Ancien Provençal ou ancienne langue d'oc* (Paris, 1921).

* *AORLL*: *Anuari de l'Oficina Romànica de Lingüística i Literatura* (Barcelona, 1928-1934), 7 vols.

A. P. O.: Archives des Pyrénées-Orientales, Perpignan.

* BADIA: A. Badia Margarit, *Gramática histórica catalana* (Barcelona, 1951).

BADIA, *Complementos*: id., *Los complementos pronominalo-adverbiales derivados de 'ibi' e 'inde' en la Península Ibérica* (Madrid, RFE, Anejo XXXVIII, 1947).

BADIA, *Demostrativos*: id., 'Los demostrativos y los verbos de movimiento en iberorrománico', *Estudios dedicados a Menéndez Pidal*, III (Madrid, C.S.I.C., 1952), 3-31.

BADIA, *Fisiognómica*: id., *Fisiognómica comparada de las lenguas catalana y castellana* (Barcelona, 1955).

BADIA, *Subjuntivo*: id., 'El subjuntivo de subordinación en las lenguas romances y especialmente en iberorrománico', *RFE*, XXXVII (1953), 95-129.

† BALARI: J. Balari y Jovany, *Orígenes históricos de Cataluña* (Barcelona, 1899).

* BALDINGER: K. Baldinger, *La formación de los dominios lingüísticos en la Península Ibérica* (Madrid, 1963).

* † BASTARDAS: J. Bastardas Parera, *Particularidades sintácticas del latín medieval (cartularios españoles de los siglos* VIII *al* XI*)*, Barcelona-Madrid, 1953.

B. C.: Biblioteca Central de la Diputación (Biblioteca de Catalunya), Barcelona.

† *BDC*: *Butlletí de Dialectologia Catalana* (Barcelona, 1913-1936), 24 vols.

BDE: *Boletín de Dialectología Española* (Abadía de Sant Cugat del Vallés, 1941-).

BH: *Bulletin Hispanique* (Bordeaux, 1899-).

B. M.: British Museum Library, London.

B. N.: Biblioteca Nacional, Madrid.

B. N. Paris: Bibliothèque Nationale, Paris.

BOURCIEZ: E. Bourciez, *Éléments de linguistique romane*, 4ème ed. (Paris, 1946).

B. P. T.: Biblioteca Pública de Tarragona.

BRABLB: *Boletín de la Real Academia de Buenas Letras de Barcelona* (Barcelona, 1901-).

† BRUNEL: Clovis Brunel, *Les plus anciennes chartes en langue provençale: recueil des pièces originales antérieures au* XIIIe *siècle publiées avec une étude morphologique* (Paris, 1926); id., *Suplément* (Paris, 1952).

B. U. B.: Biblioteca Universitaria, Barcelona.

B. U. V.: Biblioteca Universitaria, Valencia.

COLON: G. Colon, 'Le parfait périphrastique catalan "va + infinitif",' *Boletim de Filologia*, XVIII (1959), 165-76.

COROMINES, *Lleis*: J. Coromines, 'Algunes lleis fonètiques catalanes no observades fins ara', *ER*, III (1951-1952), 201-30.

COROMINES, *Llengua catalana*: id., *El que s'ha de saber de la llengua catalana* (Palma de Mallorca, 1954).

COROMINES, *Studia*: id., 'De gramàtica històrica catalana: a propòsit de dos llibres', *Studia philologica et litteraria in honorem L. Spitzer* (Bern, 1958), 123-48.

COROMINES, *Toponymie*: id., 'La toponymie hispanique préromane et la survivance du basque jusqu'au bas moyen âge. Phénomènes de bilinguisme dans les Pyrénées Centrales', *Studia Onomastica Monacensia*, II (1960), 105-46, with 2 maps.

† COROMINES, *Vidas*: id., *Las Vidas de Santos rosellonesas del manuscrito 44 de París* (Mendoza: Universidad Nacional de Cuyo, 1945). Earlier published in *Anales del Instituto de Lingüística*, III (ibid., 1943).

CRESCINI: V. Crescini, *Manualetto provenzale*, 2.ª ed. (Verona-Padua, 1905), 126-211.

C. S. I. C.: Consejo Superior de Investigaciones Científicas.

† *DCVB*: A. ALCOVER, F. DE B. MOLL, *Diccionari català-valencià-balear*, 10 vols. (Palma de Mallorca, 1927-1962).

ELCOCK: W. D. Elcock, *The Romance Languages* (London, 1960).

† E. N. C.: Els Nostres Clàssics.

ER: Estudis Romànics (Barcelona, 1916-1917).

ESCORIAL: Biblioteca del Real Monasterio de San Lorenzo de El Escorial.

EUC: Estudis Universitaris Catalans (Barcelona, 1907-1936), 22 vols.

FABRA: Pompeu Fabra, *Gramática de la lengua catalana* (Barcelona, 1912).

FONT RIUS: J. M. Font Rius, *Instituciones medievales españolas. La organización política, económica y social de los reinos cristianos de la Reconquista* (Madrid, 1949).

FOUCHÉ, *Morphologie*: P. Fouché, *Morphologie historique du roussillonnais* (Toulouse-Paris, 1924).

FOUCHÉ, *Phonétique*: id., *Phonétique historique du roussillonnais* (Toulouse-Paris, 1924).

GALMÉS: A. Galmés de Fuentes, 'El mozárabe levantino en los libros de los repartimientos de Mallorca y Valencia', *NRFH*, IV (1950), 314-46.

† *GMLC*: M. BASSOLS DE CLIMENT, et al., *Glossarium Mediae Latinitatis Cataloniae: voces latinas y romances documentadas en fuentes catalanas del año 800 al 1100* (Barcelona, 1960-).

GRANDGENT: C. H. Grandgent, *An Outline of the Phonology and Morphology of Old Provençal* (Boston, 1905).

GRANDGENT, *Vulgar Latin*: id., *An Introduction to Vulgar Latin* (Boston, 1907). Also translated and revised by F. de B. Moll, *Introducción al latín vulgar* (Madrid, 1928).

GRIERA: A. Griera, *Gramàtica històrica del català antic* (Barcelona, 1931).

GRIERA, *Dialectología*: id., *Dialectología catalana* (Barcelona, 1949).

GRIFFIN: David A. Griffin, *Los mozarabismos del 'Vocabulista' atribuido a Ramón Martí* (Madrid, 1961).

HR: *Hispanic Review* (Philadelphia, 1933-).

KUEN: H. Kuen, 'El dialecto de Alguer y su posición en la historia de la lengua catalana', *AORLL*, V (1932) 121-77, and VII (1934), 41-112.

LAPESA: R. Lapesa, *Historia de la lengua española*, 3.ª ed. (Madrid, 1955).

LFM: *Liber Feudorum Maior*, A. C. A. See Miquel, below.

MILÁ: M. Milá y Fontanals, 'Notas de primitiva lengua catalana', *Revista Histórica*, III (Barcelona, 1876), 289-95.

MIQUEL: F. Miquel Rosell, ed. *Liber Feudorum Maior: cartulario real que se conserva en el Archivo de la Corona de Aragón*, 2 vols. (Barcelona, 1945).

MIRET: J. Miret i Sans, 'Aplech de documents dels segles XIe y XIIe per a l'estudi de la llengua catalana', *BRABLB*, VI (1912), 348-57, 381-95 and
id., 'Pro sermone plebeico', *BRABLB*, VII (1913), 30-41, 101-15, 163-85, 229-51, 275-80.

MIRET*Docs*: id., *Antics documents de llengua catalana, i re-impressió de les Homilies d'Organyà* (Barcelona, 1915).

MIRET*PS*: id., 'Patrius Sermo. Documents en català vulgar del temps del rei En Jaume I', *Primer Congrés Internacional de la Llengua Catalana* (Barcelona, 1908), 522-9.

MIRET*RBC*: id., 'El més antig text literari escrit en català, precedit per una colecció de documents dels segles XIe, XIIe i XIIIe', *RBC*, IV (1904), 5-47, 215-20.

MIRET*RH*: id., 'Documents en langue catalane (haute vallée du Segre, XIe-XIIe siècles)', *RH*, XIX (1908), 6-19.

MOLL: F. de B. Moll, *Gramática histórica catalana* (Madrid, 1952).

MOLL, *Mallorca*: id., 'Estática y dinámica del catalán en Mallorca', *Papeles de Son Armadans*, L (1960), 161-75.

MOLL, *Parlars*: id., 'Els parlars baleàrics, *BDE*, XXXIII (1954-1955), 127-36.

MONTOLIU: M. de Montoliu, *La llengua catalana i els trobadors* (Barcelona, 1957).

MONTSERRAT: Biblioteca de la Abadía de Montserrat.

Nomencl.: *Diccionari nomenclàtor de pobles i poblats de Catalunya*, 2.ª ed. (Barcelona, 1964). Good maps.

* *NRFH*: *Nueva Revista de Filología Hispánica* (Colegio de México, 1947-).

PAR: A. Par, *Sintaxi catalana segons los escrits en prosa de Bernat Metge (1398)*, Halle, 1923.

PAR, *Curial*: id., '"Curial e Güelfa", notes lingüístiques i d'estil', *AORLL*, I (1928), 119-50.

PAR, *Qui y que*: id., '"Qui" y "que" en la península ibérica', *RFE*, XVI (1929), 1-34, 113-47.

PIDAL, *Atlas*: Gonzalo Menéndez Pidal, *Atlas histórico español* (Barcelona, 1941).

PIDAL, *Orígenes:* Ramón Menéndez Pidal, *Orígenes del español. Estado lingüístico de la península ibérica hasta el siglo* XI, 3.ª ed. (Madrid, 1950).

PUJOL: P. Pujol, *Documents en vulgar dels segles* XI, XII & XIII *procedents del bisbat de la Seu d'Urgell* (Barcelona: Biblioteca Filològica de l'Institut de la Llengua Catalana, I, 1913).

RBC: *Revista de Bibliografía Catalana* (Barcelona, 1901-1907), 7 vols.

RFE: *Revista de Filología Española* (Madrid, 1914-).

RH: *Revue Hispanique* (Paris, 1894-1933), 81 vols.

RIUS: J. Rius Serra, ed. *Cartulario de "Sant Cugat" del Vallés*, 3 vols. (Barcelona, C.S.I.C., Sección de Estudios Medievales de Barcelona, 1945-1947).

RLR: *Revue des Langues Romanes* (Montpellier, 1870-).

† RODÓN: Eulalia Rodón Binué, *El lenguaje técnico del feudalismo en el siglo* XI *en Cataluña (contribución al estudio del latín medieval)*, Barcelona, 1957.

RONJAT: J. Ronjat. *Grammaire istorique des parlers provençaux modernes*, 4 vols. (Montpellier, 1930-1941).

SANCHIS, *Factores*: M. Sanchis Guarner, 'Factores históricos de los dialectos catalanes', *Estudios dedicados a Menéndez Pidal*, VI (Madrid, 1956), 151-86.

SANCHIS, *Parlars*: id., *Els parlars romànics de València i Mallorca anteriors a la Reconquista* (Valencia, 1961).

SANCHIS, *Valencia*: id., *Introducción a la historia lingüística de Valencia* (Valencia, 1949).

SOBREQUÉS: S. Sobrequés i Vidal, *Els barons de Catalunya* (Barcelona, 1957).

SOLDEVILA: F. Soldevila, *Història de Catalunya*, 3 vols. (Barcelona, 1934-1935), vol. I.

SOLDEVILA, *España*: id., *Historia de España*, I (Barcelona, 1952).

UDINA: F. Udina Martorell, *El Archivo Condal de Barcelona en los siglos* IX-X: *estudio crítico de sus fondos* (Barcelona, C.S.I.C., Escuela de Estudios Medievales, Textos: XVIII, 1951).

† VENY: J. Veny Clar, 'Paralelismos léxicos en los dialectos catalanes', *RFE*, XLII (1958-1959), 1-59, and XLIII (1960), 1-86.

VICENS: J. Vicens Vives, *Atlas de historia de España* (Barcelona, n.d.).

VIDAL: P. Vidal, 'Documents sur la langue catalane des anciens comtés de Roussillon et de Cerdagne', *RLR*, XXIX (1886), 53-76; XXX (1886), 257-75; XXXI (1887), 59-78; XXXII (1888), 146-67, 410-30, 542-9.

ZAMORA: A. Zamora Vicente, *Dialectología española* (Madrid, 1960).

II

Works consulted in the elaboration of the Glossary, other than those preceded by † in Section I.

AGUILÓ I FUSTER, Marian, *Diccionari Aguiló*. *Materials lexicogràfics aplegats per* —, *revisats i publicats sota la cura de Pompeu Fabra i Manuel de Montoliu*, 8 vols. (Barcelona, 1915-1934).

ALCOVER, A. M., and F. DE B. MOLL— see Section I, *DCVB*.

BALARI Y JOVANY, J., *Diccionario Balari. Inventario lexicográfico de la lengua catalana, compilado por J. Balari, y publicado por M. de Montoliu* (Barcelona, n.d.).

COROMINAS, J., *Diccionario crítico etimológico de la lengua castellana*, 4 vols. (Madrid, 1954-1957).

Diccionari enciclopèdic de la llengua catalana, amb la correspondència castellana, 4 vols. (Barcelona: Salvat, 1932-1935).

DU CANGE, *Glossarium Mediæ et Infimæ Latinitatis*, 7 vols. (Paris, 1840-1850).

FERRAZ Y CASTÁN, V., *Vocabulario del dialecto que se habla en la Alta Ribagorza* (Madrid, 1934).

GODEFROY, F., *Dictionnaire de l'ancienne langue française et de tous ses dialectes du IXᵉ au XVᵉ siècle*, 10 vols. (Paris, 1881-1902).

GRIERA, A., *Tresor de la llengua, de les tradicions i de la cultura popular de Catalunya*, 14 vols. (Barcelona, 1935-1947).

LEVY, E., *Provenzalisches Supplement-Wörterbuch*, 8 vols. (Leipzig, 1894-1924).

LEWIS, C. T., and C. SHORT, *A Latin Dictionary* (Oxford, 1917).

MENÉNDEZ PIDAL, R., *Cantar de Mío Cid: texto, gramática y vocabulario*, 3 vols. (Madrid, 1944).

MEYER-LÜBKE, W., *Romanisches Etymologisches Wörterbuch*, 3rd. ed. (Heidelberg, 1935).

MOLL, F. DE B., 'Suplement català al Diccionari Romànic Etimològic', *AORLL*, I (1928), 179-240; IV (1931), 105-170.

OELSCHLAEGER, V. R. B., *A Medieval Spanish Word-list: a preliminary dated vocabulary of first appearances up to Berceo* (Madison: University of Wisconsin, 1940).

RAYNOUARD, M., *Lexique Roman, ou dictionnaire de la langue des troubadours comparée avec les autres langues de l'Europe latine*, 6 vols. (Paris, 1838-1844).

SOUTER, A., *A Glossary of Later Latin to 600 A.D.* (Oxford, 1949).

TOBLERS, A., and E. LOMMATZSCH, *Altfranzösisches Wörterbuch* (Wiesbaden, 1955-).

VON WARTBURG, W., *Französisches Etymologisches Wörterbuch*, 16 vols. (Tübingen, 1948-1959).

ABBREVIATIONS

abl.: ablative
acc.: accusative
adj.: adjective, adjectival
adv.: adverb, adverbial
Ar.: Arabic
art.: article
Bal.: Balearic
c.: *circa*
C.L.: Classical Latin
Cart.: Cartulario
Cast.: Castilian
cond.: conditional
conj.: conjunction
d.: document
demons.: demonstrative adjective or pronoun
dat.: dative
dim.: diminutive
dir.: direct
doc., docs.: document(s)
ECat.: East Catalan
ed.: edited by, edition
ed.: introduces the reading of an earlier editor
Eng.: English
f.: feminine, folio
facsim.: facsimile reproduction
fasc.: fascicle
ff., fols.: folios
fut.: future
gen.: genitive
ger.: gerund
imp.: imperfect
imperat.: imperative
inf.: infinitive
interj.: interjection
intrans.: intransitive
Introd.: Introduction
L., Lat.: Latin
m.: masculine

M.L.: Medieval Latin
masc.: masculine
MCat.: Modern Catalan
MFr.: Modern French
mod.: modern
ms.: introduces a reading of a manuscript
MSp.: Modern Spanish
n.: note
neut.: neuter
nom.: nominative
obj.: object
OCat.: Old Catalan
OFr.: Old French
OProv.: Old Provençal
OSp.: Old Spanish
p. p.: past participle
part.: participle
pej.: pejorative
perf.: perfect
pl.: plural
pluperf.: pluperfect
pr.: present
prep.: preposition, prepositional
pret.: preterite
pron.: pronoun, pronominal
Prov.: Provençal
refl.: reflexive
s.: singular
s.v.: *sub voce,* see under
(sic): follows a reading of a manuscript or of a previous editor
sing.: singular
subj.: subjunctive, subject
subst.: substantive, substantival, substantivised
trans.: transitive
V.L.: Vulgar Latin
WCat.: West Catalan

TOPONYMS

The following is a list of all the place-names occurring in the Texts. Forms taken from these are printed in bold-face, modern Catalan forms are italicised and followed by their comarca in brackets. A question-mark preceding an entry indicates a doubt as to the form's toponymic value, one following a modern Catalan form indicates uncertainty as to the correctness of the attribution.

The spelling of the modern forms is taken from Coromines, *Llengua catalana,* from the *Nomencl.,* or from the *DCVB,* in that order of preference.

The numbers are those of the texts in which the toponyms occur.

Adalasindo, s.v. **Castello Adalasindo.**
Addragigno, Adragen, 1. — *Adraén* (Alt Urgell).
Ager, 21, 22. — *Àger* (Noguera).
Agost, 46. — *Agost* (Horta d'Alacant).
Alacant, 46. — *Alacant* (Horta d'Alacant).
Albufera de Valencia, 67. — *L'Albufera* (Horta de València — La Ribera).
Alcala, 46. — *Alcalà de Xivert* (Baix Maestrat)?
Algoira, 21. — *Alguaire* (Segrià).
Alta Riba, 10:2; **Altariba,** 15:2. — *Alta-riba* (Segarra).
Amalcher, ipso, 13. — in the Conca de Barberà area.
Ampuries, 42, 47; **Empuries,** 42. — *Empúries,* the medieval county.
Anaveg, portas de, 13. — in the Conca de Barberà area.
Angera, termine (de), torrent (de), plana de, 13. — *R. Anguera* (Conca de Barberà).
Anglaterra, 40. — England.
?Annel, 28:2. — *Puig de l'Anell* (Conca de Tremp)?
Apiera, 13, 19. — *Pira* (Conca de Barberà).
Arago, 22, 50, 64; **Aragon,** 46; regi **Aragonum,** 44:2; **Arego,** 56. — *Aragó,* the medieval kingdom.
Araos, 33:2. — *Araós* (Pallars Sobirà).
Arbocz, comelar de, 13. — in the Conca de Barberà area.
Arbuli, 9. — *Arboló* (Pallars Sobirà)?
Arcz, Artz, 29. — *Ars* (Alt Urgell).
Arego, s.v. **Arago.**
Ares, 14, 26. — *Ares* (Alt Urgell).
Argilers, 1. — apparently in the Solsonès-Berguedà area.
Argillers, Argylers, Argyllers, 49. — *Argelers* (Vallespir).
Aringo, 6. — *Areny* (Alta Ribagorça).
?Armenter, 38. —

Arraona, castro, 15 : 3. — *Sabadell* (Vallès Occidental).
Artz, s. v. **Arcz.**
Asnet, Asneto, 1. — *Aineto* (Pallars Sobirà), or *Ainet de Besan* (id.)?
Asnurr, Hasnur, 1. — *Asnurri* (Alt Urgell).
Aspira, Espiran, 45. — *Espirà de l'Aglí* (Rosselló).
Astafrancs, 18 : 2. — *Hostafrancs* (Segarra).
Aviatz, 49. — in the Rosselló area?
Avida, Aviza, Avizano, 1. — *Vià* (Cerdanya Francesa).
Babilonia, 39. — Babylon, ancient city north of Hillah, Iraq.
Banat, 29. — *Vilanova del Banat* (Alt Urgell).
Banieras, Banieres, Banneres, 1. — *Banyeres* (Alt Urgell).
Bar, 67. — formerly county, and later dukedom, of N. France.
Barbera, fontes de, 13 ; **Barbera,** 19. — *Barberà de la Conca* (Conca de Barberà).
Barcelona, 22, 42, 47; **Barchenona,** 5 ; **Barchinona,** 15 : 1; **Bercelona,** 60 : 1. — *Barcelona* (Barcelonès).
Bardol, 50. — *Bardol* (Conflent).
Belevezer, Belver, 18 : 1. — *Bellver de Cerdanya* (Cerdanya Espanyola).
Belquayre, 49. — *Bellcaire d'Empordà* (Baix Empordà).
Belver, s.v. **Belevezer.**
Bercelona, s.v. **Barcelona.**
Berga, 27. — *Berga* (Berguedà).
Bernui, 30. — *Bernui* (Pallars Sobirà).
Besers, 46. — Béziers, France.
Besuldo, Besullo, 42; **Bisildum,** 15 : 4. — *Besalú* (Garrotxa), formerly the capital of the medieval county.
Betania, 43. — Bethany, Jordan.
Betet, vilar de, 38. — *Batet* (Ripollès).
Binganio, 2. —
Bisildum, s.v. **Besuldo.**
Bochadaure, 51. — Dardanelles, Turkey, near Abydos.
Boxtera, casa de, 14. — *Boixedera* is a common toponym, with which our form may be related.
Bruydes, 40. — Bruges, Belgium.
Burget, 27. — *Burguet* (Pallars Jussà).
Buse, Sen Cristoval de, 18 : 1. — *Busa* (Solsonès).
Caboded, 14; **Cabou,** 28 : 2; **Cabouez, Kapudeizo, Caputeiz,** 1 ; **Caputense,** 14. — *Cabó* (Alt Urgell).
Cabrera, 22. — a range separating the Garrotxa and the Plana de Vic.
Calatayu, 67. — Calatayud (Zaragoza), Spain.
Kaldegas, Calleges, 1. — *Càldegues* (Cerdanya Francesa).
Cales, 48. —
Calpiciniano, Kalpiciniano, 1. — *Calbinyà* (Alt Urgell).
Canauda, Kanavita. 1. — *Canalda* (Solsonès).
Caned, molins de, 18 : 1. — in the Alt Urgell-Solsonès area.   See below.
Canet, 24. — a common place-name, see *DCVB, Nomencl.*
Canigo, 74. — *Mt. Canigó* (Conflent-Vallespir).
Canilau, Canillau, Kanillave, 1. — *Canillo* (Andorra).
Kapudeizo, Caputeiz, Caputense, s.v. **Caboded.**
Çaragossa, 60 : 2. — Zaragoza, Spain.
Caraxet, 67 — *Caraixet* (Horta de València) — formerly a cemetery for the burial of criminals and paupers.
Carcobite, Karchobite, Charcoude, 1. — *Castellnou de Carcolze* (Alt Urgell).
Casamuniz, Kasamuniz, 1. — *Carmeniu* (Alt Urgell).

Cases Rubert, 29. —
Castalo, 72:1. — *Castelló d'Empúries* (Alt Empordà).
Kastel, 14. — *El Castell* (Alt Urgell), or *id.* (Pallars Jussà)?
Castelbo, 29. — *Castellbò* (Alt Urgell).
Castella, 64. — Castile, Spain.
Castello, 22. — *Castelló de Farfanya* (Noguera).
Castello Adalasindo, Castro Adalasindo, Kastro Adalasindo, 1. — *Castell de l'Areny* (Berguedà).
Castellon, 10:6. — a common place-name, see *DCVB, Nomencl.,* s.v. Castelló.
Chastel Sancti, 9. — *Castissent* (Conca de Tremp).
Kastel Tallad, 10:4. — *Castelltallat* (Bages)? See below.
Chasteltalad, 15:1. — probably the same as above, which is the localisation given by the index to Miquel. There appears, however, to have been another place of the same name in the Conca de Tremp.
Castelvillo, 10:3. — a common place-name, see *DCVB, Nomencl.,* s.v. Castellvell, Castellví, Castellviny. Possibly here *Castellvell de Bellera* (Pallars Jussà).
Castilgon, 10:5. — in the area of Pallars; for the possibilities see *DCVB, Nomencl.,* s. v. Castelló. Possibly here *Castelló de Tor* or *Castelló d'Encús* (Pallars Jussà, Conca de Tremp).
Castro Adalasindo, s.v. **Castello Adalasindo.**
Castro Veteri, 24. — *Castellví de la Marca* (Alt Penedès)?
Catalunya, 76.
Cathania, 60:2. — Catania, Sicily.
Cayler, 49. — Cagliari, Sardinia.
Cayre, el, 48. — Cairo, Egypt.
Cegera, ipsa, 13. — in the Conca de Barberà area. There is a toponym *Seguer* in this comarca.
Centiga, 26. —
Cerdaina, 29. — *Cerdanya,* the comarca.
Cheros Albos, Keros Albos, Chers Albs, 1; **Queralbs, Querals,** 38. — *Queralbs* (Ripollès).
Cevicz, Civici, Civiz, 1. — *Civís* (Alt Urgell).
Ciges, 46. — *Sitges* (Garraf)? There were famous silos also near *Burjassot* (Horta de València).
Cion, Scio, 8. — *R. Sió* (Segarra).
Cistel, 54. — Cîteaux, France.
Civici, s. v. **Cevicz.**
Civitas Fracta, 11. — *Mataró* (Maresme). Cf. **Valedex.**
Civiz, s.v. **Cevicz.**
Codnavarç, Cutenabarcii, Cutenavarczii, 1. — *Conorbau* (Alt Urgell).
Col Bex, Collo Bex, ipso, 13. — in the Conca de Barberà area.
Coma, 38. — a common place-name, see *DCVB, Nomencl.*
Coma de Batipalmes, la, 26. — in the Alt Urgell area.
Coma dels Tors, la, 45. — in the Rosselló area.
Coma de Xebraderes, la, 26. — in the Alt Urgell area.
Confulent, Confulente, 1. — in the Alt Urgell area, to judge by neighbouring toponyms in the text.
Contestinobla, 51. — Constantinople, mod. Istanbul, Turkey.
Copliure, Quapliure, 49. — *Cotlliure* (Vallespir).
Corit, La, and **Za Corit,** 18:1. — *La Corriu* (Solsonès).
Corre, Illa, and **Ipsa Quarro,** 1. — *La Quar* (Berguedà).
Cuncabela, Cuncabella, Cunquavela, 18:2. — *Concabella* (Segarra).
Curtizda, 1. — *Cortiuda* (Alt Urgell).

Cutenabarcii, Cutenavarczii, s. v. **Codnavarç.**
Danubii, flum, 41. — R. Danube.
Domas, 60:1. — Damascus, Syria.
Elingna, Elinna, Helinniano, 1. — *Alinyà* (Alt Urgell).
Empurda, 76. — *Empordà,* the comarca.
Empuries, s.v. **Ampuries.**
Entenssa, 46. — *Entença* (Baixa Ribagorça).
Escabran, 36. — in the Vall d'Aran area?
Escales, 18:1. — *Sant Pere de Grau d'Escales* (Solsonès).
Escales, 31. — as above? Possibly *Les Escaldes* (Andorra)?
Espiran, s.v. **Aspira.**
Espulga, Spelunca, Spelunka, 1. — in the Alt Urgell area, to judge by
     neighbouring toponyms in the text.
Esterre, 29. — *Esterri d'Àneu* (Pallars Sobirà).
Far, plana del, 45 — in the Rosselló area.
Ferrera, 1. — *Farrera de Pallars* (Pallars Sobirà).
Figols, 31. — *Fígols d'Organyà* (Alt Organyà).
Flodrig, 13. — in the Conca de Barberà area.
Foix, 29. — Foix, France.
Fonç, 27. — Fonz (Huesca), Spain.
Fontanes, 21. —
Fostena, 1; **Fusteya,** 38; **Fustiniano,** 1; **Fustiya,** 38. — *Fustanyà* (Ri-
     pollès).
França, 64. — France.
Franculi, aqua de, Spulga de, 13. — *R. Francolí* (Conca de Barberà).
Furnos, ipsos, 3. — in the Ripoll area. Possibly *Fornells de la Mun-
     tanya* (Ripollès).
Fusteya, Fustiniano, Fustiya, s.v. **Fostena.**
Galiner, 10:6. — *Galliner* (Conca de Tremp).
Gallipoll, 51. — Gallipoli, Turkey.
Gavarred, Gavarreto, 1. — *Gavarrós* (Berguedà).
Gayeta, 39. — Gaeta, Italy.
Gerona, 42, 60:1; **Girona,** 21, 72:1. — *Girona* (Gironès).
Gosal, 15:10. — *Gósol* (Berguedà).
Guambalech, 53. — Cambalu, mod. Peking, China.
Guardia, Ça Guardia, La Guardia, 19. — a common toponym, see
     DCVB, Nomencl. Probably here *La Guàrdia dels Prats* (Conca de
     Barberà).
Guardiola, ipsa, 5. — *Guardiola de Font-rubí* (Alt Penedès)?
Ipre, 40. — Ypres, Belgium.
Isavals, 1. — *Iravals* (Cerdanya Francesa).
Jherusalem, 20, 48. — Jerusalem, Israel-Jordan.
Josa, 15:10, 15:11, 29. — *Josa de Cadí* (Alt Urgell).
Lanssa, 49. — *Llançà* (Alt Empordà).
Lapides Bellos, Lapidibellus, 1. — *La Baells* (Berguedà).
Lauredia, Loria, 1. — *Sant Julià de Lòria* (Andorra).
Lerat, 21. —
Lerida, 21. — *Lleida* (Segrià).
Linzirt, 1. — *Llirt* (Alt Urgell).
Lípar, 68. — Lipari, island north of Sicily.
Lobeira, 21. — a common personal and place-name, see *DCVB, No-
     mencl.,* s.v. Llobera.
Lops, s.v. **Pug.**
Lorda, 29. — *Llordà* (Conca de Tremp).
Lorenz, 22. — *Llorenç de Montgai* (Noguera).

Loria, s.v. **Lauredia.**
Lotone, Lothone, Lotto, 1. — *Lletó* (Alt Urgell).
Luzenag, 29. — Luzenac, France.
Maceresa, la, 48. —
Madito, Lo, 51. — ancient Madytus, on the Gallipoli Peninsula, Turkey.
Malangez, Malannez, 1. — *Malanyeu* (Berguedà).
Mallorques, 64; **Malorca,** 50; **Mayhorqua,** 49; **Mellorca, Mellorcha,** 60:1. — *Mallorca.*
?**Margenedes,** 18:1. —
Maritima, 11. — *Maresme,* the comarca.
Marssilie, 44:2. — Marseilles, France.
Massina, 60:2. — Messina, Sicily.
Mayhorqua, Mellorca, Mellorcha, s.v. **Mallorques.**
Mesapol, Mesapolo, Mirapol, 1. — *Moripol* (Berguedà).
Mila, 67. — Milan, Italy.
?**Miramon,** 28:2. —
Mirapol, s.v. **Mesapol.**
Miravet, 21. — possibly *Miravet* (Conca de Tremp).
Molinello, Mulnel, 1. — *Bulner* or *Bonner* (Berguedà).
Monbrú, 68. —
Monçor, 27. — *Montsor* (Conca de Tremp).
Monson, 49. — Monzón (Huesca), Spain.
Mont, 36. — *Mont* (Vall d'Aran).
Montaniana, 10:6. — *Montanyana* (Baixa Ribagorça).
Mont Cortes, 10:5. — *Montcortès de Pallars* (Pallars Sobirà).
Mont Corval, Monte Corval, 36. — *Montcorbau* (Vall d'Aran).
Montella, 29. — *Montellà de Cadí* (Cerdanya Espanyola).
Montpeller, 45; **Montpesler,** 34. — Montpellier, France.
Mont Ros, 10:1. — *Mont-ros* (Pallars Jussà).
Morlas, 36. — Morlaas, France.
Morr, and *rocha del Morr,* 45. — in the Rosselló area.
Muga, se, 55. — *R. Muga* (Alt Empordà).
Mug Polt, Mujopulto, 1. — *Montpolt* (Solsonès).
Mulnel, s. v. **Molinello.**
Munblanc, 48. — *Montblanc* (Conca de Barberà).
Muntad, la; la **Muntada,** 18:1. — *La Muntada* (Solsonès).
Muntcada, 47. — *Montcada* (Vallès Occidental).
Munticalvari, 48. — Mount Calvary.
Nabiners, 29. — *Nabiners* (Alt Urgell).
Napols, 39, 67. — Naples, Italy.
Narbone, 72:1. — Narbonne, France.
?**Naya,** 47. —
Nerellan, Neriliano, Neriniano, 1. —
Nugera, 27. — *R. Noguera.*
Odera, Oderam, 1. — *Vall d'Ora* (Solsonès).
Ofegat, 18:2. — *Ofegat* (Baix Urgell).
Olerdula, chastrum, 5. — *Olèrdola* (Alt Penedès).
Olers, 13. — *Ollers* (Conca de Barberà).
Olivela, castelar de, 13. — *Solivella* (Conca de Barberà).
Opol, 45. — *Òpol* (Rosselló).
Orchat, 27. — *Orcau* (Conca de Tremp).
Ordinau, 29. — *Ordino* (Andorra).
Orgainna, 31; **Organna,** 28:1, 28:2. — *Organyà* (Alt Urgell).
Oriti, 6. — *Orrit* (Pallars Jussà).
Orsera, 15:10, 15:11. — *Ossera* (Alt Urgell).
Orso, 21. — *Ossó de Sió* (Baix Urgell)?

Ostalrich, 39. — *Hostalric* (Selva).
Ovarra, 4. — *Ovarra* (Alta Ribagorça).
Pahiporta, Payporta, 67. — *Paiporta* (Horta de València).
Palgars, 10:5. — *Pallars,* the comarca.
Palou, 47. — *Palou* (Vallès Oriental).
Pardines, 38. — *Pardines* (Ripollès).
Payporta, s.v. **Pahiporta.**
Pedrina, 13. — in the Conca de Barberà area.
Peralada, 42. — *Peralada* (Alt Empordà).
Peralava, 27. —
Peralta, 42. — for **Peralada.**
Peramola, 18:2. — *Peramola* (Alt Urgell).
Pereylos, 45. — *Perillós* (Rosselló).
Perpaya, 72:1, 74; **Perpenya,** 49; **Perpeya,** 50. — *Perpinyà* (Rosselló).
?Pesquels, 18:1. —
Petruso, Rio, 4. —
Piera, 67. — *Piera* (Anoia)?
Pisa, 39. — Pisa, Italy.
Pojo, ipso, 3. — very common, see *DCVB, Nomencl.,* s.v. Puig.
Ponça, 68. — Ponza, island off the gulf of Gaeta, Italy.
Porrassa, La, 47. — *La Porrassa* (Mallorca).
Portela, La, 23; **Saportela,** 24; **Zaportela,** 23. — *La Portella* (Berguedà).
This attribution may not be valid for § 24.
Prades, 21. — a common toponym, see *DCVB, Nomencl.*
Prinsipat, lo, 72:1. — the Principate of Catalonia.
Prohença, la, 67. — Provence.
Pruïns, 34; **Pruis,** 40. — Provins, France.
Pug, del, 14. — *El Puig* (Noguera), or *Espui* (Pallars Jussà)? See however *DCVB, Nomencl.,* for this common toponym.
Pug dels Lops, lo, 67. — in the Valencia area.
Pug Lebros, 45. — now a part of Perpignan, formerly the area of the leper colony.
Pugverd, 19. — *Puigverd d'Agramunt* (Baix Urgell)? Other toponyms of the type in the Conca de Tremp and Segrià.
Pui Falchoner, dez, 27. — *Puig Falconer* seems no longer to exist.
Pujal d'Organna, 28:1. — *El Pujal* (Alt Urgell).
Pujo Regis, 1. — *Puig-reig* (Berguedà).
Quapliure, s.v. **Copliure.**
Quarro, Ipsa, s.v. **Corre.**
Queralbs, Querals, s.v. **Cheros Albos.**
Quinsay, 53. — Hangchow, China.
Ragadell, 60:2. — *Rajadell* (Bages).
Reat, 52. — Rieti, Italy.
Rebis, for **Ribes,** 38.
Rial, 38. — *Rialb* (Ripollès).
Ribeles, 8. — *Ribelles* (Noguera).
Ribes, 38. — *Ribes* (Ripollès).
Ribes, 72:1. — probably as **Ribes Autes** below.
Ribes Autes, 45. — *Ribes Altes* (Rosselló).
Ridorta, la, 21. — *La Redorta* (Plana de Vic)?
Rio Petruso, s.v. **Petruso.**
Rio Pullense, valle, 3. — the valley in which *Ripoll* stands, i.e., the Ter valley.
Rio Rubio, s.v. **Rubio.**

Rivo Albo, 14. — *Rialb de Noguera* (Pallars Sobirà), or *Baronia de Rialb* (Noguera)?
Roma, 52. — Rome, Italy.
Roses, 49. — *Roses* (Alt Empordà).
Rubio, castro Rio, 15:3. — *Rubí* (Vallès Occidental).
Ruzafa, portal de, 67. — *Russafa* (Horta de València), formerly a village, now a part of the city of Valencia.
S. Romani, 15:10; **Sen Roma,** 15:11. —
Saixag, Sexag, 15:6. — Saissac, France.
Saladoora, la, 18:1. — in the Solsonès area.
Salass, conamina de, 10:5. — *Salàs* (Conca de Tremp).
Salices, Sallices, 1. — *Saldes* (Berguedà).
Salses, 15:8, 50, 72:1. — *Salses* (Rosselló).
Sancta Maria la Mar, 74. — *Santa Maria la Mar* (Rosselló).
Sant Vicent, 67. —
Saore, 30. — *Sorre* (Pallars Sobirà).
Saportela, s.v. **Portela.**
Scio, s.v. **Cion.**
Sed, la, 29; la **Set,** 18:1. — *La Seu d'Urgell* (Alt Urgell). See also **Urgel.**
Segre, riu de, 65. — *R. Segre.*
Selri de las Vilas, 30. —
Sen Cebria, 49. — *Sant Cebrià* (Rosselló).
Sen Climenz, 18:1. — *Sant Climenç* (Solsonès).
Sen Roma, s.v. **S. Romani.**
Senaoja, 21. — *Sanaüja* (Segarra).
Sent Tomer, 34. — St. Omer, France.
Sentafe, 18:1. —
Sero, 33:1. — *Seró* (Noguera).
Serralonga, 15:9. — *Serrallonga* (Vallespir).
Set, s.v. **Sed.**
Sexag, s.v. **Saixag.**
Sicília, 68. — Sicily.
Socra Mortua, Sogra Morta, 1. — *Sagramorta* (Cerdanya Espanyola), but not now extant.
Solans, 26. — *Solans* (Alt Urgell).
Soler, al, 74. — *El Soler* (Rosselló).
Solsona, 66. — *Solsona* (Solsonès).
Sozsteras, 30. — *Susterris* (Conca de Tremp).
Spelunca, Spelunka, s.v. **Espulga.**
Spulga de Franculi, ipsa, 13. — *L'Espluga de Francolí* (Conca de Barberà).
Stamariz, 1. — *Estamariu* (Alt Urgell).
Stradasa, 2. —
Suria, 25. — Syria.
Talarn, 28:1. — *Talarn* (Conca de Tremp).
Tarabaldi, castro, 2. —
Tartareu, 33:1. — *Tartareu* (Noguera).
Tautaull, 45. — *Talteüll* (Rosselló).
Taxonera, plana de la, 45. — in the Rosselló area.
Ted, al, 72:1; la **Tet,** 74. — *R. Tet.*
Tendas, ipsas, villa, 3. — *Sant Bernabé de les Tenes* (Ripollès).
Tentelagie, Illa Tintillagine, Illam Tintillaginem, 1. — *Tentellatge* (Solsonès).
Teragona, 23; **Terragona,** 40. — *Tarragona* (Tarragonès).
Terrassina, 39. — Terracina, Italy.

Tet, s.v. **Ted.**
Tintillagine, s.v. **Tentelagie.**
Toluges, Tuluges, 49. — *Toluges* (Rosselló).
Torala, 33:2. — *Toralla* (Conca de Tremp).
Torredet, del, dez, 26. —
Torruela, 26. — a not uncommon toponym, see *DCVB, Nomencl.,* s.v. Torrella, Torroella.
Tors, s.v. **Coma.**
Torta, ipsa, 5. — a common minor toponym.
Toschela, reger de, 13. — in the Conca de Barberà area.
Tremp, 27. — *Tremp* (Conca de Tremp).
?Tremps, 48. —
Trules, 50. — *Trullàs* (Rosselló)?
Tuluges, s.v. **Toluges.**
Tura, 45. — in the Rosselló area, no longer extant.
Txalon, 40; **Xaló,** 34; **Xalons,** 40. — Châlons-sur-Marne, France.
Urg, 46. — *Urtx* (Cerdanya Espanyola)?
Urgel, 18:2, 19, 29, 33:1, 33:2; **Urgell,** 64, 76. — *Urgell* (Alt Urgell), the medieval county.
Val d'Aureix, 24. — *Valldoreix* (Vallès Occidental).
Val Ferrera, 33:2. — *Vall Farrera* (Pallars Sobirà), a sub-comarca.
Valedex, 11. — *Valldeix* (Maresme), nr. Mataró.
Valencia, 25, 41, 64, 67, 72:2; **Valentia,** 76. — *València* (Horta de València).
Valespir, 49. — *Vallespir,* comarca.
Valle Facunda, 3. — *Vallfogona de Ripollès* (Ripollès).
Valle Molli, 24. — *Vallmoll* (Alt Camp).
Valle Rio Pullense, s. v. **Rio Pullense.**
Ventayola, 38. —
Vila, 36. — *Vila* (Vall d'Aran).
Vila Migana, Villa Mediana, 1. — *Villamitjana* (Alt Urgell).
Vilaffrancha, Vilafrancha, 74. — *Vilafranca de Conflent* (Conflent).
Vilafrancha, 46. — *Vilafranca del Penedès* (Alt Penedès)?
Vilalta, 18:1. — *Vilalta* (Solsonès).
Vilas, Selri de las, 30. —
Vilatiyos, vilar de, 38. — in the upper Ripollès area.
Vilena, 46. — Villena (Alicante), Spain.
Villa Mediana, s.v. **Vila Migana.**
Villa Osyl, 1. — *Vilosiu* (Berguedà), no longer extant.
Villa Recones, 4. —
Villa Vetere, Villavetere, 1. — *Vilella* (Berguedà).
Villas Sillvi, 4. —
Vingrau, 45. — *Vingrau* (Rosselló).
Vinsa, 74. — *Vinçà* (Conflent).
Viros, 33:2. — *Virós* (Pallars Sobirà).
Xaló, Xalons, s.v. **Txalon.**
Xativa, 76. — *Xàtiva* (Xàtiva).
Xebraderes, s.v. **Coma.**
Ylla, 74. — *Illa* (Conflent).
Zaportela, s.v. **Portela.**

Glossary

GLOSSARY

There figure in the Glossary the first occurrences of all those words which differ in form or in meaning from standard MCat. or, in the case of Latin texts, which cannot readily be found in a standard C.L. dictionary; we have, then, excluded all words to be found in Pompeu Fabra, *Diccionari general de la llengua catalana,* 3a. ed. (Barcelona, 1962), or in J. R. V. Marchant and Joseph F. Charles, *Cassell's Latin Dictionary,* 28th ed. (London, 1957).

The Glossary has been arranged in alphabetical order, with some slight modifications: *k* is treated as if it were *c*; no account is taken of initial double letters, which are treated as if single (hence, e.g., **ffaves** follows **fauces** and precedes **fayll**), nor of *h* in any position except in the nexus *ph-*. If a word is found both with and without an *h,* space is saved in the Glossary by entries of the type **(h)a, ac(h)apte, adonc(h)s;** the location of each of the two forms is however given, that of the longer form appearing first in all but the most complicated of glosses.

In long entries of the type **ab** or **ad,** meanings of the basic word are given first; these are followed by examples of phrases *beginning* with the basic word, in alphabetical order, and these in their turn are followed by phrases, again in alphabetical order, *within* which the basic word occurs. Consultation of the entries for **ab** and **ad** should make clear this principle.

In the case of verb-forms occurring frequently, an attempt has been made to group them under an infinitive, e. g. [ÉSSER], **exir,** [EXUGAR = EIXUGAR]; the three types of head-entry correspond to three different situations arising in the texts. In the case of **exir** the actual form occurs within the texts, and is eligible for glossing since it does not occur in Fabra; all other forms of the verb occur under this head. In the case of [EXUGAR = EIXUGAR] the initial form does not occur in the texts, but given the occurrence of **exugarán** and **exugats** it has appeared logical to provide a medieval form in *ex-* rather than a MCat. one in *eix-*; to draw the reader's attention to the fact that the form supplied is not MCat. the present-day equivalent is also provided. In the case of [ÉSSER] and a number of other very common verbs we have preferred to ignore any infinitive forms occurring in the texts for the purposes of a head-entry; verbs treated in this way are e.g. *anar, haver, conèixer, creure, dir, escriure, fer, poder, saber, venir, veure, voler.* Forms of those verbs occurring under entries of the type **exir** and [EXUGAR = EIXUGAR] are cross-referenced except when the infinitive occurs within one or two lines of where the form sought would normally occur in the Glossary; forms of verbs as common as *anar, haver,* etc., are found usually only under the infinitive, although where it has been felt that real difficulty might arise a cross-reference is supplied (e.g. **asutz,** s.v. [HAVER], or **saub,** etc., s.v. [SABER]). We have glossed forms of the synthetic preterite, since their use in the standard language is archaising.

The numbers following forms quoted refer to text and line numbers.

A

a (interj.), ah!, 35:39.

(h)a (prep.), to, 5:7; at, in, 5:37; according to, 10:26; with, 10:47; by, 10:76; on, 13:13; from, 13:22; (preceding dir. obj., 14:38); as, 21:27; *a sens*, without, 15:32; *com ha frare*, like a brother, 72:7.

ab, with, 10:24; from, on, 13:11; to, 24:8; in, 67:21; *ab aytant*, thereupon, 43:43; *ab fed*, loyally, 10:45; *ab integrum*, in its entirety, 3:23; *ab...que*, provided that, 26:20; *ab que*, id., 40:2; *ab tant*, thereupon, 47:13; *in ab antea*, henceforth, 2:25; *per ab*, by means of, 15:108.

abans, but rather, 50:24; *a. que*, as soon as, 58:35.

abatissa, abbess, 3:7.

abba, abbot, 4:3.

abdosos, both, 56:71.

abeant, etc., for L. *habebant, habeat*, etc., 19:11, 10:40, 2:19.

habebat, there was, 4:7.

abemus, for L. *habemus*, 13:5.

abenid (3 pret.), come to, 2:4.

abeo, etc., for L. *habeo*, etc., 5:11, 3:24, 7:6, 14:1, 15:69.

abitans, habitanzs, dwelling, 41:29 (s.), 36:2.

habitutz, articles, 62:51.

aboravetz (5 imp.), give to drink, 35:46.

abrassan, embracing, 41:23.

abrogatòria, abrogatory, 64:51.

ABSOLDRE], free, absolve: absoltz, 41:3; absolvu (1 pr.), 28:45.

abueris, for L. *habueris*, 9:8.

aac, and, 13:12.

acabadas, finished, 54:25.

ACAPTAR], acquire, receive in fee: ac(h)aptá (3 pret.), 19:6, 19:48; ac(h)aptarás (2 fut), 7:7, 12:10; acaptareds (5 fut.), 15:108.

ac(h)apte, acquisition of a benefice, 19:31; tax or tribute due to a lord, 27:38.

accest, this, 27:47.

acço, that, 30:13; *sobre a.*, thereupon, 28:17.

accresch (3 pret.), add, increase, 19:48.

acel, that, 27:7.

achel, achelas, achella, that, those, 9:10, 12:8, 9:10.

acendet (3 pr.), ascend, 13:19.

achest, achestes, this, these, 26:20, 19:36.

aci tantost, just there, 78:6.

aclipsi, ellipsis, 62:54.

aclo, that, 29:16; *on per a.*, wherefore, 41:28.

aço, that, 33:7; *aço no res*, that's nothing, 78:9; *en per uço*, therefore, 28:38; *per aço*, id., 19:45; *id.*, thus, 70:9; *per aço que*, in order that, 54:33.

acomonir, s. v. comonir.

acompeyar, accompany, render service, 56:79; hacompanyaren (6 pret.), 67:10.

aconsegria (3 cond.), attain, 65:55.

acorder: *fo fait a.*, it was agreed, 21:39.

acortz: *ey asutz a.*, I decided, 50:14.

acoselar, advise, 50:17.

acostadament, closely, soon, 58:48.

[ACOSTAR], bring up or near, approach: acostá (3 pret. refl.) 51:34; acostás (3 imp. subj.), 51:31; acosté (1 pret. refl.), 61:40.

acsi, thus, 10:64; *a. quomodo*, just as, 15:17.

acte, deed, 73:4.

actoritat, authority, 35:67.

hactum, drawn up, 26:24.

aculids, accepted, 14:28.

acullentz: *be a.*, hospitable, 53:3.

aculliment, welcome, 56:42.

[ACUSTUMAR = ACOSTUMAR], be customary, be wont: acustumada, 62:29; acustumadas, 62:25; acustumat, 62:34, 74:22; acustumen (6 pr.), 76:37.

acuytadament, speedily, 58:36.

aczo, that, 29:16.

ad, by, 2:16; at, 3:10; from, 5:30; to, 7:1; with, 10:6; sufficient for, 10:52; in, 10:62; on, 19:7; *ad argenteis,* in silver coins, 4:7; *ad aval,* downwards, 45:18; *ad avante,* henceforth, 7:2; *ad conderdimentum,* suitable for cultivation, 13:8; *ad enant,* onwards, 23:26; *id.,* henceforth, 28:44; *ad enla,* onwards, 8:2; *ad illorum ben,* for their benefit, 15:43; *ad homen,* as a vassal, 10:45; *d'aquel dia ad I an,* for one year from that day, 29:7; *tro ad,* as far as, 45:10.

adelita (3 pr. trans.), delight, 59:47.

ademplir, carry out, 16:3.

adera aderato: *in a. a. et defito precio,* at an agreed definite price, 2:10.

hades, now, 60:17.

adeveres, truthfully, 59:62.

adjutorio, adjutorium, aid, s e r v i c e, 10:72, 15:7, 15:39.

[ADOBAR], p r e p a r e, cure: **adobatz,** 40:10; **hedoben** (6 pr. refl.), 60:21.

adonc(h)s, then, t h e r e f o r e, 68:63, 39:9, 58:44.

[ADORAR], adore: **adorave** (3 imp.), 20:65; **aoren** (6 pr.), 35:31.

adordonacio, ordinance, 45:40.

[ADORDONAR = ORDENAR], ordain: **adordonada,** 45:31; **adordonaren** (6 pret.), 45:25; **adordonat,** 45:43; **adordonats,** 45:27.

adque, and, 2:11.

adquisieritis (5 fut. perf.), acquire, 15:69.

[ADUR = DUR], wear, bring: **aduyem** (4 imp.), 47:69; **aduyts,** 47:51.

advenerunt (6 pret.), come to, 13:9.

aeg-me greu, displeased me (?), 27:12.

aer, air, 41:38.

aexement, ease of movement, 70:12.

aferme (3 pr.), affirm, 44:71.

[AFERRAR], sieze, cling to: **aferrá** (3 pret.), 59:57; **afferra** (3 pr. refl.), 75:49.

afes, affairs, 72:20.

affaenat, busy, 37:16.

affer, business, agreement, 42:106.

afferra, s. v. [AFERRAR].

affigurada, given form, 35:99.

affligits, afflicted, 77:34.

affolament, physical harm, 22:4:

affronte, s. v. [AFRONTAR].

afigurada, given form, 35:58.

[AFOLLAR], h a r m, destroy; **afolada,** 18:4; **afolia** (3 imp.), 14:14 — probably here for *afolaria.*

afrontacionibus, limits, 11:11.

[AFRONTAR], bound, border, confront: **affronte** (3 pr.), 26:12; **afrontat** (id.), 3:12; **afronte** (id.), 26:6; **afrontí** (1 pret. refl.), 60:36.

ag, ?, 36:24.

[AGENOLLAR-SE], kneel: **aguinoylá** (3 pret.), 54:15; **aguinoylat,** 54:20; **ajonolá** (3 pret.), 39:51.

agisad, prepared, 27:23; *no·i avia a.,* it did not suit me, 27:23.

agremonteses, coins minted in Agramunt (Baix Urgell), 33:15.

[AGREUJAR], harm, cause grief: **agreuge** (3 pr.), 44:27; **agreuges** (2 pr.), 52:54; **agreuyatz,** 44:10.

agtan, as, 8:2.

agues, water-courses, 19:20.

aguinoylá, s.v. [AGENOLLAR-SE].

agutor, ally, 7:7.

ahi, yesterday (?), 18:8.

aicelo, that, 16:3.

aicels, those, 20:80.

aici, here, now, 20:81.

aiço, aiczo, that, 27:45, 26:12.

aiels, ainels, lambs, 18:77, 27:4.

aisi com, just as, 14:10; **aissi com,** 14:24.

aitall, a·tals, such, 70:2, 21:5 (s.).

aitant: *tot a. cant,* as much as, 18:29.

aitori, ally, 12:11; aid, 12:14.

aixata, adze, mattock, 3:21.

aizela, that, 20:89.

aizina, occasion, 36:14.

aizo, that, 20:41; *per a.,* therefore, 20:7; *per a. qar,* because, 20:54.

ajonolá, s.v. [AGENOLLAR-SE].

[AJUDAR], aid: **ajud** (3 pr. subj.), 15:22; **ajudarems** (4 fut.), 15:53; **ajudás** (1 imp. subj.), 46:25; **ajut** (3 pr. subj.), 41:30.

ajunt, allied, 65:7.

[AJUSTAR], bring closer, collect, gather: **ajust** (1 pr.), 65:45; **ajustá** (3 pret.), 41:64; *id.,* (refl.), 41:61; **ajustaren** (6 pret. refl.), 47:33; **ajusten** (6 pret. refl.), 65:42.

ajut, s.v. [AJUDAR].

ajutor, ally, 9:4.

al, with the, 10:80; the (?), 20:84; for *als,* 26:19; besides (?), 28:29; the, 37:32; *al mes* (for *a mes*), moreover, 18:16.

ala, there, 72:80.

alacma, bridle-bit (?), 4:4.

alacra, scorpion, 75:44.

alagmas, bridle-bits (?), 4:10.

alamunt, scale-pan (?), 25:12.

alaudem, freehold land or property, 5:11.

albareda, poplar-grove, 13:20.

alberch, dwelling, lodging, 34:22.

alberg (1, 3 pr. subj.), have the right of hospitality, 15:94, 14:7.

alçá (3 pret.), raise, 78:16.

alcu, alcun, alcuna, alcuns, any(one), some, 42:6, 16:9, 28:7, 35:23, 42:7 (s.).

aleccions, choices, 56:15.

alhegadas, quoted, 62:26.

alegir, s.v. [ELEGIR].

alegra, alegras, joyful, 57:17 (m.), 57:20 (m.pl.).

[ALEGRAR], cheer, rejoice: **alegre** (imperat.), 59:51; **alegri** (1 pr. refl.), 41:56.

alet, s.v. [ELEGIR].

algerres, pitchers, 63:2.

algu, algun, alguna (MCat. *ningú,* etc.), nobody, any, 79:14, 61:59, 65:27.

ali, there, 48:50.

alimanyes, animals, 75:35.

all, the, 55:28.

allegacios, allegations, 41:48.

alleua, dowry (?), 4:13.

almatrac, mattress, 25:16.

almirayl, admiral, 49:52.

almoines, almones, almoyna, alms, 20:69, 27:43, 72:53.

almut, measure, 63:36, 70:38.

alod, alodes, alodio, alodium, freehold land or property, 12:8, 19:27, 15:36, 26:7, 11:8.

aloe: *lignum a.,* aloes wood, 34:5.

alquena, alkanna root (or dye), henna, 34:11.

alquna, any, 26:15.

alre, anything (something) else, 30:10, 39:27; otherwise, 45:52.

alres, anything else, 21:15.

als (art.), the, 57:11.

(h)als (pron.), anything else, 60:22, 60:60, 68:53 (pl.).

alscunes, alscuns, some, 44:23, 46:63.

alsguns, some, 74:5.

alsperg, coat of mail, 10:63.

alten (6 pr. refl.), fall in love, 61:28.

alters, another, the next, 38:2.

altr', next, 27:5; another, 65:20; **(h)altra,** (an)other, any other, 60:8, 21:46 (m.?), 55:13 (m.), 61:7 (m.); **altras,** 57:11 (m. pl.), 62:44 (f. pl.). Cf. **altre.**

altrament: *d'a.,* in other wise, 27:17.

altre, (an)other, 25:13 (f.), 56:68 (f.); the day after tomorrow, 60:52;

altri, other, 63:32; **altro,** (an)other, 63:21 (f.), 63:22 (m.). Cf. **altr'.**

altrui, altruis, someone else's, 20:23, 42:69; **altruy,** someone else's property, 37:23.

am, with, 42:4.

am, s.v. [AMAR].

amador, lover, 65:3.

amagrex (3 pr. refl.), become thinner, 70:12.

[AMAR], love: **am** (3 pr. subj.), 20:2; **amatz** (5 pr.), 61:23; **amavets** (5 imp.), 61:11; **ame** (1, 3 pr.), 73:69, 56:57.

amargua, bitter, 79:56.

amdos, amdues, both, 38:18, 28:17.

[AMENAR = EMMENAR], bring or lead, take away: **amena** (imperat.), 41:9; **amenaren** (6 pret.), 39:37; **amenás** (3 imp. subj.), 52:27; **amenats,** 41:52; **amenava** (3 imp.), 51:4.

amendosos, both, 76:40.

amenles, almonds, 40:19.

amich, amigs, friend, 54:6, 72:2, 19:24.

amiga, mistress, 73:97.

aminves (2 pr. subj.), lessen, 41:57.

amonestá (3 pret.), counsel, 41:68.

amont, upwards, 40:34.

amor: *per a. de,* for the purpose of, 70:4; *per a. que,* in order that, 47:8; **amors,** love, 23:3, 32:13 (s.).

amostrás (1 imp. subj.), show, 72:54.

ampar (3 pr. subj.), protect, 36:28.

amsemps, together, 60:41.

an (subst.), year, 18:76, 20:83; **An** (MCat. *En*), 23:1, 74:8.

an (prep., adv.), in, 48:14; (MCat. *a*), for, 53:6; *an que,* before, 29:35; *an torn,* around, 57:8.

anades, anads, ducks, 17:6, 11:28.

hanans, before, 60:35.

anant, henceforth, 15:108; thereafter, 18:16.

anappo, goblet, 4:6.

anar, gait, walk, 56:43.

[ANAR], go, go away (refl.): **aná** (3 pret.), 24:21; *id.,* (refl.), 46:56; **anam** (4 pr. — or 4 pret.?), 76:32; *id.* (4 pret.), 60:40; **hanar** (inf.), 60:62; **anaren** (6 pret.), 46:43; *id.* (refl.), 39:9; **anás** (1 imp. subj.), 72:54; *id.* (3 imp. subj.), 47:24; *id.* (5 pret.), 35:7; **anassen** (6 imp. subj.), 35:25; **anat** (imperat.), 48:30; **anats** (5 pr.), 61:5; *id.* (imperat.), 47:27; **anatz,**

46:75; **anau** (imperat.), 72:96;
anav' (1 imp. refl.), 72:12; **ana-
ve** (3 imp.), 54:1, 76:33 (or 1
imp.); *id.* (refl.), 59:24; **anem**
(4 pr. — or 4 pret.?), 76:32; *id.*
(4 pret.), 74:30; **aneren** (6 pret.),
21:46; **anets** (5 pr. subj.), 68:52;
aní (1 pret.), 76:12; **ená** (3 pret.),
57:7; **(h)enar** (inf.), 60:21, 18:41;
irás (2 fut.), 59:22; **iré** (1 fut.),
59:26; *id.*, (refl.), 71:12; **irem**
(4 fut. refl.), 39:4; **(h)iria** (3
cond.), 61:11, 24:16; **irien** (6
cond.), 61:12; **·ná** (3 pret. refl.),
54:27; **·nar** (inf.), 23:24; **va**
(imperat.), 20:45; **vag** (1 pr.),
52:38; **vaga** (1 pr. subj.), 44:64;
vage (3 pr. subj.), 70:38; **vaja**
(1 pr. subj. refl.), 59:52; *id.* (3
pr. subj.), 74:24; **vasen** (6 pr.
subj.), 35:27; **vay** (imperat.),
32:26.

anaugás, s.v. **aneygar**.

anc, (adj.), this, 2:29.

hanc, anch, (adv.), ever, 14:21, 57:
4; *(h)anc no,* never, 51:38, 20:29;
anc *nul temps,* id., 33:30.

ancara, even, 57:34.

ancia, anxiety, 77:13.

ancios, anxious, 37:16.

anean (for *a enant*), thereafter, 18:
32.

aneygar, soak, ret, 55:24; **anaugás**
(3 imp. subj.), 55:26.

angoxossa, anguished, 65:17.

animas, souls, 76:3.

animo, courage, heart, 73:26, 78:25,
79:23; *gradiente a.,* complete
assent, 15:52.

annixum, appended, 5:5.

annuatim, annually, 26:16.

anque, haunches (?), 72:24. Cf. **ma-
nar.**

ans, nay, 68:79; **anz** *que,* before,
21:60.

antea: *in a.,* henceforth, 12:2.

antich, old, 77:31.

antichs, ancients, 65:25.

antifana, antiphon, 41:8.

antifanario, antiphonary, 5:8.

antra, etc., s.v. [ENTRAR].

anuge s.v. **enujar.**

anyels, lambs, 40:9.

anyines, lambskins, 40:4.

anys, ascendant, 56:63.

anz, s.v. **ans.**

ahontat, insulted, 46:11.

aoren, s.v. [ADORAR].

aortons, skins of aborted lambs, 40:5.

ap, with, 50:5.

aparallar, s.v. [APARELLAR].

aparel, gear, harness, 25:18.

[APARELLAR], prepare: **aparallar** (inf.),
51:33; **aparelada,** 57:43; **apare-
lar** (inf.), 39:10; **aparellà** (3 pret.
refl.), 68:7; **aparellar...an** (6 fut.),
59:3; **aparellàs** (3 imp. subj. refl.),
68:8; **aperallat,** 37:22; **apereyar**
(inf.), 52:50; **apparellasen** (6 imp.
subj.), 59:8; **apparellat,** 59:7;
epereyen (6 pr. refl.), 60:21.

apares: *faré a.,* I shall pretend, 59:6.

[APAREXER = APARÈIXER], appear:
aparexia (3 imp.), 68:90; **aparia**
(id.), 53:60.

[APELLAR], call: **apela,** called, 49:51;
apelá (3 pret.), 52:49; **apelhada,**
62:46; **apelam** (4 pr.), 35:85;
apelat, 36:26; **apelhat,** 62:30;
apellat, 65:8.

apendice, dependency, 26:23.

apenes, scarcely, 52:26.

aper, equipment for ploughing, 5:
36, 11:15; plough, 45:29.

aperceben (6 pr.), make ready, 68:71.

apereyar, s.v. [APARELLAR].

aperts, obvious, 42:56.

aplagats, gathered together, 61:45.

aplicants, approaching, 56:67.

apocopa, apocope, 62:55.

[APORTAR], bring, wear: **aportá** (3
pret.), 48:7; **aportaré** (1 fut.), 72:
47); **aportárem** (4 pret.), 74:33;
aportet (3 pret.), 43:46.

apostoli, Pope, 52:16.

apparellasen, etc., s.v. [APARELLAR].

appetit, appetite, 76:7.

apreenderit (3 fut. perf.), sustain,
8:6.

apres de, near, 57:23.

aprimerat, ahead (?), 46:8.

aprofitara (3 cond.), profit, 41:5.

apuntá (3 pret.), pierce, 46:13.

aput, with, 15:93.

aqua, river, 13:27.

aqals, those, 57:46.

aqastes, these, 57:39.

**aqueilla, aquel, aqel, aquelh, aquela,
aqela, aquelha, aquelhas, aqueles,
a q e l e s, aquellas, aquels,** that,
those, 31:6, 16:10, 16:6, 62:23,
16:9, 16:6, 62:33, 62:34, 24:22,
20:13, 61:26, 18:49.

aquelo, that, 41:59.

aquen, by there, 54:18; *d'a.,* thence,
55:2.

aquens, these, 18:23.

**aqest, aqesta, a q u e s t a s, aqestes,
aquetz,** this, these, 48:17, 48:8
(pl.), 20:3, 61:49, 20:65, 49:49.

aquex, aquexa, aqexa, aquexe, aque-xes, aquexs, that, those, 52:36, 71:54, 48:36, 72:42, 72:57, 60: 55.

aqueyl, that, 44:4.

aquez, these, 36:6.

aqi, there, 48:37; here, 50:21.

aquindar, withdraw allegiance from, challenge, 10:17.

aqux (for *aquex*), those, 72:98.

hara, now, 19:52.

aradre, plough, 63:42.

arancave (3 imp.), till, 55:31.

arany', spider, 75:42.

arar, winnow, 63:14.

harauts, heralds, 68:60.

arberc, dwelling, 21:32.

arborat, wooded, 53:60.

arbritacio, judgment, 55:3.

arch, bow, 77:39.

archebispe, archbishop, 23:1.

archidiacono, archdeacon, 15:91.

ardidz, bold, cunning, 20:47 (s.).

ardit (subst.), intentions, 23:29.

àrduos, arduous, 64:36.

(h)are, now, 72:11, 57:32.

aredad, endowed, equipped, 27:40.

arer, winnowing frame, 63:14.

areus, equipment, tools, 27:41.

argenteis, silver coins, 4:7.

aribades, s.v. [ARRIBAR].

arma, soul, 32:6.

arpa, pot-hook, 25:5.

arrapa (3 pr.), arrogate, 52:16.

arrar, err, 37:21.

arrestà (3 pret. refl.), stop, 68:43.

[ARRIBAR], arrive: **aribades,** 72:29; **arribam** (4 pret.), 76:26; **arriba-ran** (6 pret.), 74:11; **arribárem** (4 pret.), 76:26; **arribaren** (6 pret.), 39:19; **arribí** (1 pret.), 60: 35.

artiache, archdeacon, 27:34.

as, MCat. *a,* 53:12; *as ops de,* needed for, 50:11.

as, s.v. [HAVER] and [ÉSSER].

asalta (3 pr.), assail, 79:8.

asats, much, 43:42; *a. de,* many, 43:5.

asaunar, season, 66:37.

asay, enough, 76:10.

ascala, ascaler, stair, ladder, 62:20.

ascampades, s. v. [ESCAMPAR].

ascendet (3 pr.), ascend, 13:30.

asdevandrá, etc., s. v. [ESDEVENIR].

asegués, s.v. [ASSEURE].

asegura (3 pr.), guarantee, 56:55.

asegurament, guarantee of safety, 21: 27.

aseguts, s.v. [ASSEURE].

asens, donkeys, 42:62.

aseyaren (6 pret.), attempt, 48:59 Cf. **exajar.**

asi, thus, 10:29; here, 43:35.

asinada, ready, 50:9.

asines, implements, 45:29.

asiure, seat, set up, 48:59. Cf. [ASSEU-RE].

asmen, s.v. [ESMENAR].

asnets, young donkeys, 78:22.

(h)aso, that, 60:26, 43:58.

aspia, spy, 78:18.

aspisias, spices, 57:7.

asqés, s.v. **exir.**

assads, assats, enough, very (much), 24:13, 39:20.

asseguda, etc., s.v. [ASSEURE].

assemblament, judgment, choice, 8: 13.

Assentio, Ascension Day, 74:33.

asser, steel, 60:37.

[ASSETJAR], besiege: **assetgat,** 51:15; **assetyada,** 42:38.

[ASSEURE], seat, sit, set up: **asegués** (3 pret. refl.?), 67:34; **aseguts,** 57:42; **asseguda,** 47:32; **asseiya** (3 imp. refl.), alighted, 54:24. Cf. **asiure.**

assi, here, 49:8.

[ASSIGNAR], indicate, assign: **assigná** (3 pret.), 41:17; **assignavets** (5 imp.), 23:3.

asso, that, 37:4; *jatsesia a.,* neverthe-less, although, 58:23; *·n a.,* concerning that, 24:7; *on per a.,* therefore, 41:6.

assolta, pardon, 27:33.

astas, these, 57:45.

astat, s.v. [ESTAR].

astrelogia, astrology, 56:21.

asutz, s.v. [HAVER].

atanguesen (6 imp. subj. refl.), be related, 43:11.

atemprada, temperate, 44:3.

atempradament, within reason, 44:54.

atempratz, temperate, 44:6.

[ATENDRE = ATENIR-SE, ATENDRE], keep faith with, be loyal, uphold or fulfill an obligation, trust in, have recourse to: **aten** (3 pr.), 18:49; **atena** (1 pr. subj.), 15:95; **atenda** (3 pr. subj.), 10:44; **aten-dant** (6 pr. subj.), 10:32; **atendat** (3 pr. subj.), 10:13; **atenderé** (1 fut.), 6:6; **atendre** (inf.), 20:70, 65:64 (to attain at a knowledge of); **atendré** (1 fut.), 9:8; **aten-drei** (1 fut.), 12:15; **atenem** (4 pr.), 18:58; **ateneré** (1 fut.), 7:16;

atenniems (4 imp.), 15:55; **atenré** (1 fut.), 15:13; **ateré** (1 fut. — but probably an error for *o tenré*), 6:8; **atin** (imperat.), 37:22; **attendat** (3 pr. subj.), 10:78.

[ATORGAR], admit, grant, permit: **atorg** (1 pr.), 23:11; **atorga** (3 pr.), is proved by the fact that, 28:12; **atorgás** (3 imp. subj.), 67:28; **hautorg** (1 pr.), 14:33; **autrejad**, 36:27; **otorgá** (3 pret.), 67:29.

atres, other, 66:13.

atressi, likewise, 40:4.

atrestal, likewise, 54:38.

atret: *fets a. de*, you take after, 61:26.

atrobament, finding, 35:36.

atrobar, find, 22:13; **atrobá** (3 pret.), 41:76; **atrobada**, 66:29; **atrobat**, 63:8; **atrobava** (1, 3 imp.), 35: 41, 35:35; **atroben** (6 pr.), 35:22.

attendat, s.v. [ATENDRE].

attenyer, attain, 73:74.

[ATURAR], stop: **aturaren** (6 pret. refl.), 68:1; **aturassem** (4 imp. subj.), 47:13.

aucel, aucell, bird, 59:63, 56:61, 59: 43.

aucidie, etc., s.v. **ociure**.

auctoritat, authority, 16:11.

aud, or, 2:21.

audenti, to the hearer, 78:8.

audible, faculty of hearing, 35:108.

audir, s.v. [OIR].

auditiu, ear, hearing, 35:108.

auditz, s.v. [OIR].

augis (for *auguris?*), auguries, 56:61.

aujats, s.v. [OIR].

aulor, smell, 76:46.

aulteri, adultery, 42:40, 42:95.

aultra, other, 23:12.

[AUMENTAR = AUGMENTAR], increase: **aumentada**, 73:82; **aumentat**, 67: 26; **aumentau** (imperat.), 75:47; **aumente** (3 pr. subj.), 73:36.

aur, gold, 41:70.

auruga, rocket, 40:20.

ausades, indeed, would that (?), 78: 23.

ausar, daring, 45:3.

ausí, etc., s.v. [OIR].

aut, height, 48:26; high, 48:58; **autz** (m. sing.), 50:3.

hautorg, s.v. [ATORGAR].

autra, another, 23:9; **autre**, (an)other, 18:9, 18:25 (f. pl.), 22:10 (m. pl.), 53:20 (f.).

autrejad, s.v. [ATORGAR].

autumpne, autumn, 44:5.

autzina, autzines, evergreen oak, 45: 11, 45:35.

auzir, etc., s.v. [OIR].

avagan, avagant (for L. *averamentum*), oath, 42:96, 42:55.

aval, down, 59:1; *ad a.*, 45:18; *en a.*, 20:44.

avanch, s.v. [AVENIR].

avandit, avanditz, avandiz, aforementioned, 29:18, 29:30, 36:30.

avangelis, gospels, 29:26.

avantage, advantage, 77:22.

avante: *ad a.*, henceforth, 7:2.

avantz, rather, 20:53.

avarea, avarice, 20:59.

avé, s.v. [AVENIR].

avenguts, agreed, 39:16.

avenidors, future, 56:15.

aveniment, coming, 41:18.

[AVENIR = ESDEVENIR-SE], occur: **avanch** (3 pret.), 57:30; **avé** (3 pr.), 68:20.

aventaya, duty, 53:36.

aventura: *per a.*, perchance, 28:7.

aver, property, goods, money, 16:10, 18:19.

[HAVER], have or possess, get or acquire, be obliged— also used impersonally, as an auxiliary, and as part of the 'split future', etc.: **a, á, ha** (3 pr.), 10:60, 40: 11, 45: 7; *á cura*, heeds, 75:50; *a·y*, there are, 48:3; *hi a, i á*, there are, 19:39, 20:79; *ja ha bona stona*, for some time now, 78:40; *no á...que*, it is not...since, 44: 78; *no·ns ha que fer*, it is all the same to us, 47:10; *perens meus n'a vinguts* (for *na son vinguts?*), relations of mine have arrived, 72:29; *quant temps ha*, how long is it since, 61:16; *y ha*, there is, 59:48; **(h)ac** (3 pret.), 39:32, 20: 35; **ach** (id.), 53:15; **ag** (1, 3 pret.), 27:13, 14:3; **aga** (3 pr. subj.), 45:3; **(h)age** (id.), 61:34, 44:22; **(h)agen** (6 pr. subj.), 68: 93, 19:55; **ages** (2 pr. subj.), 37: 10; **agés** (1, 3 imp. subj.), 72: 86, 20:30; **agéss** (3 imp. subj.), 15:23; **agessem** (4 imp. subj.), 29:8; **agra** (1 imp. or pluperf. subj.), 44: 71; **agran** (6 pret.), 57: 1; **agren** (id.), 18:71; **agron** (id.), 21:43; **agud**, 18:55; **(h)agué** (3 pret.), 54:9, 43:58; **haguem** (4 pret.), 47:67; **(h)aguera** (3 cond.), 60:43, 43:60, 75:74; **agueren** (6 pret.), 51:52; **(h)agueren** (6 cond.), 61:30, 43:62; **agueren** (6 past cond.), 42:51; **haguérets** (5 cond.), 68:53; **(h)agués** (3 imp. subj.),

61:49, 51:55; **agués** (3 pluperf. subj.), 39:69; **haguessen** (6 imp. subj.), 61:31; **aguessets, haguéssets** (5 imp. subj.), 59:37, 68:53; **aguí** (1 pret.), 41:40; **agut,** 59: 22; **aiya** *tenguda,* be valid, 45:43; **aja** (1, 3 pr. subj.), 22:6, 23: 18; **ajam** (4 pr. subj.), 20:81; **(h)ajas** (2 pr. subj.), 62:39, 69: 34: **ajats** (5 pr. subj.), 47:8; **hajatz** (id.), 62:36, 62:40; **ajau** (imperat.), 72:84; **hajes** (2 pr. subj.), 78:28; *no* **han** *cura sino de,* they care for nothing else than, 53:1; **an** (6 pr.), 14:30, 18:3, 24:14 (split future — also in 53:35, 59: 3, 69:17, 69:18, 71:31); **as** (2 pr.), 59:22; **asutz** (p. p. sing.), 50:14; **a(h)uda** (p. p.), 57:44, 60: 13; **haudes** (id.), 42:81; **aurá** (3 fut.), 24:13; **aurás** (2 fut.), 69:28; **auré** (1 fut.), 15:42; **aurei** (id.), 15:66; **aurem** (4 fut.), 20:73; **aurés** (5 fut.), 15:66; **auretz** (id.), 33:19; **auria** (1, 3 cond.), 33:5, 39:26; **aurien** (6 cond.), 24:10; **haut** (p. p.), 48:24; **avam** (4 pr.), 57:44; **avar** (inf.), 57:24; **avau** (5 pr.), 57:49; **aveds** (id.), 15: 107; **(h)avem** (4 pr.), 47:56, 18: 53; **avems** (id.), 26:5; **haven** (pr. part.), 56:82; **aver** (inf.), 16:11, 19:5, 48:19; **havets** (5 pr.), 47: 21; **avetz** (id.), 35:50; **aví** (1 imp.), 72:94; **avia** (1, 3 imp.), 14:10, 14:23, 39:24; **avian** (6 imp.), 57: 10; **avias** (2 imp.), 14:51; **(h)avie** (3 imp.), 71:56, 18:37; **aviem** (4 imp.), 23:34; **avien** (6 imp.), 18:69; **avietz** (5 imp.), 35:42; **aya** (1, 3 pr. subj.), 32:27, 42: 69; **ayen** (6 pr. subj.), 42:51; **ayes** (1 pr. subj.?), 50:21; **e, é, he** (1 pr.), 14:56, 37:24, 71:9 — and split future in 51:23, 59:5, etc.; **eurie** (1 cond.), 60:8; **evets** (5 pr.), 60:5; **heveu** (id.), 60:6; **ey** (1 pr.), 50:6; **hia,** 70:39 (split cond., and also in 75:27); **ien,** 39:14 (split cond.).
avere, property, 4:1.
avet (imperat. s., for *vet*), see, 78:24.
avinentea, opportunity, 44:84.
[AVISAR], inform: **avis** (1 pr.), 72:93; **avisau** (imperat.), 72:26.
avocatz, advocates, 41:48.
avol: *agron a. cor,* they objected, 21:43; **havol,** dishonest, 60:58; **avols,** in disagreement, 37:26; *fo avols,* treated ill, 21:18.

avolteri, adultery, 42:54.
avoyla, ewe, 55:14.
axecuta (3 pr. refl.), be executed, 77:39.
axi, thus, so, 25:14; such, 57:15; *axi be...com,* as much as, 73:33; *axi can son,* as for example, 40:6; *axi co,* just like, 41:43; *axi com,* as, 33:21; *axi...com,* as much as, 72:78; *axi com son,* as for example, 40:25; *axi con,* like, as, 37:4; *axi que,* so that, 41:4; *axi...que,* id., 52:6; *axi que pus,* as soon as, 46:31; *en axi,* so likewise, 70:19; *en axi con,* just as, 35:72; *tot axi com,* just as, 39:68; *tot axi con,* as soon as, 57:8.
axir, s.v. **exir.**
axo, that, 54:4.
axoblidar, forget, 69:35.
axols, carpenter's adzes, 63:16.
axovar, dowry, 61:31.
ay, year, 38:3; alas!, 61:15.
ayels, lambs, 42:63.
ayga, urine, 32:8; water, 48:30. Cf. **aygo.**
aygavers, watersheds, 45:15.
aygo, aygua, aygue, water, 57:46, 48:42, 55:24; **aygues,** flooding, 55:25; seas, 68:89; *a. sutzes,* slops, 66:34; **ayguo,** water, 76:20. Cf. **ayga.**
ayguosa, succulent, 44:39.
ayllaces, cloves of garlic, 70:29.
ayn, year, 42:61.
aysels, those, 57:48.
aysi: *d'a. avant,* henceforth, 45:36; **ayssi,** here, 46:33.
ayso, that, 35:58; *em per amor d'a.,* and therefore, 41:5; *per a.,* therefore, 35:56.
aytal, such, 44:17; *a. con,* the same as, 34:13; *aquell aytal,* such a person, 71:21; **aytals...** *con,* such as, 57:9.
aytan...co, as...as, 48:25; **aytant co,** as far as, 45:18; *a. com,* as much as, 65:2; *a...com,* the same as, 62:31; *a. con,* inasmuch as, 35:60; as long as, 57:21; *a. quant,* id., 38:9; *ab a.,* thereupon, 43:43; *d'a.,* so much (the more), 35:62.
aytantost, straightway, 39:36.
aytz (m. sing.), high, 50:1.
ayxi co, as soon as, 41:68; *cum en ayxi,* even so, 58:40.
az, to the, 18:28.
azen, azes, donkey, 40:21, 40:14.

azo, that, 18:11.
azulteri, adultery, 21:31.

B

baadors, traitors, 42:41.
babor, vapour, 76:54.
babtidad, s.v. [BATEJAR].
babtisme, baptism, 71:2.
[BADAR], open: **badá** (3 pret.), 59:56;
  badás (3 imp. subj.), 59:41.
badle, bailiff, steward, 19:51.
baglia, concession of a right to administer property, 10:33; administrative powers, 10:49; **baglies,** properties administered by a bailiff, 15:37.
baia, treason, 42:81.
bailes, bailiffs, 21:17.
baixá (3 pret.), lower, 79:38.
bajulos, bajulum, bailiffs, 14:59, 14:54.
balaxos, rubies, 63:5.
balente, worth, 2:12.
balesta, balestes, crossbow, 25:8, 50:12.
balester, crossbowman, 47:63.
balle, bailiff, steward, 38:8.
banada, bathed, 21:53.
banch, bench, 61:24.
bander, banes, officer charged with the enforcement of public ordinances, 45:48, 66:10.
banna, tub, bath, 63:45.
bant, fine, 55:16.
baquelar, villein, rogue, 21:33.
barban, priest, 53:52.
barbe, beard, 56:49.
barcha, boat, 39:17.
barcheta, small boat, 39:6.
barchinonensi(s), of Barcelona, 13:2, 13:5.
baron, man, worthy, 52:1.
barsseloneses, coins minted in Barcelona, 49:10.
basalis, basilisk, 75:51.
basans, bezants, 53:31.
basar, s.v. [BESAR].
bassi, basin, tub, 25:6.
[BASTAR], suffice, be enough: **bast** (3 pr. subj.), 23:20; **bastá** (3 pret.), 61:17; **bastan** (6 pr.), 77:4; **basteria** (3 cond.), 61:38.
bastiar, cattle, 55:14.
batala, batalla, batalya, batayla, battle, judicial duel, 53:15, 8:3, 42:56, 42:97, 47:9.
batcoil, back of the head, 43:34.
bategar, baptism, 71:54.

[BATEJAR], baptise, be baptised: **babtidad,** 17:1; **bategar** (inf.), 71:55; **bategás** (5 pret.), 71:45; **bategat,** 71:1; **bategats,** 71:46; **bategí** (1 pret.), 71:41; **bateig** (1 pr.), 71:51; **batejau** (5 pr.), 71:48; **bateyg** (1 pr.), 71:65.
baten (6 pr. subj.), beat, 70:33.
bateyg, s.v. [BATEJAR].
batiments, blows, 68:68.
batle, bailiff, steward, 29:8.
batut, inner chainmail helmet, 47:64.
baxa, low, 68:84.
baya, bayes, treason, 42:26, 42:27.
bayaren (6 pret.), bathe, 74:35.
bazard, dark red (?), 56:46.
be (MCat. *ben*), very, 35:67 (?); well, 50:6.
bech, beak, 59:39; *havets lo b. groch,* you're 'green', 59:34.
beg, etc., s.v. [BEURE].
bel (conj.), or, 2:18.
bel (adj.): *bel ni bo,* right or proper, 27:30; **belh,** beautiful, 62:15; **bela,** 48:32; **beles,** 43:7; **bels,** 41:48.
belhament, beautifully, 62:15.
bell no res, nothing at all, 76:52.
bellea, beauty, 73:99.
bellmari, seal, 75:29.
ben (MCat. *bé,* adv. and subst.), advantage, profit, 15:44; well, 20:21; clearly, 21:51; indeed, 39:66; fully, 51:6; *si ben,* even if, 55:21; *si ben que,* but, although, 55:31.
benahuradament, happily, 58:26.
[BENEIR], bless: **beneset,** 35:26; **beneseyen** (6 pr.), 35:31; **beneyt,** 35:48.
beneventurada, happy, 77:41.
beneyt, s.v. [BENEIR].
benivolose, willingly (?), 58:26.
benturum, for L. *venturum,* 2:20.
bero, indeed, 2:15.
besans, bezants, 39:48.
[BESAR], kiss: **basar** (inf.), 52:33; **bes** (1 pr.), 72:74; **besá** (3 pret.), 71:39; **besar...he** (1 fut.), 71:38; **besassets** (5 imp. subj.), 61:17.
[BEURE], drink: **beg** (3 pret.), 20:29; **begé** (id.), 48:39; **begen** (6 pr. subj.), 48:43; **beu** (1 pr.), 32:16.
beyla, beyls, fine, 51:23, 43:55.
bifarie, in two ways, 58:29.
biffes, fine cloth, 40:1.
bindere, sell, 2:3; **bindendi** (ger.), 2:17.
bindicionis, of sale, 2:25.
binditor, binditore, seller, 2:1, 2:16.

bind ɔ (1 pr.), sell, 2:3.
binea, vineyard, 2:3.
birbe, bishop, 76:40.
biroies, rings, door-knockers, 48:22.
bispe, bishop, 18:2.
bistia, bistias, bisties, beast, 54:15, 57:2, 66:23.
blad, wheat, corn, 11:13.
blanch, white, 56:32.
blandis, softish, 56:48.
blatz, wheat, corn, 38:9.
blave, blue, 63:40.
blega (3 pr. refl.), be swayed, 41:47.
boanas, girdles (?), 40:12.
boch, he-goat, 55:10.
bocha, bochas, bocca, mouth, 42:10, 61:24, 27:34.
bocadens: de b., lying face down, 58:15.
bocinada, blow in the face, 78:33.
bogia, monkey, 40:20.
bolueritis (5 fut. perf.), wish, 2:18; bolui (1 pret.), 2:30.
bomba, motive for pride, 65:39.
bon (MCat. bo), good, 37:32; bonas, 57:6; bone pacis, in complete accord, 2:11.
bonea, aptness, 35:80.
boqua, mouth, 67:5.
boraç, coarse woollen blanket, 17:5.
borrelons, tufts, scraps, 44:16.
borsa, borses, bag, purse, 17:10, 34:29.
bort, hybrid offspring, mule, 72:39.
bos, to you, 2:1; you, 2:16.
bosa, bag, purse, 72:46.
boschayada, rough-trimmed, 63:21.
bosch, boschs, wood, 45:4, 19:25.
bosombra, ?, 32:18. The line is corrupt.
bove, ox, 11:20.
box, boyx, box-wood, 44:34, 45:32; boxos, pestles, 63:25.
braces, arms, 52:33.
bragad, skewbald, 11:20.
bragas, breeches, 17:3.
brancha, jamb, 48:27; branque, branch, 37:27.
bras, arms, 34:30; port en b., carries, 34:30; forelimbs, 70:33; brassos, 70:35.
breve, memorandum, inventory, 4:1.
breyl, sappan-wood (or dye), 34:2.
brugit, noise, 47:23.
bruneta, dark dyed woollen cloth, 63:28.
buchines, goat-hides, 34:9.
buegan, s.v. [VOLER].
bugadar, bleaching tub, 63:26.
bulcias, saddle-bags, panniers, 3:20.

bulla, seal, 53:31.
bullat, sealed, 44:79.
burdegalis, ?, 58:6.
burela, grey, 72:60.

C

c' (MCat. que), 32:2, 32:8, 42:64.
c., for corredures, 34:20; for centenar, 40:4.
k., the Kalends, 10:83.
cha, dog, 75:45.
ça, the, 19:35, 76:31.
ça e la, hither and thither, 52:3.
cab, end, 18:34; lord, 20:55.
cabal: en c., in its entirety, 26:10.
kaballos, horses, 2:12.
caberen (6 past cond.), be room for, 67:5.
cabeylls, cabeyls, hair, 56:36, 42:4.
cabirols, chamois, 32:23.
cabridís, kids (?), 17:5.
caça, ladle, 63:34.
cadafalch, scaffold, 58:7.
cader, fall, 20:44; caegué (3 pret.), 59:56; casech (id.), 43:44; cayen (pr. part.), 47:4; caygué (3 pret.), 59:1; cayguessem (4 imp. subj.), 59:20; caygut, 76:48.
cadins, woollen cloth, 63:28.
cadira, throne, 67:33; pulpit, 71:37.
caegué, s.v. cader.
caffis, measures, 63:35.
cal (MCat. qual), which, 38:23, 50:7; (MCat. quin), which one, 52:29.
calabruxo, hail, 76:48.
calandri, lark, 59:48.
calassen (6 imp. subj.), be silent, 47:45.
calasto, balance, 25:12.
calçamens, footwear, 52:45.
calcatriç: drach c., cockatrice, 75:50.
calciamenti, of footwear, 58:8.
chalciata, road, 5:11.
[CALFAR], warm, 44:48 (refl.); calf (3 pr. subj. refl.), 44:49.
calitat, calitatz, quality, nature, 59:45, 65:12, 44:6.
camascles, pot-chains, 25:5.
cambie (3 pr. subj. refl.), exchange, 40:16.
camin, chamins, camis, journey, road, 52:53, 19:17, 53:40.
camine (1 pr.), walk, 76:58.
camisas, shirts, 17:3.
campts, fields, 55:30.
can, when, 18:43; since, 23:22; can se volc, as long as he liked, 21:61; per ço can, because, 33:10.

cana, cane, reed, 53:19; canas, fishing traps or rods, 66:15.

canades, pitchers (holding one *canada*), 25:4.

cancellaria, chancellery, 44:80.

canebans, hemp, 25:9.

cannada, pitcher (holding one *canada*), 5:16.

cans, flesh, 72:55.

cant, how much, 21:12; when, 39:66. Cf. aitant.

[CANTAR], sing: cantam (4 pr.), 41:7; cantans (pr. part. pl.), 41:14; cantem (4 pret.), 74:31.

cantis, measures, 63:9.

cantitat, quantity, 24:8, 68:78.

canyem, hemp, 34:16.

cap: *c. de cases*, heads of households, 67:54; *de mon cap*, on my own initiative, 58:34.

caparo, hood, 63:27.

capel, hat, 47:63; capels, helmets, 25:7.

capela, capelan, capellanum, priest, 24:7, 46:54; 24:15.

capitose, on my own initiative, 58:34.

chapras, goats, 5:35.

capros, hoods, 40:10.

capsal, head, 44:47; capssal, pillow, 49:29.

caputense, of Caboet, 14:2; Caboet, 14:5.

carabaces, pumpkins, 66:18.

caramentz, earnestly, 50:10.

carçre (m.), gaol, 71:32.

cardemomi, cardamom, 34:4.

care, face, 56:27.

[CAREGAR = CARREGAR], burden, blame: carega, burdened, 46:54; caregades, 35:17; caregat, 46:53; caregueu (5 pr. subj. refl.), 59:9.

carera: *via e c.,* way of escape (?), 46:28.

caritad, karitas, charity, 20:1.

carlins, coins minted in Sicily in the reign of Charles of Anjou, 60:55.

carrech, load, 51:28; blame, 73:58.

carrega, a kind of measure or container (?), 76:53.

c(h)arreres, highways, 19:18, 52:4.

carres, streets, 66:34.

cars, event, 73:28; deed, 73:97.

carta, karta, cartam, deed, document, covenant, 2:25, 10:41, 2:27, 30:16.

cartz, thistles, 32:28.

carvenam (4 pr. subj.), sell dear, 47:58.

cas: *en c. que,* provided that, 62:48.

c(h)asa, c(h)asas, (religious) house, 5:37, 18:4, 5:28, 10:20.

cascu, every, 38:3; cascunas, each, 42:16.

casech, s.v. cader.

casela, little house, 13:25.

cassa, game, 66:15.

c(h)astel, kastel, chasteles, chastellos, kastellos, kastelos, casteyl, castle, 9:6, 14:21, 10:49, 7:11, 6:3, 15:97, 7:14, 39:36.

castela, warden, castellan, 39:21.

castelar, land pertaining to a castle, 13:30.

chasteles, s.v. c(h)astel.

castellano, warden, castellan, 10:60.

chastellos, etc., s.v. c(h)astel.

castri, castro, c(h)astrum, castle, 22:19 (gen.), 10:3, 5:8, 15:67.

catiu, captive, slave, 41:2, 67:39; cativa, 61:38 (f.).

cativás (5 pret.), captivate, 77:2.

caulera, cauldron, 25:4; ordeal by boiling water, 42:57.

caurels, crossbow bolts, 50:9.

caus, kick, 42:3.

causa (3 pr. subj. refl.), be caused, 77:19.

causa, c(h)ausas, causes, thing, 40:32, 19:14, 4:14, 21:18.

chauz: *a c. de,* level with (?), 26:9.

cavadel, small digging tool, 17:11.

chavago, adze, mattock, 5:22.

caval, horse, 24:4.

cavalarios, mounted soldiers, knights, 10:52.

[CAVALCAR], mount, ride: cavalcá (3 pret.), 47:16; cavalcam (4 pret.), 47:15; cavalcans (pr. part. pl.), 35:11; cavalgam (4 pret.), 47:74.

cavaler, mounted soldier, knight, 14:12; cavalers, champions, 8:17.

cavalgadas, cavalgades, forays, 15:92, 14:6.

cavalgam, s.v. [CAVALCAR].

cavali, equine, 11:20.

kavallario, champion, 8:6; chavaller, knight, 19:11, 19:28.

cavallum, cavayl, horse, 5:32, 39:33.

cavechs, adzes, mattocks, 63:10.

caxa, box, 25:9; caxota, id. (pej.), 63:15.

cayem, hemp, 63:2.

cayen, s.v. cader.

cayguda, fall, 68:42.

caygué, etc., s.v. cader.

cayllada, curds, 32:10.

cayrada, squared, 53:34.

cayrats, beams, 34:27.

cayrel, crossbow bolt, 47:64.

cayya, box, 50:12.
che, when(ever), 7:9; when, 12:12; to the effect that, 14:25. Elsewhere, as MCat. *que.*
ke (MCat. *que*), 8:1, 8:13, 10:81.
ceca, mint, 53:26.
cecretes, secret, 56:60.
ched (MCat. *que*), 15:95.
ceda, silk, 44:16; *va tota c.,* goes straight (?), 45:16.
cedaz, sieve, 25:15.
cel, s.v. [CELAR].
cel (adj., pron.), that, 20:4; *cel qui,* him who, 42:20; **cela,** 27:46; **celes,** 12:12; **cell** *qui,* 37:5; **cells,** 37:19; **cels,** 19:20.
chel (for *che*), so that, 10:75.
[CELAR], conceal: **cel** (1 pr. subj.), 15:85; **en celat,** secretly, 37:10.
cellam, saddle, 58:2.
cenayes, panniers, 25:10.
cenrada, ashes prepared for a cataplasm, 70:30.
cens, hundreds, 60:19.
centencia, judgment, 67:36.
centí (3 pret. refl.), feel, 46:14.
[CERCAR], seek, examine, investigate, 53:50; **cercá** (3 pret.), 46:33; **cercás** (3 imp. subj.), 46:30; **serca** (3 pr.), 37:1, 56:58; **sercant** (pr. part.), 35:16; **sercar** (inf.), 35:4; **sercás** (5 pret.), 35:15; **sercat,** 35:33; **serquen** (6 pr.), 35:14.
cercle, circlet, 54:23.
cerons, pouches, (game-)bags, 25:10.
cers, deer, 40:13.
cert: *per tot c.,* truly, 46:24; **certz** (s.?), 70:40.
certanament, certainly, 69:13.
certes, indeed, 39:7.
cervalera, helmet, 63:25.
cespitare, trip, 78:32.
cessant, laying aside, 61:51.
cesta, mid-day heat, 51:24.
cestenno, helmet (?), 5:27.
cesters, measures, 63:20.
cetres, jugs, 25:5.
ceyl, ceyll, that, 43:57, 37:12.
·ci, here, 74:11.
chi, that, which, 10:21; who, 12:11.
cicius: *quam c.,* as soon as possible, 58:35.
chichs, little, 78:22.
cient: *son c.,* wittingly, 42:21.
ciga, cigas, grain-store, 5:39, 5:18.
cinel, girdle, 72:82.
cinglos, cingulo, terraced land, 13:31, 5:19.
cinyen (6 pr.), gird, 68:72.
cipies, squids, 40:18.

cipres, cypress, 44:43.
circii, of the north, 13:28.
cisena, sixth, 38:32.
citoval, zedoary root, 34:3.
ciutad, city, 20:41.
kl., the Kalens, 26:24.
[CLAMAR], cry for, make complaint: **clam** (1 pr.), 33:9; *id.* (3 pr. subj. refl.), 29:38; **clamá** (3 pret.), 39:51; **clamans** (pr. part.), 18:24; **clamaren** (6 pret. refl.), 52:14; **clamarie** (3 cond. refl.), 18:36.
clamasques, pot-chains, 63:3.
clamavit (3 pret. refl.), complain, 21:58.
clamencia, mercy, 69:43.
clamor, complaint, 19:4.
claoll, shell, husk, 66:31.
clar: *de c.,* clearly, 75:55.
clare, fair, thin, 56:49; clear, 70:25.
clartat, light, 41:14.
kldas., klds., kls., the Kalens, 2:28, 3:26, 44:89.
clerge, priest, 18:20, 27:46.
clericum, clericus, priest, 21:12, 11:4.
cloch: *a peu c.,* haltingly, 58:27.
clodir, close, enclose, 19:18; **cloerts,** 55:21; **clou** (1 pr.), 49:54.
closa, enclosed land, 55:1.
closc, shell, 40:19.
close, enclosed land, 55:20.
clotet, dimple, 78:41.
clou, s.v. **clodir.**
cluquer, belfry, 76:47.
co, like, 41:43; when, 41:65; how, 42:11; *aixi co,* (just) as, 45:46.
ço: *ço d'altri,* other people's property, 66:17; *ço del lur,* their property, 61:32; *ço es a saber,* to wit, 28:3; *ço que,* that which, 19:41; *per ço,* wherefore, 39:62; *id.,* therefore, 42:46 (second example); *per ço can (car?),* because, 33:10; *per ço che,* in order that, 10:64; *per ço com,* because, 39:34; *per ço cor,* id., 42:46; *per ço quan,* id., 28:10; *per ço… quar,* id., 14:34.
coha, tail, 75:62.
cobeeyan, s.v. **cobeyar.**
cobertiç, cobertizos, covered area, 66:41.
cobeyar, covet, desire, 41:19; **cobeeyan** (pr. part.), 41:22.
cobré (3 pret.?), recover, 18:73.
çocha, trunk, bole, 61:39.
chodalo, boulder, 5:30.
codiscil, codicil, 49:41.
codofles, vessels, vases (?), 25:12.
cogua (3 pr. subj.), cook, 70:29.

col, pass, 13:23; neck, shoulders, 52:41.

colchns, blows, 67:61.

colera: *herba c.,* edible thistle used for curdling milk, 34:11.

colls, cabbages, 66:18.

color de rethorica, ornament of rhetoric, 62:45.

colp, blow, 42:7; shock, 68:42.

colpa, fault, blame, 21:37.

colpable, blameworthy, 35:49.

colt, worshipped, 35:26.

coltel, knife, 17:9, 35:73.

com, wherefore, 33:5; when, 54:5; that, 59:32; *com mes...e mes,* the more...the more, 39:58; *com semblants,* like, 70:15; *per tal com,* because, 62:5.

kom (MCat. *com*), as, 8:3.

com., for *comtals,* 55:7.

[COMANAR], commend, entrust: **coman** (1 pr.), 23:23; *id.* (1 pr. refl.), 46:4; **comanad,** 14:24; **comanda** (3 pr. refl.), 7:4; **comandad** (3 pr.), 10:19; **comande** (3 pr. refl.), 10:2; **chomanna** (id.), 9:4; **comanná** (3 pret.), 14:5; **comanné** (1 pret.), 14:13; **comenats** (imperat.), 60:27; **comendaretes** (5 fut.), 7:11; **comendates** (5 pr.), 7:14; **commanné** (1 pret.), 14:10.

comansá, s.v. [COMENÇAR].

comara, gossip, go-between, 61:7.

[COMBATRE], fight: **combata** (3 pr. sub. refl.), 41:32; **combatíam** (4 imp.), 68:4; **conbatut,** assailed, 77:13.

combregá (3 pret.), take communion, 47:1.

comdors, noblemen within the feudal hierarchy occupying a position between viscount and knight, 42:35.

comelar, valley floor, 13:29.

comenats, s.v. [COMANAR].

[COMENÇAR], begin: **comansá** (3 pret.), 57:23; **començá** (3 pret. refl.?), 52:30; **començaren** (6 pret.), 68:34; **comens** (3 pr. subj.), 37:6; **comensa** (imperat.), 69:40; **comensá** (3 pret.), 53:65; **comensam** (4 pr.), 35:84; **comensava** (3 imp.), 35:36; **comensaven** (6 imp. refl.), 35:38; **comenseré** (1 fut.), 61:55; **comensí** (1 pret.), 77:29.

comendaretes, etc., s.v. [COMANAR].

comens, beginning, 77:15.

comens, etc., s.v. [COMENÇAR].

comes, count, 4:2.

comfessar, s.v. [CONFESSAR].

comfiansa, trust, 69:50.

comfortat, comforted, 41:71.

comi douç, sweet cummin, 34:9.

cominal, (adj.), general, 38:28; *c. ment,* with one accord, 57:40; **c(h)ominals,** held in common, average, 19:10, 63:11.

cominal, (subst.), the communalty, 50:9.

comitatu, county, 10:31.

c(h)omite, count, 6:2, 10:2.

comitesa, chomitissa, countess, 10:69, 6:2.

commanné, s.v. [COMANAR].

[COMMOURE], stir up: **comou** (3 pr.), 68:64; **comouen** (6 pr.), 68:67.

comoniment, request for service or aid due, 12:13.

comonir, summon, request aid or service due, be required to give service, 15:39; **acomonir** (inf.), 15:78; **comonirá** (3 fut.), 15:90; **c(h)omonirás** (2 fut.), 7:9, 15:79; **comonrás** (id.), 12:12; **comonreds** (5 fut.), 15:73.

comou, etc., s.v. [COMMOURE].

companaye, food eaten with bread, 38:10.

companya, household, 37:7; company, army, 47:62; servants, 61:37.

comparacione, p u r c h a s e, 2:5; exchange, 4:16.

compassadas, in verse, 62:6.

compaya, compayes, company, 39:4, 41:64.

compayo, compayons, friend, companion, 72:3, 43:41.

compendre, examine (?), 56:22.

complaura, please, 61:52.

compleccio, compleccion, temperament, 56:29, 44:14.

completa, compline, 66:12.

compona (3 pr. subj.), make reparation, 16:10.

[COMPRAR], buy: **comprá** (3 pret.), 43:49; **compro** (3 pr. subj.), 66:43.

compres, overcome, 52:30.

comptar, tell, 51:23 (*comptar... he,* 1 fut.); **comptá** (3 pret.), 46:23; **comptat,** 46:65; **comtat,** 53:70.

comta: *ffas c. de,* I plan to, 72:15.

comtall, pertaining to a count or county, 55:11.

comtat, s.v. **comptar.**

chomte, count, 7:13.

comtivo, rights due to a count or feudal lord, 10:40.

comun (MCat. *comú*), common, 35:88.

comunimentum, request for service or aid due, 15:38.

comutandi, for L. *commutandi,* 2:18.

c(h)on, as, 12:4, 7:3; when, 24:20; how, 35:1; since, 35:69 (second example); *con avia nom,* what his name was, 46:55; *con si,* as if, 57:6; *enaxi con,* as, 44:11; *tant... con,* as long as, 53:8.

conach, etc., s.v. [CONÈIXER].

conamina, conamines, private lands of a lord, 10:64, 18:18.

conbatut, s.v. [COMBATRE].

conbenid (3 pret.), agree, suit, 2:12.

conch, basin, valley, 45:7.

conceba (3 pr. subj.), conceive, 35:101.

concebement, intentions, ideas, 44:67; concebimen, conception, 35:93.

concert, dealings with, 77:11.

conces, bowls, 40:23.

concilio: *integroque c.,* with faculties unimpaired, 5:2.

conclusen, enclosing, 45:17.

condam, formerly, 13:10; the late, 15:25.

condamina, private lands of a lord, 10:65.

condemne (1 pr.), condemn, 28:46.

conderdimentum: *ad c.,* suitable for cultivation, 13:8.

condirectos, cultivated, 15:30.

conduit, provisions, 15:93.

[CONÈIXER], know, recognise, examine, see fit: conach (3 pret.), 57:54; conaguí (1 pret.), 77:26; conec (3 pret.), 52:2; conech (1 pr.), 61:3; coneg (1 pr.), 23:18; conega (3 pr. subj.), 52:18; conegua (id.), 79:12; conegud, 29:16; conegué (3 pret.), 79:41; conegués (3 imp. — pluperf. subj.), 52:7; conexem (4 pr.), 47:7; conexerá (3 fut.), 39:5; conexets (5 pr.), 23:19; conexiets (5 imp.), 23:24; conog (3 pret.), 20:41; conogut, 21:50; conoiserien (6 cond.), 21:49; conoisser (inf.), 21:53; conoyyeretz (5 fut.), 50:13.

coneguda: *a c. de,* to the satisfaction of, 29:14.

conexença, knowledge, 52:11; intellect, 65:22; judgment, 66:38; conexensa, 35:89.

[CONFERMAR = CONFIRMAR], confirm, support: confermada, 42:58; confermaren (6 pret.), 42:59.

[CONFESSAR], confess, admit to, assert: comfessá (3 pret. refl.), 46:44;

comfessar (inf.), 46:43; comfessat, 46:45; confes (1 pr.), 41:58; confessá (3 pret. refl.), 54:36; confessada, 28:24; confessades, 28:29.

confirmaren (6 pret.), confirm, 42:100.

congoxat, anguished, 77:13.

còngruos, suitable, apposite, 64:32.

conil, rabbit, 40:4, 75:49.

conjunccions, conjunctions, 62:51.

conog, etc., s.v. [CONÈIXER].

conpayo, fellow, 39:54.

conponere, make reparation, 2:24.

conquerre, claim, sieze, 16:11.

conquetes, basins, 63:1.

consel, help, 7:7; permission, 14:33.

consellar...e (1 fut.), advise, 59:5.

consellg, help, 15:108.

consenta (3 pr. subj.), permit, 75:13.

conseyl, advice, aid, 39:7; consilio, instigation, 10:76; permission, 14:50; consilios, plans, 15:84; conssel, approval, 19:35.

constad (3 pr.), be made known, 2:2.

contaven (6 imp.), count, 67:30.

contenço, contençoz, dispute, 28:1, 27:1.

contengut, contained, 33:24.

contigue, side by side, 58:28.

continens: *en c.,* forthwith, 43:20.

continuament (for *continuu*), continual, 70:10.

continuu, continual, 77:20.

contravanint, in contravention, 44:81.

contrestar, resist, contest, deny, 41:27; contrestada, 28:9; contrestás (3 imp. subj.), 51:48.

contriccio, contrition, 35:42.

convenença, conveniences, conveniencia, conveniencias, agreement, 14:25, 10:5, 10:3, 10:36.

[CONVERTIR], change, convert: convertescas (2 pr. subj. refl.), 69:39; convertí (3 pret.), 68:23.

cor, body (?), 74:15. Cf. cors.

cor, for, 35:6; because, 41:10; *no... cor,* only, 34:24; *per so cor,* because, 41:45.

coratge: *d'un c.,* with one accord, 58:14; coratges, hearts, 52:5.

choreg, leather strap, 17:10.

coreguda, overrun, 67:16.

corniliol, bearing immature fruit (?), 26:12.

coroborar, corroborate, 33:23.

corp, crow, 59:38.

corps, body, 12:8; corpus, bodies, 15:3.

corre, run, overrun, 21:30; **coreguda,** 67:16; **correc(h),** 3 pret., 51:46, 52:22.

corredriu, broker, pedlar (f.), 34:29.

corredures, commission paid to a broker or middleman, 34:7.

correges, leather straps, belts, 34:29.

corribla, legal tender, current, 53:34.

cors, body, 22:4; bodies, 15:107; **corses, corsos, corsses,** 41:38, 47:35, 20:83.

chort, court of law, 19:46.

ços, the, 19:37.

cosas, choses, things, 24:2, 19:36.

cosingerma, cousin, 67:57.

cosos, bodies, 74:36.

cossceyl, council, 45:42.

cossegre, attain, acquire, 65:66.

cossegues, tickling, 76:41.

cosses, goods, 42:50.

costa, beside, near, 41:61.

costas: *a c.*, on his shoulders, 51:29.

costoida, cared for, 21:53.

costreyer, urge, 52:51; **costreny** (3 pr.), strains, 44:28.

costum (f.), custom, 28:6.

cot, (boundary) stone, boulder, 36:5.

coton, cotton, 40:16.

cotre, four, 72:29.

coupable, guilty, 35:70.

coura, copper, 63:21.

coutel, knife, 25:17.

cova, hamper, basket, 17:7.

covenenza, alliance, complicity, 18:47.

[COVENIR = CONVENIR], agree, be fitting or necessary: **cové** (3 pr.), 61:25; *id.*, (refl.), 53:42; **coven** (3 pr.), 42:12; **coveng** (3 pret.), 14:14; **quovengudes,** 15:71.

covent, convent, chapter, 18:3.

covidar, invite, ask, 71:6; **covidá** (3 pret.), 43:40; **covidats,** 71:23; **covidave** (3 imp.), 59:12.

covinens, suitable, suficient, 42:56; **covinent,** proper, needful, 37:12.

covinentment, suitably, 42:13.

coyre, copper, 40:16.

coytás, s.v. [CUYTAR].

coze, thing, 35:87, 37:24.

creats, etc., s.v. [CREURE].

[CRÉIXER], increase, 31:19 (trans.); **creegua** (3 pr. subj.), 37:25; **creix** (3 pr. trans.), 68:19; **crescuts** (p. p. sing.), 65:19; **crexen** (6 pr. trans.), 70:16; *id.* (intrans.), 44:73; **crexent** (pr. part. trans.), 70:38; **crexer** (inf. trans.), 42:18; *id.* (intrans.?), 61:58.

[CREMAR], burn: **crem** (3 pr. subj.), 42:65; **cremans** (p.p.), 18:45.

crescuts, s.v. [CRÉIXER].

cresedor, believable, 41:34.

cresegí, s.v. [CREURE].

cresp, curly-haired, 56:27.

crestay, crystal, 63:41.

crestia, crestiana, crestians, christian, 39:70, 73:92, 53:16.

[CREURE], believe: **creats** (5 pr. subj.), 23:33; **crech** (1 pr.), 65: 57; **credeg** (3 pret.), 20:90; **creetz** (5 pr.), 61:11; **crehie** (3 imp.), 59:13; **cresegí** (1 pret.), 46:65; **cretre,** (inf.), 20:33; **creu** (1 pr.), 65:24; **crezeg** (3 pret.), 20:88; **crou** (1 pr.), 39:31.

crexen, etc., s.v. [CRÉIXER].

creximent, addition, 62:62.

creyat, created, 69:6.

crez, ?, 54:10.

crezeg, s.v. [CREURE].

criament, upbringing, 65:31.

[CRIDAR], call out (to): **cridá** (3 pret.), 46:45, 68:36; **cridam** (4 pr.), 41:14; **cridan** (pr. part.), 41:8.

christia, christian, 20:4; **cristiaus** (pl.), 48:43.

[CROAR = CREUAR], mark with a cross: **croades,** 45:36; **croará** (3 fut.), 45:36.

crobrir, clothe, 72:56.

crou, cross, 35:8.

crou, s.v. [CREURE].

cruell, cruel, 69:47.

crusha, raw, uncured, 40:9.

cruseltat, cruelty, 41:44.

cruu, naked, 61:48; uncured, 40:10.

ct., for *quintar,* 34:3.

cubello, tub, 5:15.

cubert, cuberta, cubertes, cubertz, covered, concealed, clad, 44:13, 57:31, 56:58, 44:19.

cubertes, bedspreads, 40:2.

cubertor, lid, 63:14.

cubo, tub (for treading grapes), 5:15, 5:37; **cubs,** 11:13.

cui, the person to whom, 10:5; to whomever, 10:11; whom, 16:10; **chui,** 12:4; **chuit,** 14:21; **cuy** *se vullya,* anyone at all, 42:48.

[CUIDAR], think, intend, try: **cuidá** (3 pret.), 18:42; **cuidan** (6 pr.), 20:80; **cuyda** (3 pr.), 68:19; **cuydá** (3 pret. refl.), 59:2; **cuydar** (inf.), 59:61; **cuydats** (5 pr.), 61:4; **cuydava** (1 imp. refl.), 75:23; **cuydaven** (6 imp.), 51:22; **cuyt** (1 pr.), 59:36.

cuinent: *tost e c.,* very willingly (?), 76:55.

chuit, s.v. **cui.**

culgar, hide, go to bed, 76:54.
cum, when, since, 58:44; *cum en ayxi,* even so, 58:40.
cumplidament, fully, 47:55.
çuna, false doctrine, 75:23.
cunctiis, by all, 30:1.
cunils, rabbit-skins, 34:14.
cunta, all, 26:19.
cur, hide, 40:13, 40:15.
curam, skins, 40:3.
cussogues, tickling, 76:41.
cussura, cusura, tax levied on cereal produce, 38:29, 38:11.
custuma, custom, 42:28.
cusura, s.v. cussura.
cutibut, ?, 75:41.
cuxes, quarters, thighs, 70:11.
cuy, s.v. cui.
cuyda, etc., s.v. [CUIDAR].
cuyeres, spoons, 25:11.
cuyes, oil reservoirs, 63:26.
cuyeser, rack or recipient for spoons, 25:8.
cuylí (3 pret.), gather, 43:22.
cuyro, hide, 63:8.
cuyt, s.v. [CUIDAR].
cuyta, cooked, 53:73.
cuytadament, quickly, hastily, 58:19.
[CUYTAR = CUITAR], hurry, hasten: coytás (3 imp. subj. refl.), 47:24; cuyta (3 pr. refl.), 37:21; cuytats (imperat.), 47:27; cuyten (6 pr.), 68:76.
cuytat, quick, 56:81.
cuytosament, quickly, 52:27.
czessum, land rent, or payment in kind, 26:16.
czo que, that which, 26:14; which thing, 29:13.

D

·d (for *ad*), to, 9:10; (MCat. *et*), you, 78:4.
d, d., for *de,* 20:39, 27:48; for *diners,* 39:54.
da nitz, at night, 53:41.
da, etc., s.v. [DAR].
dalfins, dolphins, 68:64.
damnum, harm, 15:21.
damonditz, aforementioned, 50:18.
damont, above, 45:46.
dampnacio, damnation, 69:47.
dampnatge, harm, 70:19.
dan, injury, 29:12; loss, 49:38.
dant, s.v. [DAR].
dapnada, dapnat, damned, 32:6, 71:63.

[DAR], give : da (imperat.), 32:12; dada, 56:11; dades, 50:2; dant (pr. part.), 65:46; dar...an (6 fut.), 53:35; dar...han (id.), 71:31; dar...he (1 fut.), 73:94; darán (6 fut.), 60:53; daré (1 fut.), 7:17; darem (4 fut.), 35:91; daria (1, 3 cond.), 46:28, 20:64; darie (3 cond.), 27:9; dariem (4 cond.), 47:49; dat, 42:48; datz (imperat.), 62:22; dau (id.), 71:37; daz (p. p. pl.), 36:12; des (3 imp. subj.), 21:15.
dart, spear, javelin, 46:12.
dat, etc., s.v. [DAR].
daun, harm, 36:29.
daval, below, 38:44.
davala, s.v. [DEVALLAR].
davem, s.v. [DEURE].
day d'esbarzerar, hedging knife, 63:6.
daya, s.v. [DIR].
dayla (for *dolla*?), socket in head of tool for inserting a handle, 63:10.
daynatels, deerskins, 34:14.
daz, s.v. [DAR].
de, than, 39:54.
debans, before, 57:14.
deben, s.v. [DEURE].
deberem, for L. *debere,* 2:3.
deç, of the, 44:63.
dech, s.v. [DEURE].
deceber, deceive, 7:5; deceberé (1 fut.), 7:5; dedebré (1 fut.), 15:2; deseubutz, 35:22; dezebré (1 fut.), 15:35; dezebrei (id.), 15:59.
decendit (3 pr.), descend, 13:12.
deceptio, deception, 12:3.
decimum, tithe, 14:46.
[DECLINAR], tend, incline, 77:12; declinan (pr. part.), 44:3; declinants (id. pl.), 56:37.
decontinent, forthwith, 73:49.
dedebré, s.v. deceber.
dedignant, indignant, 42:7.
dedmandaré, s.v. [DEMANAR].
dedme, tithe, 33:32.
deel, of the, 33:29.
deenbre, December, 72:90.
deheset, seventeen, 63:39.
defalhiment, lack, omission, 62:32.
defallissen (6 imp. subj.), fail, 64:67.
defendere, defend, 7:8.
[DEFENDRE], defend : defena (3 pr. subj.), 41:31; defenen (pr. part.), 36:22; defés (3 pret.), 43:30; deffen (3 pr.), 44:18.
defenescha (3 pr. subj.), renounce, 8:11.
defeniment, deprivation of rights, 19:36.

defenso, defence, 39:35.
deffen, s.v. [DEFENDRE].
defito, definite, 2:10.
defor, defores, outside, 39:53, 35:105.
defunt, deceased, 16:4.
dega, etc., s.v. [DEURE].
degu, degun, deguna, any, 36:15, 36:25, 28:14, 58:49.
deincebs, henceforth, 15:97.
deiscebant (6. imp.), open, 78:42.
deja, etc., s.v. [DEURE].
[DEJUNAR], fast: **dejuná** (3 pret.), 20:28; **dejunasem** (4 imp. subj.), 20:32.
del (for *de la*), of the, 28:20.
deliberam, s.v. **deliurar.**
delibere (1 pr. refl.), decide, 75:10.
delicatorum gule, of gourmands, 78:43.
deliurar, free, hand over, 41:1; **deliberam** (1 fut.?), 15:100; **deliurada,** 31:8; **deliurás** (3 imp. subj.), 41:6; **deliuratz,** 41:2.
deliures, free, 22:12.
delliberava (1 imp.), think, 75:3.
deman, tomorrow, 52:55.
[DEMANAR], require, ask (for): **dedmandaré** (1 fut..), 6:7; **deman** (3 pr. subj.), 27:48; **demaná** (3 pret.), 24:23; **demanam** (4 pr.), 41:7; *id.* (4 pret.), 47:41; **demanatz** (5 pr.), 62:38; **demanda** (3 pr.), 10:26 — or pr. subj.? ; **demandá** (3 pret.), 21:22; **demane** (3 pr.), 33:30; **demanen** (6 pr. subj.), 37:34; **demanne** (3 pr.), 28:15; **demans** (2 pr. subj.), 37:32; **demenar** (inf.), 60:54.
demati (in the) morning, 74:1.
demenar, s.v. [DEMANAR].
demont, above, 69:21.
demontdita, aforementioned, 42:107.
demunt, above, 48:15.
denant, before, 39:60; *al d.*, forwards, 70:11; **denante,** 10:56.
denantera, vanguard, 47:5.
deners, pence, denarii, 26:16.
denolhos: *de d.*, on one's knees, 58:46.
dentro que, until, 35:73.
denunciá (3 pret.), announce, 52:33.
denz, inside, 36:18.
deodicata, nun, 3:7.
departid, sorted out, 29:16.
depuix, afterwards, 71:3; **depus,** after, 23:4; *d. que,* id., 29:15; **depuys, depuyx,** 52:19, 48:23.
derecta, true, 7:3.
derrer, last, 58:38; ultimate, 73:75.
derrerament, lately, 64:14.
derrerana, last, 49:39.

derrocà (3 pret.), knock down, 68:41.
des, s.v. [DAR].
desamistança, ill will, 56:75.
desavuyt, eighteenth day, 72:31.
descals (m. pl.), unshod, 35:7.
descalsassen (6 imp. subj.), remove ones shoes, 61:13.
descansse (3 pr. subj.), rest, 79:29.
descauces, unshod, 48:1.
desconortada, dismayed, 47:75.
[DESCUBRIR = DESCOBRIR], reveal, betray: **descubertes,** 73:68; **descubrirei** (1 fut.), 15:85.
desencolpat, exonerated, 46:31.
desesper (1 pr. refl.), despair, 44:70.
desestruchs, ill-starred, 61:47.
deseubutz, s.v. **deceber.**
[DESFER], destroy, deface, repair or compensate, 36:23; **desfassa** (3 pr. subj.), 45:38; **desfeita,** 18:4; **desferen** (6 pret.), 18:62; **desfetes,** 49:38.
desfiar, desfidar, withdraw allegiance from, 77:11, 10:16.
desgarnescam (4 pr. subj. refl.), take off armour, 39:8.
desguiat, deficient, underdone, 66:38.
desigat, longed-for, 79:25.
[DESIJAR = DESITJAR], desire, want: **desig** (1 pr.), 72:79; **desigant** (pr. part.), 77:18; **desigat,** 79:25; **desige** (1 pr.), 73:33; **desija** (3 pr.), 59:45; **desijada,** 73:87; **desijaria** (3 cond.), 59:46.
desijos, desirous, 39:43.
[DESIRAR = DESITJAR], desire: **desiran** (pr. part.), 46:3; **dezira** (3 pr.), 35:102.
desix (3 pr. refl.), get out of, 75:52.
desjuny (3 pr. refl.), spring seams, 68:96.
desmantenc (3 pret.), withdraw support from, 21:18.
desmembre (3 pr. subj.), be forgotten, 72:23.
desmentist (5 pret.), contradict, 14:42.
desonor, dishonour, 33:7.
desotz, below, 29:20.
despagats (s.), displeased, 43:26.
despartava, s.v. [DESPERTAR].
despegats (s.), displeased, 60:6.
[DESPERTAR], awaken: **despartava** (3 imp.), 52:4; **despertá** (3 pret.), 41:68.
desplasent, unpleasing, 56:27.
despleer, displeasure, 60:25.
despuis que, since, 64:13.
[DESPULLAR], undress, deprive of clothing: **despulada,** 72:51; **despulat,**

35:19; **despullen** (6 pr. subj. refl.), 70:31.

despuys, afterwards, 60:46; *d. que*, after, 66:12; *id.*, since, 72:14.

dessa, on this side, 58:41.

[DESTIL·LAR], shed: **destillaven** (6 imp.), 79:39; **destillen** (6 pr.), 73:111.

destralls, axes, 51:41.

destrempat, diluted, 70:37.

destriale, axe, 3:21.

destriboir, distribute, 49:6.

destrig, oppression, 27:47.

destrouir, destroy, 51:49; **destroescha** (3 pr. subj.), 42:104; **destroueix** (3 pr.), 44:52; **destroescha** (3 pr. subj.), 42:65; **destrouit**, 54:18; **destroyda**, 73:106.

destrouidores, destructive, 77:10.

desus, above, 21:41.

desvedads, etc., s.v. **devedar**.

Det, God, 30:3.

determena (3 pr.), interpret, 56:62.

detras, behind, 43:45.

deume, tithe, 33:29.

deurades, golden, 77:40.

[DEURE], be obliged to, to 'must' or 'ought', to owe — and frequently also with a purely auxiliary sense: **davem** (4 pr.), 57:24; **deben** (6 pr.), 36:23; **dech** (1 pr.), 62:9; **dega** (3 pr. subj.), 49:37; **degés** (3 pluperf. subj.), 20:31; **degre** (3 cond.), 19:5; **deguessen** (6 imp. subj.), 52:52; **deja** (3 pr. subj.), 34:12; **dejas** (2 pr. subj.), 62:39; **devems** (4 pr.), 26:5; **deven** (6 pr.), 19:40; **devie** (3 imp.), 27:11; **deyats** (5 pr. subj.), 50:11, 61:21.

Deus, God, 20:34; **deus**, ten, 70:53.

deute, blood ties, 75:28.

[DEVALLAR = DAVALLAR], descend, dismount: **davala** (3 pr.), 45:13; **devalá** (3 pret.), 54:15; **devalats**, 39:34; **devalla** (3 pr.), 70:45; **devallant** (pr. part.), 79:52; **devallave** (3 imp.), 71:36; **devallets** (5 pr. subj.), 68:47.

devant, before, 46:46; *d. ditz*, aforesaid, 29:25; *de la part de d.*, in front, 56:40.

devedament, denial, 15:21.

devedar, refuse, deny due service or aid: **desvedads**, deprived of their rights, 18:52; *no·m* **desvedarei**, I shall not refuse you your due, 15:77; **devedaré** (1 fut.), 15:31; **devedarei** (id. refl.), 12:13; **devetare** (inf.), 6:4; **devetaré** (1 fut.), 6:4.

devems, etc., s.v. [DEURE].

deves, to, 23:14; near, 45:15.

devesir, **devessir**, distinguish (between), 41:27, 41:77.

devetare, etc., s.v. **devedar**.

devie, s.v. [DEURE].

dex, defence-works, boundaries, 36:17; **dexs**, 36:5.

dexar, leave, desist, permit, 76:39, 77:7; **dexa** (3 pr.), 73:109; **dexará** (3 fut.), 73:110; **dexen** (6 pr.), 72:67.

dexembles, disciples, 48:21.

deximflada, subsided, 47:74.

dexondar, awaken, 76:23.

deyats, s.v. [DEURE].

dez, MCat. *del*, 18:48.

dezebré, etc., s.v. **deceber**.

dezira, s.v. [DESIRAR].

dezme, tithe, 20:82.

diabla, **diabolo**, devil, 61:8, 20:28.

dias, lifetime, 10:42; *de d.*, by day, 55:6.

dicit, for L. *dici*, 3:26.

die lunis, Monday, 10:61; *die mercoris*, Wednesday, 10:61; *tan bon die*, well done!, 58:39.

difugi, excuse, 44:71.

digous, Thursday, 74:25.

diluns, Monday, 23:4; *els d.*, the Monday, 46:5; **dilus**, 74:27.

dimars, on Tuesday, 74:27.

dimenge, Sunday, 27:24.

dimens venerit, were to die, 9:7.

diminucio, short measure, 66:27.

dimiserit (3 fut. perf.), bequeath, 15:9.

dineres (for *diners*?), pence, denarii, 17:10; **dinés**, 34:18.

diputatz, suitable, permitted, 62:5.

[DIR], say, speak, tell, ask, call or name: **daya** (3 imp.), 57:54; **dehia** (id.), 59:9; **deim** (4 pr.), 28:25; **deits** (5 pr.), 39:8; **deiye** (3 imp.), 54:20; **desia** (3 imp.), 46:29; **dexist** (2 pret.), 14:43; **deya** (3 imp.), 39:25; **deyem** (5 imp.), 47:40; **deyen** (6 imp.), 54:6; **deyts** (5 pr.), 47:8; **deytz** (id.), 62:38; **dezie** (3 imp.), 20:15; **dezim** (4 pr.), 20:73; **di** (imperat.), 20:37; **dia** (3 imp. refl.), 67:19; **dict**, 14:23; **dicta**, 31:8; **did** (p. p. masc. pl.), 50:17; **dien** (6 pr.), 27:36, 70:43; *id.* (6 pr. subj.), 37:34; *id.* (6 imp.?), 67:20; *id.* (pr. part.), 41:25; **diens** (id.), 41:8; **diets** (5 pr.), 71:42; **dig** (1 pr.), 23:10; **diga** (1 pr. subj.), 62:58; *id.* (3 pr. subj. refl.), 62:41;

digats (5 pr. subj. — imperat.), 47:28; **digatz** (5 pr. subj.), 50:28; **digau** (imperat.), 71:47; **digen** (6 pr. subj.), 49:12; **digué** (1 pret.), 72:12; **diguem** (4 pret.), 74:37; **digués** (5 pret.), 71:17; **diguessets** (5 imp. subj.), 61:18; **diguesseu** (id.), 73:38; **diguí** (1 pret.), 60:37; **diretz** (5 fut.), 24:11; **dis** (3 pret.), 21:2; **dit** (3 pr.), 20:21; **ditas**, 57:55; **ditz**, 29:25; **dix** (1, 3 pret.), 27:6, 20:16; **dixem** (4 pret.), 47:20; **dixeran** (6 pret.), 57:40; **dixeren** (id.), 27:13, 39:13; **dixerent** (id.), 21:55; **dixés** (3 imp. subj.), 46:51; *id.* (id. or pluperf. subj.), 44:71; **dixí** (1 pret.), 46:66; **dixren** (6 pret.), 23:3; **diz** (3 pr.), 36:33; **dizien** (6 imp.), 21:51.

directa, directam, true, 6:9, 12:11; *de* **directe,** utterly, 64:51; *facere* **directum,** make due reparation, 14:4; *per* **directo,** according to law, 10:58; *per directum,* 8:7.

direta, true, 9:11.

disapte, on Saturday, 50:29.

discerno (1 pr.), decree, 11:3.

discorre (3 pr.), run through, 68:64.

discurente, flowing, 3:15.

disformat, deformed, 61:61.

disisexen (6 pr. refl.), be adjudged, 77:35.

dispositions, plans, 44:74.

dissapte, on Saturday, 46:75.

dit: *a dit,* as decreed, 36:16.

[DITAR = GITAR], eject: **ditans** (p. p. pl.), 18:22; **ditas** (id.), 18:24.

diuit, cretonne, 17:4.

diumenche, Sunday, 67:2.

divenres, Friday, 27:24.

divinal, divine (writings?), 75:8.

divinitad, divinity, 20:91.

dixerit, for C.L. *dixit,* 21:48.

diyous, on Thursday, 60:3.

do, s.v. [DONAR].

dobla (adj.), double, 63:28.

dobla, doble (subst.), half of a fine totalling twice the amount of damage caused, 42:72, 42:107.

docs (MCat. *doncs*), then, therefore, 20:55.

does, two, 40:3.

doia, socket, holder, 63:41.

dolents, unfortunates, 61:44.

dols, dolsa, sweet, 32:26, 57:43.

domenga, lordly, 20:74.

domengadures, demesnes, private domains, 19:53.

domenge, overlordship, 14:11; private domain, 19:19.

domentre que, as long as, 21:49.

dominicatura, dominicaturas, demesne, private domain, 19:7, 19:11.

dominice, of Our Lord, 22:21.

domna, lady, 3:7.

domnegadura, demesne, private domain, 15:5.

domno, domnus, lord, 8:8, 14:1.

dompna, lady, 32:28.

domum, monastery, 11:7.

don, lord, 22:6; injury, 15:23.

donacione, gift, 3:26.

[DONAR], give, strike a blow, take part in: **do** (1, 3 pr. subj.), 78:33, 34:30; **don** (1 pr.), 33:20; *id.* (3 pr. subj.), 46:73; **doná** (3 pret.), 10:67; **donad,** 19:28; **donads,** 14:28; **donam** (4 pr.), 26:10; *id.* (4 pret.), 47:67; **donams** (4 pr.), 26:14; **donaren** (6 pret. refl.), 18:60; **donás** (5 pret.), 41:40; *id.* (3 imp. subj.), 27:8; **donassetz** (5 imp. subj.), 35:43; **donats** (5 pr.), 39:29; **donau** (id.), 73:34; **donavit** (1 pret.), 14:17; **doné** (id.), 14:11; **donen** (6 pr. subj.), 28:44; **donessem** (4 imp. subj.), 21:40; **donetz** (5 pret.), 41:42; **doní** (1 pret.), 60:36.

donatores sumus, we give, 13:3; **donatrix,** 3:1.

donces, donchs, donques, therefore, 20:87, 59:50, 52:26; *si* **donches** *no,* unless, 55:25, *si donchs no,* id., 66:8; *si* **dons** *no,* id., 55:31.

dons, lord, 14:14.

dos, gift, 32:26; back, 47:16.

douç, douça, sweet, 34:9, 32:20.

dousor, sweetness, 35:42.

doute, debt, 39:50.

dr., for *diners,* 34:20.

drach, serpent, 75:60; *d. calcatriç,* cockatrice, 75:50.

draperia, cloth, 34:17.

drapos, linen, 5:40.

[DREÇAR], put right, make straight, raise: **dres** (3 pr. subj.), 37:7; **dresá** (3 pret.), 59:58; **dressar** (inf.), 37:6.

dreit, right, due, 31:8; *d. li fezés,* would give him his due, 21:23; *que·l faça seder a d.,* that his right be recognised, 31:17; **dreiz,** 21:20.

dressar, s.v. [DREÇAR].

dret que avie fermat: cf. Rodón, *firmare directum* 'dar garantías de cumplir en justicia'; *entro aja feit d.,* until he has made due reparation, 29:37 — cf. Rodón, *di-rectum.*

drit per paran, faithfully (?), 36:30.

drs., for *diners,* 55:7.

duas, two, 58:29.

[DUBITARE = LLEGAR], bequeath: **du-bitará** (3 fut.), 10:30; **dubitaretes** (5 fut.), 7:15; **duvitaverint** (6 fut. perf.), 10:5; **dubitaverit** (3 id.), 10:8; **dubtarás** (2 fut.), 9:10. Cf. Rodón, *dubitare.*

dubte (1 pr. refl.), doubt, 61:55.

duch, duke, 39:3.

dupte: *he d.,* I fear, 62:8.

durá (3 pret.), last, 54:4.

durade, length, 77:3.

dus tant...che, twice as much as (?), 19:55.

dz., for *diners,* 60:47.

E

e, é, he, s.v. [HAVER] and [ÉSSER].

e, he (conj., prep., etc.): and, 2:12; for *a,* 19:56, 37:10, 38:11, 55:3, 60:10, 60:16; nor, 31:16; *e·l,* to the, 18:31; *he·l,* in the, 28:8; *e·ls,* in the, 19:25; **eʒ,** and, 20:12.

·e (for *ne*), thence, 27:15.

e', for *en,* 23:27; **ê'** (for *e en*), and in, 19:10.

-e, for L. desinential *-ae,* 58:1.

he, hey!, 71:47.

ea, and, 24:20.

ec, this, 3:22; **hec,** id., 10:1; these, 10:36.

ecclesia, church, 11:9; **ecclesie** (gen.), 4:19; *id.* (acc.), 28:45; **eclesia,** 20:71.

ecclesiastica, ecclesiastical, 52:18.

eclipsi, eclipsis, ellipsis, 62:30.

ed, and, 27:41.

edificavi (1 pret.), build, 3:9.

hedoben, s.v. [ADOBAR].

Efatus, Effatus, 35:85, 35:92.

efficiat: *extraneus e.,* let him be ex-pelled, 4:19.

efre, within, 15:73.

efrontacions, bounds, 26:13.

eglesia, church, 18:68.

egritudine, sickness, 11:1.

egual: *en e. de,* just like, 73:79; *mal eguals,* irregular, 56:28.

eissir, s.v. exir.

el, hel (MCat. *ell*), he, 8:14, 28:13; him, 14:10, 28:16; **els,** they, 18:61; them, 18:55, 33:15 (post-poned without prep.).

el (for *e*), and, 20:63; (for *al*), to the, 53:28.

ela (MCat. *ella*), she, 21:53; her, 24:17; it, 44:19; **elha,** 53:28; **eles,** them, 18:75; they, 42:55; **ellas,** 61:52.

[ELEGIR], choose: **alegir** (inf.), 56:7; **alet,** 44:21; **elegutz,** 41:37; **elets,** 42:16.

elemosinarii, executors, 11:3.

eless, same, 27:18.

elets, s.v. [ELEGIR].

elevocio, elevation, 41:38.

elex, self, 20:3.

elimi, ?, 27:29.

ell, the, 70:9.

ellas, s.v. ela.

eltrum, hilt (?), 4:8.

em (for *en*), into, 23:10; on, 29:18; in, 39:38.

em, s.v. [ÉSSER].

emacipea, youth, 20:14.

embaxados, ambassadors, 67:27.

[EMBLAR], sieze, steal: **emblá** (3 pret.), 21:33; **emblás** (3 imp. subj. refl.), 51:54.

embriach, drunk, 78:1.

emena, emenda, reparation, 10:66, 10:70.

emendar, make reparation, compen-sate, 20:81; **emenat,** 29:14; **emendat,** 15:23; *id.* (3 pr.), 10:74; **emende** (id.), 10:59; **emendet** (3 pr. subj.), 8:6. Cf. [ESMENAR].

emfr', between, 38:18; **emfre** (with)-in, 29:9.

emigros, annoying (?), 78:31.

empacha (3 pr.), hinder, 78:20.

empeguit, ashamed, 78:25.

empendrá (3 fut.), undertake, 79:22.

emperadril, empress, 67:34.

empres, moreover, 36:32.

emtores, purchasers, 2:1.

en, (in)to, 20:41; about, 24:11; to, 37:24; with, 67:24; *en aixi,* thus, 20:28; *en aixi que,* so that, 45:20; *en amagat,* secretly, 58:35; *en apres,* afterwards, 20:29; *en pero,* however, 58:21; *de V en VI,* be-tween five and six, 63:20.

ená, s.v. [ANAR].

enans, but rather, 35:78; before, 46:71.

enant, henceforth, 12:9; *a enant,* la-ter on, 21:33; *d'aci enant,* hence-forth, 42:36; *d'aqui e.,* thereafter, 29:7; **pus enant,** higher, 30:11.

enapo, goblet, 5:16.

enapres, then, after, 20:34.

(h)enar, s.v. [ANAR].

enaxi, so, 35:73; meanwhile (?), 54:17.

enayguat, paralysed in the legs, 70:22.

enbarch, let or hindrance, 36:11.

enbles, pack-animals, 35:17.

enchanno, deception, 6:9.

encant (3 pr. subj.), auction, 34:22.

enchara, moreover, 19:47; encare, 44:28; still, 57:27; yet, 72:14; *e. que,* even if, 61:60; ·ncara, 70:12; ·nchara, 19:24; ·nquara, 49:20.

encaste (3 pr. refl.), penetrate into, adhere, 70:45.

encems, same, 42:51.

encenç, incense, 44:42.

encerquada, s.v. ensercar.

enclausa, enclosed, 45:5; enclausi (m. pl.), shut up, 41:52; enclus, 44:22.

encolpat, blamed, 46:17.

encombrats, hindered, 16:2.

encontra: *al-e.,* adversely, against, 39:18.

encontrá (3 pret. refl.), come across, 46:9; encontrat, greeted (?), 68:39.

ende, concerning it or them, in this matter, 6:4; ·nde, 10:66.

endressar, direct, correct, 56:14; endrez (3 pr. subj. refl.), 18:59.

enduraex (3 pr.), make hard, 44:29.

enemichs, enem·gs, enemies, 79:11, 20:52.

enfan, prince, child (?), 32:30.

enfantil, childish, 41:37.

enfelloniren (6 pret.), make angry, 68:59.

enfermetat, infirmity, 41:30.

enflamar, inflame, 44:18.

enfre, within, 16:3; between, 35:103; *e. tots ços altres,* all the others put together, 19:37.

engalment, equally, 36:23.

engan, enganno, engano, deception, treachery, 10:44, 9:3, 7:3.

enganar, deceive, betray, 20:80; enganaré (1 fut.), 15:8; enganassem (4 imp. subj.), 20:79; enganat, 41:46; enganatz, 35:21; engane (3 pr.), 20:80; engannarei (1 fut.), 12:14; engannarems (4 fut.), 15:49; enguanar (inf.), 41:26; enguanatz, 41:28; ·ngana (3 pr.), 65:31.

[ENGENDRAR], be born, procreate: engenratz, 41:18; ·ngenrara (3 pluperf.), 75:71.

engien: *mal e.,* treachery, 12:3.

engoixes, distress, 64:10.

engrossá (3 pret.), swell, 47:71.

enguanar, s.v. enganar.

enguens (s.), ointment, 43:56; enguent, 43:46.

enguila, eel, 68:97.

enla: *ad. e.,* onwards, 8:2.

enlegás (3 imp. subj.), defile, 66:34.

enlex, self, 37:6.

enlumenadors (for *enlumenats*?), illumined, 41:12.

[ENPARAR = EMPARAR], take control of: enpará (3 pret.), 21:1; enparé (1 pret.), 27:37.

enpaubritz, impoverished, 35:28.

enpero, none the less, 58:50.

enquestions, claims, 28:20.

enrequit, enriched, 35:51.

ensemps, at the same time, 79:34.

ensercadors, investigators, 35:86.

ensercar, examine, investigate, 35:84; encerquada, 28:33; ensercam (4 pr.), 35:90.

enseyá (3 pret.), teach, 59:35.

enseyament, teaching, 37:10.

enseynada, bred, 32:1.

entallectualment, with the intellect, 35:71.

entant, whereupon, 47:29.

entencio, aim, 35:77.

[ENTENDRE], understand, hear: entena (3 pr. subj.), 35:77; entenguen (6 pr. subj.), 79:34; entesa, 51:53; entesas, 62:33.

entenedor, to be understood, 41:36.

enteniment, opinion, intentions, 44:62.

entensio, intention, 50:7.

entiligible, endowed with intellect, 56:55.

entira: *ab e. memoria,* with faculties unimpaired, 49:2; entirs, whole, 40:11.

cntr', between, what with, 18:75.

entracambiadament, mutually, 77:41.

entrametria (1 cond. refl.), intervene, 46:67.

[ENTRAR], enter, embark upon: antra (3 pr. subj.), 55:6; antrá (3 pret.), 57:2; antrat, 57:4; entr' (3 pr.), 43:18; entra (3 pr. subj.), 55:10; entrá (3 pret.), 52:28; entram (4 pret. refl.), 47:70; entran (6 pr. subj.?), 20:22; entrassem (4 imp. subj.), 47:3; entre (3 pr.), 44:11; entré (1 pret.), 35:48; entrets (5 pr. subj.), 59:30; intrar (inf.), 43:43.

entrebonir, whisper, 78:35.

entrement, meanwhile, 67:33.

entresteix (3 pr. refl.), become melancholy, 79:14.

entro, until, 14:35; up to, 20:81; *e. a,* within, 42:61; as far as, 45:8; *e. que,* until, 45:52.

enug, inconvenience, 23:21.

enujar, disturb, displease, 52:31 (refl.); **anuge** (1 pr.), 77:6.

envadie (3 imp.), invade, 36:19.

enventari, inventory, 49:35.

enventiva, inventive, 35:113.

enveya (for *enveyá*), envy (3 pret.), 43:12.

[ENVIAR], send: **enviá** (3 pret.), 21:10; **enviassets** (5 imp. subj.), 23:6.

enza, until now, 18:53; *de un an e.,* after one year, 21:4.

epereyen, s.v. [APARELLAR].

epres, near, 45:10.

equela, that, 21:7.

hequexa, that, 60:9.

erba, grass, 55:30; *e. moyl,* meadow grass, 44:40.

ercudeles, bowls, 17:8.

hereat (for L. *haereant*), hit (3 pr. subj.), 78:34.

eredes, eredibus, heirs, 3:13, 2:21.

ereditare, inherit, 5:12.

eremos, eremum, uncultivated, 15:30, 5:31.

eretad, inheritance, 26:22.

ereu, heir, 49:32.

ergul, pride, 20:68.

ergulosos, erguylos, proud, 41:18, 52:25.

eri (1 fut.), be, 9:4.

hermades, armed, 60:18.

ermenis, ermines, 40:7.

hermes, uncultivated, 19:25.

errás (3 imp. subj. refl.), turn out badly, 73:57.

es, the, 47:16.

esbaleien (6 imp. refl.), be fear-stricken, 41:18.

esbarzerar, hedge and ditch, 63:6.

escalfe (1 pr. refl.), warm, 78:2. Cf. [CALFAR].

escalla, escalles, ladder, 51:36, 51:21.

escalverament, unhorsing, 42:5.

[ESCAMPAR], scatter: **ascampades,** 57:7; **escampats** (s.), 43:63; **escampe** (3 pr.), 71:12.

escaris, ?, 33:30.

escars, mean, 56:78.

escolat, schooled, 64:62.

[ESCOLTAR], listen to: **escoltassen** (6 imp. subj.), 47:45; **escoltau** (5 pr.), 75:32.

escrito: *per e.,* in writing, 8:11.

[ESCRIURE], write: **escrigí** (1 pret.), 72:49; **escrischés** (3 imp. subj.), 24:17; **escrisqueren** (6 pret.), 53:20; **escrisqués** (3 imp. subj.), 24:16; **escrite** (f.), 72:39; **escritz,** 29:20; **escriurer** (inf.), 67:12; **escrivau** (5 pr. subj.), 60:15; **iscripsi** (1 pret.), 2:31; **scrit,** 60:59; **scrita,** 16:4; **scriure** (inf. subst.), 76:57.

escrivan, scrivener, 49:36.

escudeles, bowls, 25:11.

escura, hidden, obscure, 65:63; dim, 79:37.

escurçona, she-viper, 75:57.

[ESCUSAR = EXCUSAR], excuse, avoid: **escusa** (3 pr.), 62:28; *id.* (3 pr. refl.), 56:75; **escusatz** (s.), 50:26.

[ESDEVENIR], occur, befall: **asdevandrá** (3 fut.), 57:50; **asdevangut,** 57:10; **asdevenga** (3 pr. subj.), 57:36; **esdevench** (3 pret.), 51:23; **esdevengut,** 46:24.

esforçada, staunch, 79:2.

esgarrá (3 pret.), mutilate, wound, 21:11.

esglea, esgleia, esgleria, esgleya, esgleyes, esgleyses, church, 54:2, 33;14, 18:10, 35:79, 52:3, 35:23.

esguart, countenance, 56:28; look, eye, 56:41.

esmaginar, imagine, 69:8.

esmaginatiu, contemplative, imaginative, 56:78.

esmayás (3 imp. subj. refl.), be dismayed, 47:70.

[ESMENAR], make reparation, compensate: **asmen** (3 pr. subj.), 55:11; **esman** (id.), 55:19; **esmen** (id.), 55:7; **esmenades,** 28:28; **esmenarem** (4 fut.), 47:55. Cf. **emendar.**

esmortesidament, lifelessly, 58:43.

heso, that, 60:5.

espacifica (3 pr.), give specific form to, 35:106.

espales, espalla, espalles, espatles, shoulders, 70:34, 28:5, 28:16, 79:43.

espatleres, jerkin, 44:17.

espau, space, 70:7.

[ESPERAR], (a)wait, expect; **esper** (1 pr.), 72:65; **espes** (2 pr. subj.), 69:40; **sperant** (pr. part.), 68:30; **sperats** (imperat.), 68:36; **sperava** (3 imp.), 68:31; **spere** (1 pr.), 75:11.

espes, thickly, 53:60; **espesses** (m. pl.), thick, 43:54.

espich, lavender, 34:4.

espirad, espirat, imbued, inspired, 20:58, 54:33.

espiramentz, vents, 44:23.

espirava (3 imp.), expire, disappear, 68:90.

espirayls, vents, 44:24.

espirit, spirit, 20:5; espiritz, vital forces, 44:52.

espital, espitat, hospital (of Knights Hospitallers), 30:7, 30:3.

espoelissi, testamentary gift to a surviving wife, 49:24.

esposassen (6 imp. subj.), betrothe, 54:5.

espressá (3 pret.), express, 44:62.

esproadament, skilfully, 58:42.

esquexats, torn, 78:15.

esquinsa, esquinsats, torn, 63:29, 63:10.

esquiva, repugnant, 64:44.

esqura (3 pr.), clean, 37:17.

[ÉSSER], be, exist; also used impersonally, and as auxiliary: as (3 pr.), 57:26; e (3 pr.), 18:10; *a mi é cuita,* I am in a difficult plight, 33:10; em (4 pr.), 41:27; (h)era (3 imp.), 38:43, 46:24; eran (6 imp.), 57:9; ere (3 imp.), 14:36, 36:24; (h)erem (4 imp.), 67:13, 33:33; heren (6 imp.), 67:35; es (2 pr.), 20:36, 69:5; es (3 pr.), 12:10, 64:15; hes (id.), 60:9; eser (inf.), 7:3; esser *dinats,* having dined, 74:12; est (2 pr.), 41:58; feu (3 pret.), 53:45; fo (id.), 16:4, 46:65; fom (4 pret.), 41:12; f(f)on (3 pret.), 75:59, 16:10; fonc(h), id., 63:8, 64:50; fora (1 cond.), 61:31; *id.* (3 cond. — past cond.), 35:67, 39:66, 65:28, etc.; ffora (3 past cond.), 75:75; foran (6 pret. — pluperf.), 57:11; fore (3 cond.), 77:7; *id.* (3 past cond.), 18:15; foren (6 pret.), 18:45; foron (id.), 16:2, 21:9; fforon (id.), 14:28; fos (5 pret.), 35:8, 71:48; *id.* (1, 3 imp. subj.), 27:25, 29:12; *id.* (3 pluperf. subj.), 43:61, 75:73; fosan (6 imp. subj.), 57:6; foseu (5 imp. subj.) 72:75; fossem (4 imp. subj.), 27:19; fossen (6 imp. subj.), 29:13; fossetz (5 imp. subj. — pluperf. subj.), 46:22; fou (3 pret.), 64:58; fuy (1 pret.), 61:35; ·s (3 pr.), 49:4; sserá (3 fut.), 55:18; serei (1 fut.), 12:3; serie (3 cond.), 59:10; serien (6 cond.), 70:20; sia (1, 3 pr. subj.), 32:27, 8:13; siam (4 pr. subj.), 20:85; sian (6 pr. subj.), 57:42; siats (5 pr. subj.), 59:29; *id.* (imperat.), 70:40; siatz (5 pr. subj.),

35:39; siau (5 pr. subj.), 60:16, 73:81; sie (3 pr. subj.), 16:5; sien (6 pr. subj.), 16:7; sies (2 pr. subj.), 32:11; siria (3 cond.), 14:14; so (1 pr.), 33:13, 33:16; sso (id.), 14:31; som (1 pr.), 27:27; *id.* (4 pr.?), 62:50; son (1 pr.), 14:37; sson (id.), 14:19; son (6 pr.), 27:2, 61:52; sonn (id.), 19:29; sots (5 pr.), 59:34; sotz (id.), 35:39; sya (3 pr. subj.), 49:1.

essir, s. v. exir.

establesc, etc., s.v. [ESTABLIR].

establidos, builders (?), garrison (?), 36:5.

establiment, permission to possess armed forces, 14:11; establiments, garrisons (?), parcels of land (?), 19:13; establimenz, agreements, 36:31.

[ESTABLIR], establish, appoint: establesc (1 pr.), 49:3; establid, 10:61; establida, 36:3; stabliren (6 pret.), 42:104.

estacás: *no·m e. dret,* would not be my guarantor, 14:25.

estadga, right of hospitality, 15:81.

estament, physical presence, 56:33; state, 59:68.

[ESTAR], be, exist, stand, remain: astat, 57:1; estans (pr. part. s.), 41:30; estam (4 pr.), 47:30; estats (5 pr.), 47:30; estau (5 pr.), 72:59; estave (3 imp.), 54:17; estaven (6 imp. refl.), delayed, 47:26; estaz (p. p. pl.), 33:34; estech (3 pret.), 43:45; estien (6 pr. subj.), 44:36; sta (3 pr.), 48:36; stade, 61:31; star (inf.), 36:17; starán (6 fut.), 50:17; stat, 54:9; stats, 48:24; stava (3 imp.), 59:38; stech (3 pret.), 74:26; steguí (1 pret.), 53:71.

estars, houses (?), shops (?), 21:41.

esters, without, 10:44; apart from, 21:6; *e. de,* 22:11.

[ESTIMAR], value, consider: estimats, intended for (?), 45:27; estime (3 pr. refl.), 73:90; stima (3 pr. refl.), 79:5; stimada, 73:84.

estiris, estirs, without, 10:53, 19:35.

estojada, reserved, 64:60.

estrado, chamber, 79:25.

estrangolar, strangle, 39:58.

estranyer, stranger, 53:9.

estrayes, foreign, 39:64.

estrelogia, astrology, 56:61.

estremí (3 pret.), shake, 43:25.

estreyen (pr. part.), embracing, 52:32.

estro, up to, 51:2; *e. a,* 51:1.
estrumen, organ, 35:107.
estufador, sprinkler, 67:3.
estz, these, 46:57.
esvellar, awaken, 76:24; **esvellada,** vigilant, 64:31.
et: *sicuti et,* just as, 2:3.
eternalls, eternal, 69:37.
eu, I, 12:2.
eugas, mares, 55:8.
exa, carpenter's adze, 25:13.
exada, exadas, exades, adze, mattock, 5:22, 5:38, 25:14.
exajar, put to the test, 20:51; **exag** (3 pr. subj.), 20:56; **exajá** (3 pret.), 20:61; **exajet** (id.), 20:54.
exaltament, exaltation, 35:79.
exament, likewise, 19:12.
examplat, broadened, 35:51.
exanimiter, lifelessly, 58:43.
exarch: *nous d'e.,* type of nut or nutmeg, 34:2.
exartsia, rigging, rope, 40:17.
excellents, excellent, 77:29.
excurriid (3 pr.), flow, 13:31; **excurrit** (id.), 13:13.
excusablas, permissible, 62:24.
excusadas, permitted, 62:45.
excusatoria, per missible, accepted, 62:52.
exeguidor, deputy charged with the execution of an act, 52:51.
exemplen (6 pr.), fatten, 70:16.
exequar, raise, 76:7.
exes, except, 16:1.
exí, etc., s.v. **exir.**
hexi metex, likewise, 60:20.
exides, boundary areas, 19:10.
exie, s.v. **exir.**
exiis, exits, 3:25.
[EXILAR = EXILIAR], banish: **exillat,** 36:17; **ixilen** (6 pr. subj.), 35:81.
eximent, likewise, 42:100.
eximpli, adage, 61:24; example, 62:13.
exinde, therewith, 2:18.
exir, leave, come or go out, derive from, 23:13, 42:9, 53:61; **asqés** (3 imp. subj.), 20:50; **axir** (inf.), 57:50; **axit,** 69:5; **eissir** (inf.), 27:16; **eissís** (3 imp. subj.), 21:61; **essir** (inf.), 27:3; **exí** (3 pret.), 18:43; **exia** (3 imp.), 43:56, 47:68; *tro lor dret los en sia exid,* until their rights have been given them, 14:62; **exie** (3 imp.), 54:24; **exiren** (6 pret.), 39:22; **exit,** 43:17; **isqé** (3 pret. refl.), 48:20; *id.* (3 pret.), 48:37; **isqué** (id.), 74:28; **isqués** (5 pret.), 71:43; **(h)ix** (3 pr.), 48:42, 42:3;

ixen (6 pr.), 20:18, 38:14; *id.* (refl.), 47:14; **ixir** (inf.), 10:49; **ixqué** (3 pret.), 79:53; **ysque** (3 pr. subj.), 70:48.
exorchs, who die intestate, 42:50, 42:52.
exorquies, intestacies, 42:49.
exovar, dowry, 76:24.
experientia, experience, 76:34.
experte, skilfully, 58:42.
explicades, for *explicada,* 64:6.
exponna, river bank, 13:19.
exsatime, too much, 58:33.
extra, except, 10:50.
extret, gorge, pass, 13:16.
[EXUGAR = EIXUGAR], wipe dry: **exugarán** (6 fut.), 79:26; **exugats,** 43:53.
exvacuatio scripture, the drawing up of a deed, 8:16.
ey, I, 50:10.
eyl, he, 45:42; him, 45:50.
eymina, measure, 40:19.
eytranys, foreigners, 45:3.
ez, and, 18:61.
ezo: *ja fos ezo que,* in spite of the fact that, 21:50.

F

fabulari, fabulary, 59:38.
faciad, for L. *faciat,* 2:25.
faciatis (5 pr. subj. — imperat.), pay, 26:16.
fadiga, satisfaction of just demands, 31:17.
fadrin, lad, 52:25.
faed, good faith, 19:50.
faeltat, loyalty, 64:17.
faenes, actions, 56:82.
fahines, beech martens, 40:7.
faites: *males f.,* trespasses, outrages, 21:8.
faix, bundle, 34:10.
fal, s.v. [FALLIR].
falces, (m. pl.), false, 35:22.
falegaria, flattery, 52:13.
[FALLIR], lack, fail, die, break: **fal** (3 pr.), 48:4; **falid,** 27:27; **falida,** 63:25; **fallí** (3 pret.), 64:14; **fayll** (3 pr.), 56:65.
fals, reaping-hook, 55:30.
famegé (1 pret.), hunger, 41:41.
fanch, mire, 61:29.
ffaneca, measure, 63:35.
fantesia, mind, fancy, 77:19.
far, s.v. [FER].
farciladors, poisoners (?), necromancers (?), 42:40.

fares (f.), watch-tower, 58:4.
farmade, s.v. [FERMAR].
[FARTAR = SATISFER], sate: fart (3 pr. subj. refl.), 70:39; fartás (3 imp. subj.), 71:22.
farus, watch-tower, 58:4.
fasados, feasible, 72:6.
fasels, faithful, 52:4.
fatz, face, 42:2.
fau, s.v. [FER].
fauces, faus, reaping-hooks, 17:11, 63:27.
ffaves, beans, 63:35.
fayll, s.v. [FALLIR].
faylla, fail, 61:63.
ffe, faith, 72:35.
fed: per f., loyally, 10:44; fede, (good) faith, 7:3.
fedel ment, faithfully, 20:3.
fedels, feels, faithful, 15:105, 72:35.
fega, s.v. [FER].
feit, action(s), deed, affair, 18:6, 18:49, 23:5.
feites: males f., outrages, excesses, 18:25.
felpa, silken fabric, 34:27.
fembre, femna, woman, 61:43, 3:1.
fen, hay, 52:28.
feneren (6 pret.), split, 53:19.
fenevol, catapult, 42:89.
fenir, grant, renounce, agree, end, 44:88; fenesc(h)at (3 pr. subj.), 8:5, 8:9; fenex (3 pr.), 10:74; finire (inf.), 10:76.
fenoll, fennel, 76:6.
fenovol, catapult, 42:38.
fenta, excrement, 70:51.
[FER], do, make, pay or give, compel or oblige: fa (3 pr.), pays, 38:1; id. (refl.), grows, 70:42; id., there occurs, 70:43; no fa a menys prear, is not to be despised, 35:72; no·us fa mester, there is no need for you, 59:29; ffa (3 pr.), 44:18; faç (1 pr.), 33:4, 59:33; ffaç'a adobar (3 pr. subj.), ought to be seen to, 72:20; faça (1, 3 pr. subj.), 15:92, 10:64; que·us faça e-saber, which you ought to know, 60:17; qui·s faça a comparar, which can possibly be compared, 59:49; façam semblant (4 pr. subj.), show, 47:53; façan (6 pr. subj.), 15:19; què·s fàcan, what to do, 68:85; façau (5 pr. subj.), 72:53; faççatz (5 pr. subj.), 22:18; façcen (6 pr. subj.), 22:16; face (3 pr. subj.), 44:88; facen (6 pr. subj.), 42:41; facia (3 imp.), 14:8; ffacia (id.) 55:21; faczam

(4 pr. subj.), 29:9; faem (4 pret.), 47:41; faeren (6 pret.), 47:59; faés (3 imp. subj.), 47:49; faia (3 imp.), 23:7; fahia (id., refl.), 51:3; faie (3 imp.), 18:6; fait, 14:23; far (inf.), 21:10; ffar (id.), 69:34; faré (1 fut.), pay, 32:21; a tu farie mester (3 cond.), you could do with, 59:19; fas (1 pr.), 46:5; ffas (id.), 60:3; fasen (pr. part.), 52:12; fasia (3 imp.), 45:46; fassa (3 pr. subj. refl.), 37:33; us fassa a-saber, you ought to know about, 60:60; fassas (2 pr. subj.), 37:10; se fassen prestar (6 pr. subj.), are borrowed, 34:19; fasza (3 pr. subj.), 42:101; fau (1 pr.), 50:5; faya (1 imp.), 35:36; id. (refl.), 55:25; fayeren (6 pret.), 74:23; faz (1 pr.), 23:10; faza (3 pr. subj.), 30:7; fazats (5 pr. subj.), 23:16; fazçad(s?), (5 pr. subj.), 26:20; fazia (3 imp.), 21:2; fazien (6 imp.), 31:21; fé (3 pret.), 18:27; fe (imperat.), 58:51; fed (3 pret.), 10:41; fedés (3 imp. subj.), 14:26; fedz (3 pret.), 21:62; feeren vela (6 pret.), they set sail, 39:17; feés (5 pret.), 44:63; id. (3 pluperf. subj.), 39:68; fega (3 imp.), 66:8; feit, 18:76; feita, 24:25; feites, 20:14; feits, 23:17; feiye (3 imp.), 54:19; ffer (inf.), 69:11; fera (3 cond. or past cond.), 72:87; ffera (3 past cond.), 75:63; feran (6 pret.), 57:14; feren (6 pret.), 27:14; feren embaxados, they made representations via their ambassadors, 67:27; feria (3 cond.), 21:60; feries (2 cond.), 37:27; ferieu (5 cond.), 60:10; fesen (pr. part.), 53:9; fesen sortz (6 imp. subj.), should draw lots, 53:14; fessen (id.), 46:42; fet (3 pret.), 18:35; ffeta, 60:1; fetas, 74:41; fets (5 pr.), 47:8; feu (3 pret.), 46:34; feu semblant, he made as if to, 51:31; id., (refl.), 73:4; feve (3 imp.), 33:33; no feya (1 imp.), was not fit, 61:42; ffeya·m rahons, I sought justification (?), 75:7; feya...cesta (3 imp.), it was very hot, 51:24; ·s feya, formed, 78:41; feyen (6 imp.), 68:86; feyt, 41:69; feyta, 36:23; feytes, 66:1; feyts, 47:31; fezés (3 imp. subj.), 21:24; fi·o (1 pret.), I did so, 27:6; fia (3 imp.), 67:14; fien (6 imp.), 67:42; forá (3 fut.), 55:22; fos (3 imp.

subj.), 55:15, 55:32; **fou** (3 pret.),
39:44, 39:61; **fuit** (3 pret.), 10:72;
phará (3 fut.), 8:18.
fer, etc., s.v. also [FERIR].
feragenal, land sown for forage, 19:23,
19:52.
[FERIR], strike: **fer** (3 pr.), 42:1; **fé-
ren** (6 pr.), 68:66; **ferí** (3 pret.),
68:24; **feriren** (6 pret.), 27:14;
ferrá (3 fut.), 42:2; **fezrí** (3 pret.),
46:10; **firen** (pr. part.), 42:9.
ferma, corroboration, signature, 33:22.
fermanzes, sureties, guarantors, 21:23.
[FERMAR], give a guarantee or surety,
recognise another's rights, corro-
borate: **farmade,** i m p l a n t e d,
57:56; **ferm** (3 pr. subj.), 42:28;
fermarie (3 cond.), 27:11; **fermás**
(3 imp. subj.), 27:10; **fermat,**
18:69; **fermets** (5 pr. subj.),
33:12; **firmare** (inf.), 30:16. For
fermar dret see Rodón, *firmare.*
fermetad, corroboration, 29:39.
ferr, iron, 48:23.
ferra, fferra, iron, 63:24, 63:22.
ferrá, s.v. [FERIR].
ferragenales, land sown for forage,
5:19.
ferrament, implement, 45:26.
fferre, ferrer, iron, 63:33, 63:16.
ferres, trivets, 25:5.
fervide, hotly, 58:45.
ffesols, beans, 63:35.
ffet, business, affair, 72:19.
feu, s.v. [ÉSSER] and [FER].
feutre, felt cloth, 40:3.
feuz, fee, fief, 19:7.
feve, s.v. [FER].
fevos, fiefs, 15:36.
fey, sheaf, 38:2.
feynes, actions, 37:7.
feyt, affair, 44:70; **mala feyta,** injury,
36:19.
feytors: *mals f.,* malefactors, 42:92.
fez, (good) faith, 12:12.
fezrí, s.v. [FERIR].
fi (adj.), in tune, 65:4.
fi (subst.), agreement, renunciation,
27:49; *fer fi,* make reparation,
36:16.
fi, fia, s.v. [FER].
fiat ad opus de, may serve the needs
of, 11:12.
fichulneas, fig-trees, 5:20.
fideles (s.), **fidels** (s.), faithful, 6:4,
7:2.
fien, s.v. [FER].
figuras, rhetorical devices, 62:24.
fil, son, 12:1; wire, 50:11.
fila, daughter, 20:87.

fili (nom.), son, 7:1.
ffill, yarn, 66:26.
fillg, son, 15:102.
filyes, daughters, 48:13.
finarán (6 fut.), stop, 57:42.
finem, pact, agreement, 15:41.
finire, s.v. **fenir.**
firen, s.v. [FERIR].
firmare, s.v. [FERMAR].
firmis (for L. *firma*), firm, 2:25; for
firmus, 5:5.
fisc, tax, 38:13.
fiyl, son, 48:14, 54:2.
flach, thin, 59:15.
flaçada, coverlet, 32:4.
flads, hanks, 17:6.
flams, phlegm, 70:44.
flaquea, weakness, lack, 79:5.
[FLIXAR = PERDONAR, RENUNCIAR],
spare, turn from: **flixará** (3 fut.),
41:45; **flixe** (imperat. refl.), 37:27.
flor de formatge, cheese after pressing
out of the whey, 40:17.
flui, fluvi, river, 48:33, 48:34.
foch, fire, 42:45; *arbre de f.,* burn-
ing bush, 37:26.
fogazas, loaves, 10:39.
fogí, s.v. **fuger.**
folees, excesses, 18:5.
foles, wicked, 20:73.
folia, madness, 47:50; **folias,** insults,
14:43.
fon (3 pr.), consume, 65:44.
fonamens, foundations, 37:5.
for, except, 15:66; otherwise, 20:72;
but, 27:34; *for qe,* unless, 27:23;
no...for, only, 18:20.
for., for *forment,* 18:65.
fora, s.v. **via.**
forá, s.v. [FER].
fora de seny, mad, 78:25.
força, perhaps, 76:8.
[FORÇAR], constrain, 75:27 (*forçar...
hia,* 3 cond.).
forces, exactions, 14:39.
forcia, violence, 10:72; **forcias,** for-
tifications, 15:62.
forcivament, forcibly, 19:54.
foread, enraged, 27:28.
fores: *de f.,* externally, 35:99.
forestage, tax paid for right to gather
wood, 38:35.
formatga, cheese, 59:59.
fforroll, fforroys, fire-iron, 63:34,
63:21.
forsa, fortified place, 42:37.
forsfactura, crime, infraction of feu-
dal agreement, 10:24.
forsfaza (3 pr. subj.), infringe feudal
obligation or agreement, 10:81.

forsfeit, infraction of a feudal agreement, 15:32.

fort (adj., adv.), very much, 37:13; very, 39:24; strong (f.), 65:48; **forts** (f.), difficult, 56:81; **fortz** (f.), severe, 46:19.

fortedes, fortedes, fortezes, fortified places, 15:99, 15:110, 15:28.

fortmages, cheeses, 34:26.

fortment, strongly, 52:51; very, 56:8.

fortunes, misfortunes, 67:52.

forza, constraint, 30:5; fortified place, 42:88; *a f. de,* against the will of, 19:19.

fos, for *vos,* 72:17.

fos, s.v. [FER].

fotrá (3 fut.), have sexual intercourse with, 42:22.

fou, s.v. [ÉSSER] and [FER].

frabezim, ?, 10:21.

fragien, s.v. [FRANYER].

fraires, brothers, 36:9.

franch (adj.), free(hold), 19:27; exempt, 28:11.

franch (subst.), European, 53:52.

franchament, freely, 44:38.

franc(h)ea, exemption, privilege, 28:23, 18:68.

frania, s.v. [FRANYER].

franqua, free, 49:6.

franquea, liberality, 37:22.

frans, open, clear, 44:22.

[FRANYER = ROMPRE]: infringe, break: **fragien** (6 imp.), 10:5; **frania** (1 imp.), 15:73; **frant** (p. p.), 42:9; **franta,** 42:71; **franyerá** (3 fut.), 42:70.

frare, brother, 39:63, 44:65.

frarescha, that part of a deceased's estate which by law fell automatically to his children, 26:22.

frau, fraud, deception, 12:3.

frayres, brothers, 36:10.

freboariis, of February, 30:14.

fresc: *de f.,* again, 21:48; **fresqua,** fresh, 66:3.

fret (subst., adj.), cold, 44:48, 79:53.

freulea, frailty, 41:31.

frevarias, of February, 2:28.

frigol, thyme, 70:5.

froment, wheat, 38:8.

fromiment, provisions, expenses, 8:19.

fruys, fruits, 67:49.

fruyta, fruit, 66:11.

fuger, flee, eschew, 41:20; **fogí** (3 pret. refl.), 21:36; *id.* (3 pret.), 67:22; **fugen** (pr. part.), 41:23.

fuit (1 pret.), be, 14:18. Also s.v. [FER].

fust, beam, piece of wood, 37:9.

fusto, wood, wooden vessel (?), 5:36.

fuyles, leaves, 44:44.

fyl, son, 49:18.

fylol, godchild, 49:19; **fylols,** godchildren, mattresses, 32:19.

G

gaida (3 pr.), guard (?), 36:29.

gala, galls, 34:12.

galea, galley, 49:18.

galengar, galanga, 34:4.

galidansa, malice, deceit, 16:2.

galina, galines, gallinas, hen, 38:2, 27:41, 17:2.

gallenyes, galleys, 60:20.

galorzes: *de g.,* transhumant, 38:41.

ganabe, cloth, blanket, 4:11.

ganar, s.v. [GUANYAR].

gardar, etc., s.v. [GUARDAR].

garent, guarantee, 21:27.

garenza, proof, 20:77.

garia, s.v. [GUARIR].

garreyava, s.v. geriar.

garriges, heathlands, 19:25.

gasardo, reward, 39:26.

gatz martrins, pine-martens, 40:7; *g. maymons,* little monkeys, 53:62.

gaudals, buckets, 40:23.

gaudiis, joys, 74:41.

gaus, s.v. [GOSAR].

gautada, blow on the cheek, 42:2.

gavadalot, small trough or bucket, 63:27.

gayre, much, 76:9; *no ha g.,* not long ago, 58:30.

gaytar, keep watch, 53:42.

gaytes: [*blat*] *de g.,* tax paid in grain in return for military protection, 38:28.

ge, ?, 18:71. See **tout.**

gene, cheeks, 78:42.

generall, general, 74:28.

genere, son-in-law, 26:1.

geniculatim, on ones knees, 58:46.

genols, knees, 47:3.

genoveses (m. pl.), Genoese, 60:18.

gens, people, 39:64.

gentilea, good breeding, 65:30.

gentill, noble, 70:1.

gera, war, 14:61.

gerar (for *gecar?*), put aside, 76:7.

geriar, wage war (over), 10:49; **garreyava** (3 imp.), 39:41.

german, brother, 60:28.

ges e re, not at all, 36:28.

get, throw, 48:11.

geta, s.v. [GITAR].

gian, etc., s.v. [GUIAR].

gin, a war-engine, 42:38.

giner, January, 76:25.

gineta, civet cat, 75:38.

girade, turned, 44:51.

girman: *cosi g.,* cousin, 49:4.

giroffle, cloves, 34:4.

giroflada, spicy, 32:25.

gisa, gissa, way, wise, 14:30, 27:31.

[GITAR], throw or cast (out): **geta** (3 pr.), 19:18; *id.* (imperat.), 70:30; **gitave** (3 imp. refl.), 20:64; **gita-vit** (3 pret.), 21:17; **gité** (1 pret.), 23:13; **gitten** (6 pr.), 61:53; **jet** (3 pr. subj.), 29:39.

glesia, church, 27:15.

go, I, 6:3.

gog, joy, 20:7.

gomers, sandals (?), 58:8.

gonela, goneles, robe, 72:54, 17:9.

gont, glove, 76:17.

gonyar, s.v. [GUANYAR].

gorb, basket, 58:10.

gorda, etc., s.v. [GUARDAR].

gornit, equipped, complete, 63:43.

[GOSAR], dare: **gaus** (3 pr. subj.), 45:4; **gos** (id.), 42:36; *id.* (refl.), 42:87; **gosás** (3 pluperf. subj.), 57:55; **goso** (3 pr. subj.), 66:43.

gossa, gosza, a war-engine for breaking down walls, 42:38, 42:89.

gosticia, law, 72:69.

gosza, s.v. **gossa.**

graa, steps, 24:19.

gracias, thanks, 57:14; **gracie,** favour, 60:27.

grad, willingly, 30:5; *ab son g.,* purposely, 36:15.

gradiente, s.v. **animo.**

grahir: *mal g.,* ungratefulness, 65:33.

granatas, granatos, dyed red, 4:11, 4:10.

grant: *trob g.,* too much, 70:18.

gras, steps, 48:53.

Grasal, Grail, 57:3.

grat: *en g.,* pleasing, 73:100; *no·us faç g. ni gracies,* no thanks to you, 59:33.

grateyla, rash, itch, 44:53.

grechs (adj., subst.), Greeks, 51:15; Greek, 79:32.

greu (for *greus*?), difficult, grave, 70:20; *fo-li g.,* he was dismayed, 37:25. Cf. **aeg.**

grexa, fat, 70:19.

groch, yellow, 59:34 (see **bech**).

groces, thick, heavy, 44:14; (m. pl.), 44:28; **gros,** 44:26; **grosa,** fat, 59:8; **groses,** large, 27:40.

grunzadora, swing, 78:37.

guabam (4 pr. refl.), take pride, 35:57.

guadengas, guadengs, blankets, 17:5, 11:25.

guala, ostentation, 75:20.

guall, cockerel, 75:41.

guany: *en tot mal g.,* damn you, 61:29.

[GUANYAR], win, make, gain: **ganar** (inf.), 33:17; **gonyar** (id.), 77:6; **guanyá** (3 pret.), 51:10; *id.* (refl.), 51:50.

guar, protection (?), 60:11.

guarda, heed, 35:1; care, 70:1.

[GUARDAR], guard or keep, examine or look at, take heed or thought, expect: **gar** (3 pr. subj.), 62:59; **gard** (id.), 62:60; **gardá** (3 pret.), 41:69; **gardada,** 21:48; **gardar** (inf. refl.), 20:65; **gardas** (2 pr. subj.), 62:58; **garde** (3 pr.), 54:19; **gardés** (3 imp. subj.), 41:68; **gorda** (imperat.), 69:46; **gordaven** (6 imp. refl.), 57:2; **guardá** (3 pret.), 51:29; **guardará** (3 fut.), 56:74; **guardas** (2 pr. subj. refl.), 69:33; **guardau** (imperat.), 71:47, 71:56; **guardavets** (5 imp.), 61:8; **guarden** (6 pr.), 61:47; **guart** (1 pr.), 58:22; *id.* (3 pr. subj. — imperat.), 35:79; **guordaries** (2 cond. refl.), 69:11.

guarentzam, guarantee, 26:18.

[GUARIR], protect, guarantee, cure, recover, 10:58; **garia** (3 imp.), 20:88; **guarit,** asserted as true, 33:35; **guarrá** (3 fut.), 70:41.

guarnatxes, mantles, 34:13.

guarrá, s.v. [GUARIR].

guart: *a no m'i g.,* unexpectedly, 58:22. Cf. [GUARDAR].

guasayar, gain, 39:29.

guat (for *cot?, guant?*), robe, glove, 17:5.

guaveels, ?, 55:30.

guerram, war, 15:50; **guerras,** attacks, 10:71.

[GUIAR], lead, escort, guide: **gian** (6 pr.), 20:8; **giat,** promised safe conduct, 18:69; **guiave** (3 imp.), 77:24; **guidetz** (5 pr. subj.), 22:8.

guisa: *en g. que,* so that, 70:8.

gule: *delicatorum g.,* of gourmands, 78:43.

guonela, dress, 32:22.

guordaries, s.v. [GUARDAR].

· gut, s.v. [HAVER].

I

i, ·i (pron., adv.), MCat, *hi*: there, 8:9; to him, 10:44; etc.

hi, and, 19:32.

hia, ien, parts of the 'split conditional': *tornar li hia,* 70:39; *pagar-los-n'ien,* 39:14. Cf. [HAVER].

ibi (pron., adv.), MCat. *hi*: thereto, 5:10; there, 8:6.

(h)ic, here, 6:8, 33:16, 60:51; there, 72:20; **ich,** hence, 60:62.

ien, s.v. **hia.**

ifern, hell, 76:47.

ig, here, 60:18.

iglea, church, 48:50.

il, the, 23:5.

ilex, same, 18:33; *ahi i.,* only yesterday (?), 18:8.

illa, illam, illas (demons.—art., pron.), MCat. *(aquel)la, (aquel)les:* 9:5, 10:20, 10:21, 11:5, 13:20, 13:21, 15:64, etc.

ille (demons., pron.), MCat. *(aqu)ell:* 4:15, 10:7.

illi (dat. sing. and nom. pl. pron.), MCat. *li, ells:* 4:2, 5:22, 10:5.

illis (dat. pl. pron.), MCat. *los, els:* 15:6.

illo, illos, illum (demons. — art., pron.), MCat. *el, els, lo, los;* 4:18, 9:8, 10:6, 10:20, 10:60, 10:71, 13:8, 15:64, etc.

illorum, their, 8:17.

[IL·LUMINAR], illumine: **illumena** (imperat.), 41:15; **illuminans** (pr. part. s.), 41:29.

image, image, 20:58.

imfern, hell, 69:29.

impositiador, inspector (of weights and measures), 66:7.

imprentada, imprinted, 64:53.

in, in exchange for, 5:34.

inant, inante, henceforth, 15:105, 9:2.

incarnacionem, incarnationis, incarnation, 30:14, 22:21.

inclodunt (6 pr.), enclose, 26:13.

incurrat (3 pr. subj.), enter, 15:56.

induvitat, unequivocal, 64:29.

infans, children, 39:49.

infantá (3 pret.), bear, 71:43.

infante, child, 9:8.

infera (1, 3 pr. subj.), pay for, 2:23.

infermetat, malady, 70:40.

infernats, condemned to hell, 77:5.

infra, in, 10:62; within, 13:8.

infrontad (3 pr.), bound, 2:6.

ingeni, intelligence, 76:34; **ingenio,** deceit, trickery, 14:14.

inichs (s.), wicked, 65:28.

inmortal, interminable, 61:53.

inmovile, fixed goods, estate, 3:25.

inopinate, unexpectedly, 58:22.

inpetue, impetuously, 58:47.

inpignorá (3 pret.), pledge, pawn, 18:12.

inquetabo (1 fut.), seek to subvert an agreement, 2:23; **inquietaberit** (3 fut. perf.), 2:22.

insígnies, illustrious, 64:75.

insignits, adorned, 64:3.

instantissime, very closely, very soon, 58:48.

integrietate, entirety, 2:10.

integrum: *ab i.,* in its entirety, 3:23.

intelhigencia, comprehension, 62:48.

inter, both, 2:11; *i. oves et chapras,* in sheep and goats together, 5:35.

interroguacions, investigations, 56:9.

intol·lerables, intolerable, 64:9.

intrar, s.v. [ENTRAR].

inveneritis (5 fut. perf.), find, 11:7.

ipsa, ipsam, ipsas (demons. — art.), OCat. *aquexa, aquexes,* and Bal. *sa, ses:* 2:5, 3:11, 5:13, 5:14, 5:20, 5:28, 5:41, 15:10, 15:28.

ipse (demons. — art., subj. pron.), OCat. *aquex* and Bal. *es,* MCat. *ell:* 11:24, 21:51.

ipso, ipsos, ipssos, ipsum (demons.— art.), OCat. *aquex, aquexes* (later *-os*), and Bal. *es, ets:* 2:14, 3:11, 3:14, 4:1, 5:8, 5:10, 5:14, 5:19, 6:3, 8:8, 11:8, etc.

irad, angry, 27:28; **irats** (s.), 43:26.

hire, anger, 60:25.

iscripsi, s.v. [ESCRIURE].

isqé, etc., s.v. **exir.**

istes, these, 19:10.

istich, there (near person addressed), 78:8.

·it, there, 18:27.

ivern, winter, 44:4.

(h)ix, s.v. **exir.**

ixemplada, increase in holding of land, 38:46.

ixen, s.v. **exir.**

ixilen, s.v. [EXILAR].

ixir, etc., s.v. **exir.**

J

jaccirá, s.v. [JAQUIR].

jaccizon, renunciation of rights, bequest, 10:33.

jakescha, etc., s.v. [JAQUIR].

jaer, lie (down), 44:20; jahen (6 pr.), 44:26; jagen (6 pr. subj.), 35:17.
jamay...no, never, 61:1.
james, ever, 51:54; *j. no,* never again, 20:50; *j. pus no,* id., 74:24.
janetes, civet cats, 40:6.
[JAQUIR], leave (alone), renounce, bequeath: jaccirá (3 fut.), 10:33; jakescha (3 pr. subj.), 8:10; jakescat (id.), 8:12; jachí (3 pret.?), 14:27; *id.* (3 pret.), 19:33; jachia (1 imp.), 14:16; jachirás (2 fut.), 15:87; jaquisa (1 imp. subj.), 27:33; jaquix (imperat. refl.), 37:22.
jarra, pitcher, 34:11.
jasia ço que, even if, 42:69; jassia que, although, 47:53; jats se sia ço que, even if, 42:106; jatsesia asso, nevertheless, although, 58:23; jatsia-so que, 62:34.
jaures, ?, 56:33.
jebelines, martens, 40:7.
jener, January, 67:2.
jenoylls, knees, 70:7.
jens, any (at all), 35:81; at all, 57:28.
jet, s.v. [GITAR].
joges, witnesses (?), 48:8.
joneyls, knees, 52:33.
jorn: *tot j.,* every day, 61:6.
jos: *a part de j.,* on its lower side, 45:8.
jova (adj.), young, 48:32.
jovenob (for *jovenot?*), youth, 18:37.
jovens, young, 51:34.
joyes, jewels, 34:28.
joys, judgments, 44:74.
jubet, doublet, 44:17.
judikare, for L. *judicare,* 2:18.
judicy, judgment, 48:25.
juheu, Jew, 71:59.
jugad, s.v. jutgar.
juge, judge, 28:18.
julioll, July, 51:24.
jungit se in, joins, meets, 13:12.
juramenta, oaths, 20:77.
jurantment, under oath, 28:31.
[JURAR], swear (loyalty): jurá (3 pret.), 38:43; jurad, 15:12; juram (4 pr.), 29:26; juran (pr. part.), 28:43; juraren (6 imp. subj.), 67:32; juren (6 pr. subj.), 29:19.
jurcaren (6 pret.), delay, 57:21.
jusana, lower, 56:16.
jusesi, judgment, 41:44.
justa, beside, near, 5:29.
justat, compressed, 44:11; justats, gathered, 43:27. Cf. [AJUSTAR].
justicies, justities, jurisdictional powers and perquisites, 38:14, 19:14.

jutgament, judgment, 20:24.
jutgar, judge, see fit, 21:50; judikare (inf.), 2:18; jugad, 27:26; jutgatz, 41:39; jutyat, 48:16.
jutgua, judge, 55:4.
jutyat, s.v. jutgar.
juvo, yoke, 3:22.

L

·l, ·ls (art., pron.), MCat. *el, els, lo, los*: 8:19, 10:79, 14:19, 14:20, 14:29, 14:31, 14:33, 18:17; *.l,* in the, 65:63; ·l', the (pl.), 48:24; *id.,* (to) them, 48:44; ·ll, 59:6, 70:48; ·lls, 65:58.
l' (ethic dat. pron.), MCat. *li*: 43:25.
la (art.), the (m.) 26:5; for *las* (?), 75:63; las (f. pl.), 14:6.
la (adv.), there, 8:3; *la doncs,* then, 21:55; *la on,* wherever, 41:4; *la un,* ?, 27:29.
laares (for *baares*), traitors, 42:92.
laborar, s.v. laurar.
lacha, lac, 34:1.
ladonchs, then, 65:18.
ladornisi, theft, 55:3.
ladre, thief, 39:44.
ladronices, ladronici, ladurnicis, thefts, 21:9, 20:24, 55:5.
Lagaios, bleary-eyed, 18:78.
laganya, mucous discharge of the eyes, 61:28.
lagotejan, tale-bearing, 52:14.
lagramosos, watery, 61:60.
lagremes, tears, 47:4.
lai, there, 21:41.
lains, therein, 57:3.
laires, thieves, 20:22.
laisset, s.v. lexar.
lana, wool, 34:26.
lança, lance, 48:27.
[LANÇAR = LLANÇAR], cast (up), throw: lançá (3 pret.), 67:1; *id.* (refl.), 78:16; lancí (1 pret.), 71:50; lansar (inf.), 43:33.
lances, lancers, 72:30.
lanceta, lancet, 70:23.
lancí, s.v. [LANÇAR].
lancia, lance, 5:26.
lansar, s.v. [LANÇAR].
lanssa, lance, 46:11.
lanssols, sheets, 49:29.
lanterna, lantern, 25:7.
lany, vessel (?), 45:31.
llahors, praises, 75:35.
larch: *de l.,* in length, 67:4; *pus l.,* at greater length, 60:60; larga, long, 46:73.

latins, Latin, 79:32.
laud, s.v. lausar.
laudamento, satisfaction, 10:66.
laurador, peasant, 71:9.
laurao, tilled land, 38:49.
laurar, till, 18:18; laborar (inf.), 19:18.
laurazons, tilled land, 19:26.
laus (for *los*), them, 21:63.
lausar, praise, approve, 35:38; laud (1 pr.), 14:33; lausat, 35:3; lausen (6 pr.), 35:31. Cf. loar.
lavade, s.v. levar.
[LAVAR, LLAVAR], wash: lavar...e (1 fut. refl.), 71:10; lave (3 pr.), 71:25; laví (1 pret.), 71:19; lavist (2 pret. refl.), 71:28; levat, 70:13.
lavaren, s.v. levar.
laví, etc., s.v. [LAVAR].
lavores, lavors, then, therefore, 52:18, 34:31, 51:32; *se lavors,* then, 76:45; lavos, 44:9.
laxa, s.v. lexar.
lay, then, 65:26.
laycs, laymen 74:37.
layns, therein, 43:20.
layres, thieves, 41:77.
lbr., lbrs., pound, 34:25, 34:23.
le (subj. pron., art.): he, 36:19; the (f.), 57:33, 60:4 (?), 72:7.
le (obj. pron.), MCat. *li:* 9:8, 10:7, 10:23, etc. MCat. *el, lo:* 10:45, 21:62, 47:55.
lebros, leprous, leper, 43:40.
leccionario, lectioner, 5:8.
ledegme, ledesme, legitimate, 42:76, 76:42.
lega, legues, league, 48:34, 53:47.
legalem, loyal, 26:18.
lege, leges, ugly, 61:21, 20:68.
legir, read, 44:85; legida, 76:46; legim (4 pr.), 71:33; leseren (6 pret.), 45:41; lesta (p. p.), 76:46; ligen (6 pr. subj.), 79:34; ligere (inf.), 6:8; ligiren (6 pret.), 53:21.
llegítim, llegítima, llegítims, legittima, legitimate, 64:15, 64:21, 64:20, 61:50.
legitima, that portion of a deceased's estate which by law fell to his children, 31:9.
legons, small implements of draw-hoe type, 78:44.
legoteria, gossip, 52:12.
legoters, tale-bearers, flatterers, 52:12.
legots, flattery, 59:68.
legues, leagues, 53:47.
leguiar, delay, 76:12.
lei, her, 21:54.
leial, from a higher authority, 16:2.

leialtat, friendship, 23:23.
leig, ugly, 59:62.
lein, vessel, 60:29.
leis, etc., s.v. lexar.
lejos, down there, 23:22.
lençols, sheets, 32:7.
lenga, lengua, tongue, 42:21, 42-75.
lenguatge, lenguatje, language, 62:2, 62:7.
llensols, sheets, 63:9.
lenya, firewood, 55:3.
lenys (for *leys*), sorts, 63:16.
lehons, lions, 53:40.
leoparda, she-leopard, 75:55.
lepols, gormandising, 78:43.
leseren, etc., s.v. legir.
letra, letre, letres, lettres, letter, 44:76, 72:42, 23:3, 76:57.
leugera, light, 53:34.
leugerament, easily, 41:27.
leugiers, prone to, 41:26.
leumens, leument, easily, 43:21, 62:28.
leuto, brass, 63:1.
levar, raise, carry, take (away), bear fruit, 38:9; lavade, 61:29; lavaren (6 pret. refl.), 57:40; leva (3 pr.), 37:5; *id.* (imperat.), 52:35; llevà (3 pret. refl.), 68:45; levá (3 pret.), 19:7, 48:37; levade, 61:32; llevàs (3 imp. subj. refl.), 68:32; levat (imperat.), 48:36; levava (3 imp. refl.), 68:36; leven (6 pr.), 38:10; livá (3 pret. refl.), 53:22.
levas, pot-chains, 63:23.
levat (prep.), except, 38:41.
levat (subst.), leaven, 70:37.
levat, s.v. [LAVAR], levar.
llevens, pot-chains, 63:33.
levita, priest, 5:1.
lexar, leave, abandon, allow, release, omit, 43:31, 61:55, 76:39; laisset (3 pret.), 21:62; laxa (3 pr.), 20:22; *id.* (imperat.), 20:43; leis (3 pr. subj.), 27:44; leissás (3 imp. subj.), 27:30; leix (3 pr. subj.), 70:26; lex (1 pr.), 49:11; *id.* (3 pr. subj.), 20:13; lexá (3 pret.), 19:22; lexada, 23:9; lexadas, 62:50; lexaren (6 pret.), 39:65; lexás (3 imp. subj. refl.), 20:63; lexat, 35:39; lexave (3 imp.), 59:16; lexen (6 pr. subj.), 35:82; lexet (3 pret. refl.), 20:51; lexets (5 pr. subj.), 33:38; leys (2 pr. subj.), 69:37.
lexes, bequests, 49:8.
lexet, etc., s.v. lexar.

ley, lley, faith, belief, law, 73:92, 56:2.
leya (adj.), ugly, 70:18.
leya (subst.), firewood, 39:27.
leyal, legitimate, 42:22.
leyaltat, loyalty, 46:70.
leyn, vessel, 25:13.
leys, s.v. lexar.
leyt, milk, 48:43.
leytera, milk-bearing, 38:42.
leytugues, lettuces, 66:19.
li (m. pl. art.), the, 21:43, 36:21.
li (subst.), linen, 34:26; flax, 55:23.
libans, ropes, 63:11.
libertat, freedom, 49:6.
llibra, book, 56:21.
libras, pounds, 34:20.
libre, book, 18:8.
licteras, letters, 2:27.
lig, faith, 39:69.
ligams, ropes, 68:73.
[LIGAR = LLIGAR], bind: ligades, 18:70; ligat, 41:9; ligatz, 41:6; liguen (6 pr.), 68:73.
ligen, etc., s.v. legir.
lignum aloe, aloes wood, 34:5.
liguamens, liguament, bonds, 41:7, 41:3.
liguen, s.v. [LIGAR].
lin, linen, 17:3; flax, 55:26.
linas, flax seed, 63:37.
linçols, sheets, 63:46.
línea, lineage, 64:65.
lini, flax, 55:28.
linyatge, lineage, 47:19.
lisa, smooth, 68:67.
listatz, striped, 40:12.
lit, bed, 11:21.
liura, liures, pound, 34:6.
liurar, free, hand over, sell, 49:37; liurá (3 pret.), 39:37; liurades, 49:35; liuram (4 pret.), 47:22; liure (1 pr.), 22:5; liuro (3 pr. subj.), 66:20.
livá, s.v. levar.
liyada, lineage, 41:19.
liyaloe, aloes wood, 44:42.
·ll, s.v. ·l.
lo, los (art., pron.), MCat. el, els, lo, los: 7:16, 8:2, 10:57, 14:10, 14:32, 15:100, 18:1; los (for les), 70:34; llo, 18:42; llos, 6:4.
loar, praise, approve, 59:43; lloha (3 pr.), 75:63; loat, 59:56; loats, 42:18. Cf. lausar.
loc, loch, lloch, place, 23:28, 39:19, 34:20.
loces, ladles, 25:5.
loco, place, stead, 10:82.
lochoro, reward, gain, 6:6.

locuntur (6 pr.), speak, 20:78.
log: tinent log, on behalf of, 28:1; logs, places, 19:20.
logar, hire, 66:22.
lonch tems, a long time, 42:43; pe-bre l., long peppers, 34:5; loncs, 43:55; lonchs, 47:41; longa, distant, 23:21; id., long, 68:98; longua, 70:3.
longament, longuament, for a long time, 59:3, 41:10.
loor, praise, 35:78.
llop de mar, sea-lion, 75:58.
loqebar (1 imp.), speak, 20:10.
loquitiu, power of speech, 35:106.
lor (adj.), MCat. llur: their, 14:61; los, 36:4.
lor (subst.), laurel tree, 62:60; a lor de, to the satisfaction of, 42:19.
lorer, laurel tree, 62:60.
los, s.v. lo, and lor (adj.).
·ls, ·lls, s.v. ·l.
luable, praiseworthy, 67:25.
lucro, reward, gain, 15:89.
lud, light, 41:15.
lúdries, otters, 34:15.
luen (6 pr.), shine, 61:35.
lui, him, 10:44.
luin, far, 18:2.
lujosa, luxurious, 59:45.
lum, light, 41:70.
lumaners, lamps, 63:25.
lunis: die l., Monday, 10:61.
luny, far off, 68:75.
lunys, s.v. luyar.
lur (adj.), MCat. llur: their, 25:18; his (?), 31:4; la sua lur terra, his land, 67:22; las lur, their, 48:58; llur, her (?), 75:36, 75:64; lurs, their, 26:15; id., her (?), 42:57; lus, 53:58.
lur (dat. pron.), MCat. els, los: them, 15:8, 15:12; lus, 74:22.
luria, luries, otter-skin, 40:8, 40:9.
lurices, coats of mail, 5:23.
lus, s.v. lur, adj. and pron.
luyar, remove, avoid, 50:28; lunys (2 pr. subj. refl.), 37:23.
luyn, far, 46:8; afar, 52:29.
ly, to him, 70:36.

M

·m (pron.), MCat. em, me: 14:8, 14:10, 14:25, 15:39, 15:79, 27:30, etc.
·m (prep.), MCat. en, 41:5.

m' (pron.), MCat. *em, me:* 14:14, 14:45, etc.

m' (adj.), MCat. *la meva,* my, 50:7.

mª. (for *mealla*), halfpenny, 38:42.

ma (pron.), MCat. *em, me:* 57:38, 72:33.

ma (subst.), hand (?), 72:82 — see *DCVB, Mà de Santa Maria,* flower of species 'Leonorus cardiaca'; *de ma en ma,* from hand to hand (?), forthwith (?), 58:13; *me parlarás a la ma,* will you speak so impertinently to me, 73:13; *meterem ma a,* we (they?) began to, 47:44.

madii, of May, 3:27.

madulla, pith, quintessence, 56:23.

maestres, master-builders, 48:58.

maestria, trickery, 65:27.

magenc, lamb, 28:36.

magestat, majesty, 73:28.

magorment, especially, 44:27.

magranti, thin, 56:42.

magre (f.), thin, 56:50.

magrea, leanness, 70:19.

maiola, young vine(yard), 11:18.

maire, mother, 31:9.

maiso, house, 20:23.

majer ment, especially, 20:66.

mala feta: *qui antra en m. f.,* which may trespass, 55:6; **malas,** injuries, 10:73.

malafaita, misdeed, i n j u r y , 21:54; **malafetes,** 42:27; **mals** (for *mala*) **fetes,** 42:82.

malastruch, ill-starred, 59:34.

malauta, ill, 21:52.

malautia, illness, 24:3; **malauties,** ills, 41:25.

maleyt, maleyta, a c c u r s e d , 61:40, 61:16.

malfedat, ill-fated, 59:63.

malfetors, malefactors, 42:41.

malla, halfpenny, 60:57.

mallmenará (3 fut.), injure, 55:17.

malmeta (3 pr. subj.), damage, 42:68.

malor, better, 57:29.

mals, evil (s.), 20:47; *m. fetes,* s.v. **malafaita;** *m. feytors,* malefactors, 42:92.

mamoria: *sia m.,* be remembered, 74:39.

man, hand, 42:21; *de m. en ma,* forthwith, 51:33.

man, etc., s.v. [MANAR].

manaça, threat, 62:42.

[MANAR], order, command, 75:54 (inf. subst.); **man** (1 pr.), 47:56; **maná** (3 pret.), 20:75; **manam** (4 pr.), 29:19; **mandá** (3 pret.), 21:14;

mané (1 pret.), 23:13; **manná** (3 pret.), 14:54; **manné** (1 pret.), 27:9; **mená** (3 pret.), 53:13.

manar (for *menar*) **del anque,** getting a move on, 72:24. Cf. [MENAR].

mancha, bellows, 65:4.

mancip, youth, 21:45.

mandá, s.v. [MANAR].

m a n d a m e n t , mandamento, order, 16:2, 10:27.

mané, s.v. [MANAR].

manechs, handles, hafts, 45:29.

[MANEJAR], h a n d l e : **manegant** (pr. part.), 71:13; **manegat,** 71:29.

maneras, types, 62:24.

manester, necessary, 76:57.

maneyras, ways, 58:29.

manga, s.v. [MENJAR].

manifests, manifest, 64:56.

manjar, s.v. [MENJAR].

manleutes, loans, 24:6.

manlevá (3 pret.), take, borrow, 10:63.

manlevador, borrower, 34:21.

manná, etc., s.v. [MANAR].

mantandré (1 fut.), keep up, 57:34.

mantel, cloak, 17:4.

mantenent, forthwith, 41:71; **mantinent,** 43:50; *m. que,* as soon as, 54:20.

mantinenza, support, 19:39.

manto, cloak, 63:28.

manuatim, from hand to hand (?), forthwith (?), 58:13.

manubus, with his hands (between those of his lord), 12:4.

manves, forthwith, 18:35.

manxetes, bellows, 63:33.

manyás, s.v. [MENJAR].

manysprea, s.v. [MENYSPREAR].

mapas, mapes, napkins, 3:22, 11:26.

mara, mother, 48:30.

maravelosa, maravellos, marvellous, 53:56, 59:43.

maraveles, maravella, maravelles, marvels, 53:65, 68:92, 59:54; *no era* **maraveya,** it was not to be wondered at, 39:41.

march, March, 67:31.

marcha, marches, 13:6.

marchiones, marquises, 13:3.

marevala, marvel, 57:22.

marevelloses, marvellous, 56:60.

marteyls, hammers, 63:11.

martiri (gen.), martyr, 5:17.

martrins, s.v. **gatz.**

mas (adv., conj.), more, 20:2; but (rather), 20:17; *no era mas ab,* was not accompanied by more than, 51:13; *no val mas tan com,* is only worth as much as, 65:3.

mas, s.v. [METRE].

masa, too, 44:50; too much, 72:52.

mascip, servant, lad, 46:9.

mases, masses (m. pl.), dwellings, farms, 18:26, 42:64.

masés, s.v. [METRE].

maso, house, dwelling, 36:11.

masses, s.v. **mases.**

massi, mace, 34:5.

massio, expense, 61:68.

massip, servant, lad, 46:8.

master: *avian m.,* they needed,57:10; *si m. hi fa,* if need be, 57:35.

[MATAR], kill: **matá** (3 pret.), 67:18; **matí** (1 pret.), 68:15.

matex, self, 37:16; same, 62:47; *ali m.,* in that same place, 48:50; *axi m.,* likewise, 72:19; **matexa,** 52:50; *id.,* own, 72:56; **mateys,** 67:27.

matg, May, 74:27.

mati, morrow, morning, 47:38.

matí, s.v. [MATAR].

matica (for L. *mantica*), saddle-roll, 58:1.

matrá, s.v. [METRE].

mature, speedily, 58:36.

may, May, 32:30.

may, never, 75:76; *m. no,* 72:73; *no…may,* 75:37.

maygen, lamb, 38:22.

maymon, monkey, 40:20; *gatz ms.,* little monkeys, 53:62.

mayor, greatest, 53:28; greater, 72:55.

mayorals, magnates, 42:35.

mayorment, especially, 44:21.

mays, more, 43:60.

maytat, half, 45:49.

mayti, morning, 39:18.

me (for *ma,* MCat. *la meva),* my, 60:8.

me (pron.): *ante me* (MCat. *davant meu),* before me, 14:43; *davant me,* id., 14:44. Elsewhere as for MCat. *em, me.*

meala, meaylla, halfpenny, 40:14, 34:6.

mecip, servant, lad, 60:30.

medietate, half, 5:40; *per* **medietatem,** equally divided, 19:9.

mee (gen.), my, 5:3.

meins, less, 18:30; *m. de,* apart from (?), 18:53; *m. preo,* contempt, 33:7.

meitad, half, 18:14.

mellor, best, 60:37; **melor,** better, 35:61.

melorar, improve, emend, 35:82; **mellorats,** 42:17; **meloren** (6 pr. subj.), 35:82.

mels: *pel m.* (for *pels meus),* on behalf of my family, 30:4.

membra, limbs, 7:5, 12:8 (with verb in sing.).

[MEMBRAR], remember: **membrás** (3 pluperf. subj.), 39:62; **membre** (3 pr. intrans.), 71:45.

men: *lo m.,* my, 14:32.

mená, s.v. [MANAR] and [MENAR].

menaçant, threatening, 68:76.

[MENAR], lead or drive (away), set in motion, send: **manar** (inf. subst.), 72:24; **mena** (3 pr.), 72:39; **mená** (3 pret.), 53:51; *id.* (refl.), 18:28; **menaren** (6 pret.), 18:70; **menat** (imperat.), 54:7; **menave** (3 imp. refl.), 18:40; *id.* (3 imp.), 54:2; **mene** (3 pr.), 72:39; **menets** (5 pr. subj.), 33:38.

mendacium, falsehood, 20:78.

menemessors, executors, 49:21.

menestirs, needs, 20:71.

mengá, etc., s.v. [MENJAR].

menil, towel, cloth, 70:5.

[MENJAR], eat: **manga** (imperat.), 20:37; **manjar** (inf.), 57:22; **manyás** (3 imp. subj.), 57:29; **mengá** (3 pret.), 20:29; **mengar** (inf.), 25:17; **mengar…an** (6 fut.), 69:18; **menge** (3 pr.), 37:19; **menjá** (3 pret. refl.), 59:57; **menjar…e** (1 fut.), 59:6; **menjar…he** (id.), 59:23; **menjás** (3 imp. subj. refl.), 59:12; **menjen** (6 pr.), 53:72; **menuc** (1 pr. subj.), 32:9; **menuch** (3 id.), 70:14; **menyar** (inf.), 41:53; **menyat,** 39:23; **meyar** (inf.), 53:62.

menos, minor, 53:49.

mens venia, were to die, 7:13. Cf. Rodón, *minus venire.*

ment: *poderosa m.,* with complete dominion, 10:11. In 20:2, 20:3 also as adverb suffix.

mentí (3 pret.), lie, 68:50.

mentra que, while, 60:16; **mentre qe,** 22:14.

menuc(h), s.v. [MENJAR].

menus venerit per morte, were to die, 6:5. Cf. **mens venia.**

menut, with small steps, 56:51.

menyar, etc., s.v. [MENJAR].

menys de, without, 51:33.

[MENYSPREAR], despise, scorn: **manysprea** (3 pr.), 37:19; **menyspreats,** 59:69; **menyspresara** (3 cond. or past cond.), 52:7; **menyspresaries** (2 cond.), 69:12; **menyspresat,** 52:6; **meynsprean** (pr. part.), 41:22.

meraveylave (3 imp. refl.), be amazed, 52:39.

mercoris: *die m.*, Wednesday, 10:61.

merexedora, deserving, 73:98.

[MEREXER = MERÈIXER], deserve, be fit to: **merexen** (6 pr.), 61:13; **merexerien** (6 cond.), 61:13; **merexiets** (5 imp.), 61:43; **meria** (3 imp.), 46:24.

meridiana, southern, 13:22.

meritament, deservedly, 79:21.

mes (adj.), my, 75:16.

mes (adv., conj.), but, rather, 27:35; moreover, 36:17; *mes que,* in spite of the fact that (?), 27:40; *al mes* (for *a mes?*), moreover, 18:16.

mes, s.v. [METRE].

mesales, halfpence, 40:9.

mesatge, messenger, agent, 33:14.

mescios, expenses, 49:38.

mesclament, conjunction, 56:67.

mesclarien (6 cond. refl.), join battle, 41:67.

mesera, s.v. [METRE].

meses, months, 16:3.

meseys: *am mi m.*, on my own initiative, 50:14; *mi* **mesexa,** myself, 46:26.

meso, house, 19:1.

messages, messengers, 15:83.

messes, s.v. [METRE].

messions, costs, expenses, 28:30.

mester: *a mi é...m.*, I am in need, 33:10; *es m. que,* it is necessary that, 44:13; *farie m.*, it would be necessary, 59:19; *si m. era,* if need be, 50:16.

met, s.v. [METRE].

metayl, bronze, 40:15.

metats, etc., s.v. [METRE].

meteix, (my)self, 22:11; **metex,** same, 40:21; own, 41:4; *hexi m.*, likewise, 60:20.

meterem, etc., s.v. [METRE].

metg', doctor, 32:8.

[METRE], put, place, expel, establish, 14:12; **mas** (p. p.), 57:48; **masés** (3 imp. subj.), 55:13; **matrá** (3 fut., or perhaps for *antra,* 3 pr. subj.), 55:1; **mes** (3 pret.), 18:74; *id.* (refl.), dismounted, 68:48; **mes** (p. p.), 14:36; *id.* (pl.), 21:9; **mesera** (3 past. cond. refl.), 46:22; **messes** *en obra,* acted upon, 20:19; **met** (1 pr.), 27:48; **metats** (5 pr. subj.), 68:3; **metatz** (id. — imperat.), 62:37; **meté** (3 pret. refl.), entered, 54:36; **meterem ma a,** we (they?) began to, 47:43;

meteren (6 pret.), 51:36; **metéss· o el en ver,** he should prove it, 24:10; **metrant...** *in potestate,* shall deliver into the charge, 8:17; **metria** *hom,* one would set upon, 24:8; **mettre** (inf.), 76:1; **mite-te,** cast yourself, 20:43.

meua, meues, my, 49:22, 49:8.

meyar, s.v. [MENJAR].

meylors, best, 49:30.

meyns, less, 34:21; *no res m.*, none the less, 58:50.

meynsprean, s.v. [MENYSPREAR].

meytat, half, 45:52.

mi (pron.), MCat. *em, me*: 7:9, 7:11, 27:5, 27:14, 61:11.

mia, miaa, mias, mies, my, 14:32, 27:34, 39:30, 30:5, 61:36, 49:18.

micha: *no m.*, none at all, 38:2.

mici, michi, miki, to me, 3:2, 11:2, 2:4.

mig per mig, shared equally, 45:49.

miga, half. 25:15.

migançant, helping, 65:10.

migencer, of medium size, 56:32; **migencers,** of medium length, 56:46; **migenser, migensera, migensers,** 56:36, 63:24, 63:23 (s.?).

miger. (for *migeres*), **migera,** measures, 18:65, 38:8.

mijançats, aided by, 64:33.

milia, millia, millie, thousand(s), 39:48, 51:6, 60:19.

mills better, 70:11.

milor, better, 72:81.

mils, best, 19:46; better, 35:58; rather, more, 35:64; *m. vullen,* they may prefer, 22:9; *si pres m.*, he arrogated to himself more power over, 14:19.

ministres, servers, 74:14.

minus venit, dies, 10:29; *m. venerit,* 10:32; *m. creats,* disbelieve, 23:33. Cf. Rodón, *minus venire.*

minve, poor, 39:54; underweight, 66:29.

mirà (3 pret.), look, 68:30.

mirvar, decrease (trans.), 31:19.

misatge, deputy, 66:7; **misatgue,** hired man, 55:13; **misaticho,** messenger, 7:10.

misericordiosement, mercifully, 55:4.

missadges, missaticos, misso, missos, missum, messengers, deputies, 15:74, 12:13, 15:15, 15:80.

mitat, half, 67:55.

mite, s.v. [METRE].

mo, my, 23:24.

moço, lad, hired man, 67:40.

modiatas, measures, 3:12.

modio, measure, 10:51.
modorra, stupid, 61:5.
mogué (3 pret. refl.), move, 68:43.
mola, jaw, teeth, 78:34.
molia (3 imp. refl.), chew, digest, 37:32.
molis, mills, 50:16.
moltas, many, 62:44.
moltos, rams, 38:33.
molts (for *molt*), very, 64:75.
monachi, monks, 4:3.
monastis, monasteries, 74:29.
monçonges, falsehood, 20:68.
monede, money, 18:74.
monemessors, executors, 49:3.
monge, monges, mongo, mongos, monk, 53:57, 53:51, 59:1, 74:23.
moniment, tomb, 69:27.
monsenyor, my lord, 57:27.
monstre, s.v. [MOSTRAR].
montanha, montayes, mountain, 36:30, 72:36.
morabatins, morabetins, small coins, 18:75, 19:5.
morade, purple, 63:40.
[MORIR], die: **morí** (3 pret.), 46:15; **morie** (3 imp.), 59:17; **moriren** (6 pret.), 67:54; **morrás** (2 fut.), 69:14; **morrieu** (5 cond.), 71:44; **mort,** killed, 21:46; **muria** (1 imp.), 24:14; **muyr** (1 pr.), 65:40; **muyren** (6 p⁻. subj.), 61:65.
morrada, blow in the mouth, 78:33.
morrás, etc., s.v. [MORIR].
mors, death, 46:29.
mort, s.v. [MORIR].
mortaldad, mortality, 67:53.
morte, death, 6:6.
morts (s.), dead, 19:30.
mos, my, 14:14 (s.), 22:7 (pl.).
mosen, my lord, 72:31.
Moss., for *Mossèn,* 74:2.
mostaçaffs, inspectors, 66:38.
mostas'a, mustard, 40:20.
mostefaceria, office of weights and measures, 66:1.
mostra: fer *m.,* show proof, 19:44; **mostres,** proof of legal right, 19:42.
mostramens, proofs, 42:56.
[MOSTRAR], prove, demonstrate, show, 19:47; **monstre** (3 pr.), 8:1; **mostrá** (3 pret.), 24:18, 53:59; **mostrad,** 19:42; **mostrades,** 19:46; **mostrará** (3 fut.), 19:46; **mostraren** (6 pret.), 45:41; **mostrat,** 21:20; **mostrave** (3 imp. refl.), 77:21; **mostre** (3 pr.), 20:53; **mostres** (2 pr. subj.), 53:55; **mostret** (3 pret.), 21:35.

mot, very, 41:45; **motz,** 53:2; *m. aytz* (s.), most high, 50:1.
motili, a type of garment (?), 4:11.
mout, very, 41:56; *per* **mouta** *qe,* no matter how much, 48:43; **moutes,** many, 48:60; **mouts,** id., 48:19.
moutos, sheepskins, 40:12.
movens, movable, 49:7.
movile, movable goods, 3:25.
moyl, s.v. **erba.**
muçol, owl, 75:40.
[MUDAR], change: **mudá** (3 pret.), 21:17; **muden** (6 pr. subj.), 68:93.
mudas, dumb, 57:2.
muiler, wife, 23:8.
mujols, vessels, beakers, 32:16.
mular, s.v. **peys, pex.**
muler, mulie, mulier, wife, 14:20, 10:48, 14:38.
mullen (6 pr. subj.), soak, wet, 70:32.
multiplicau (imperat.), multiply, 75:46.
multunines, sheepskins, 34:10.
mulyer, wife, 42:53.
[MUNTAR], mount, go up, amount to: **munta** (3 pr.), 34:23; **muntá** (3 pret.), 39:32; **muntaren** (6 pret.), 39:16; *id.* (refl.), 51:37.
muria, s.v. [MORIR].
murta, myrtle, 44:41.
mustela, weasel, 75:43.
muyler, wife, 42:76.
muyr, etc., s.v. [MORIR].

N

·n (pron., adv.), MCat. *en:* any of it, 7:8; over it, 8:3; thereby, 10:45; thence, 18:67; (redundant in 70:31); *que·n,* ?, 24:9; *id.,* of which, 37:10.
·n (prep., etc.): in, 18:59; *·n avant,* thereafter, 21:22; MCat. *En,* 14:5 (?), 18:3.
n' (pron., adv.), MCat. *en:* from it, 14:36; because of it, 18:10; of it, 19:28; redundant in 20:79 (?).
n' (anti-hiatic?), 67:28.
N.S., Our Lord, 20:16.
na, MCat. *ne,* 60:57.
·ná, s.v. [ANAR].
nabot, nephew, 46:7.
nadan, swimming, 53:43.
nafrador, inflictor of a wound, 29:32.
[NAFRAR], wound: **nafrá** (3 pret.), 46:12; **naffrá** (id.), 46:14.
naguna, any, no, 52:53, 57:30.
·nar, s.v. [ANAR].
narils, nostrils, nose, 56:47.

19

nascituros, yet to be born, 26:3.

nasqués, s.v. **nexer.**

nat, person born, 56:27. Cf. **nexer.**

natds, s.v. **nexer.**

naturalea, dominion, 47:56.

nau: *de bell n.,* all over again, recently, 78:29.

·ncara, s.v. **enchara.**

·ncontinent qe, as soon as, 48:37.

·nde, s.v. **ende.**

Ne, for *Na,* 61:15.

ne (pron., adv.), from him, 21:63; over it, 37:18.

ne (conj.), lest, 11:2; nor, 12:8; or, 12:9; and, 23:18; *ne no,* 15:31; *ne non,* 14:33.

nec, nor, 15:2; *nec...nen,* neither... nor, 15:31.

nege (3 pr.), deny, 28:37.

negra (m.), black, 63:28.

negu, negun, neguna, negunes (adj., pron.): any(one), no (one), 14:11, 20:78, 35:78, 23:30, 35:83, 41:45, 42:85, 12:3, 18:74, 46:35.

negueleix, (not) even, 76:5.

neguex, even, 42:95.

negun, etc., s.v. **negu.**

neguocis, affairs, 69:36.

neis, even, 42:54.

neleix, (not) even, 76:5.

nelet, fault, blame, 18:37.

nelex, even, 52:10.

nemichs, enemies, 68:88.

nen: *nec...nen,* neither...nor, 15:32.

nen (for *ne*), of it, 19:54.

nengu, nengun, nenguna, a n y, no, 56:75, 66:6, 34:30, 56:57.

nesesarias, necessary, 62:32.

nesesitat, nessecitat, necessity, 62:4, 44:32.

nexer, be born, 26:21; **nasqués** (5 pret.), 71:40; **nat,** 71:49; **natds** (p. p.), 26:21; **nats,** 65:25.

·ngana, s.v. **enganar.**

·ngenrara, s.v. [ENGENDRAR].

ni, or, 10:21; and, 42:25; *ni no,* nor, 12:7.

nichilhominus, none the less, 58:50.

nicilque, nothing, 2:14.

nient, nothing, 20:14.

nisi, but, 4:8; only, 4:13; except, 14:45.

nns., the Nones, 5:41.

no (for *ne*), of it, 57:31; *no no* (for *ne no*), nor, 15:37; *ne no,* nor, 15:31; *sin no,* than, 14:30.

nobis (for *nos*), we, 30:15.

nobla (f.), noble, 53:26.

noblea, nobility, 75:65.

noctum, noted, 30:1.

Nodriça, wet-nurse, 60:31.

noembre, November, 49:47.

noiment, harm, 44:12.

nola, any, no, 50:8.

noliegar, commission, fit out, 60:8; **noliegada,** 39:30.

nombre: *qui·s cambie a n.,* ?, 40:16.

nome, name, 15:108.

[NOMENAR], call, name: **nomená** (3 pret.), 20:88; **nomenen** (6 pr.), 35:30.

non: *ne n.,* nor, 14:33; *ni n.,* 15:65.

nopcials, nuptial, 49:24.

nopcsies, marriage, 49:23.

nos (subj. pron.), MCat. *nosaltres:* 15:50, etc.

nos (obj. pron.), MCat. *ens, nos, nosaltres* (tonic): 19:24, 19:38, 20:32, etc.

nos, for *no,* 18:36.

nosatres, we, us, 76:19.

noscades: *nous n.,* nutmegs, 34:4.

nostr', for *nostra,* 75:25; **nostros** (m. pl.), our, 19:24.

notabla, remarkable, 59:45.

notau (imperat.), note, 76:56.

notz, walnuts, 40:19; part of firing mechanism of the c r o s s b o w, 50:11.

novbr. (gen.), November, 5:41.

nove, news, 72:16; *preseren se de noves,* they began to argue, 46:10.

novelament, anew (?), 19:33; newly, 42:37.

noveletads, noveletat, unjustified actions, 19:17, 33:37.

novella, new, unheard of, 64:43.

noves, s. v. **nove.**

noxadre, sal ammoniac (?), 34:8.

·npignorada, put in pawn, mortgaged, 18:11.

·nquara, s.v. **enchara.**

·ns (obj. pron.), MCat. *ens, nos:* 15:51, 19:22, 19:34, etc.

·nt, for *En,* 60:64.

nu, not, 15:2.

nude, baldly, merely, 58:32.

nudes, insulting, 19:45.

nuiti, nuitz, night, 7:13, 20:29.

nul, any, no, 22:17, 42:59; *anc nul temps,* never, 33:30; **nula,** 20:2; *n. cosa,* nothing, 41:47; **null temps,** never, 61:16; *id.,* ever, 65:24; **nulla,** 42:65; **nuls** (s.), 36:27.

nullatenus, in no wise, 58:49.

nulli, any, 36:11; **nullum,** 15:21.

nunca, nunqua, never, 75:75, 77:35.

nuu e cruu, stark naked, 61:48.

nuyl, any, no, 39:5, 39:65; *n. temps*

pus, never again, 39:61; **nuyla,** 40:15; *n. res,* at all, 43:11; **nuyll,** 55:20.

nuyt, night, 39:17.

ny, nor, 50:9.

O

o (interj.), oh!, 73:12.

o (adv.), where, when, 14:6, 27:9.

o, ·o (neut. pron.), MCat. *ho:* it, 7:15, 8:10, etc.

o. (for L. *ore),* mouth, 20:39.

ho, or, 14:8.

[OBEIR], obey: **obehix** (3 pr.), 75:53; **obesir** (inf.), 52:21.

object, aim, 35:100.

objectada, given form, 35:109.

oblia, type of loaf (?), 38:3.

[OBLIDAR], forget: **hoblidats,** 57:21; **hoblidatz,** 49:19; **obliden** (6 pr. subj.), 79:34; *id.* (for *obliguen,* 6 pr.), 77:11.

[OBLIGAR], oblige, force: **obliden** (for *obliguen,* 6 pr.), 77:11; **obligan** (6 pr.), 77:9.

obrades, worked, 63:17.

obras, hobre, works, 62:2, 72:24.

[OBRIR], open: **obren** (6 pr. subj.), 36:13; **obrí** (3 pret.), 53:59; **ubertes,** 48:23.

obs, needs, 38:38; *a o. de,* for the purpose of, 45:32; *no fore o.,* would not have been fitting, 18:15; *qe o. aja pleit,* that legal proceedings are necessary, 23:18; *si o. i era,* if need be, 24:23; *us farem vostres o.,* we will supply your needs, 47:55.

obstrigillus, sandal, 58:8.

obtima, obtimas, obtimes, obtimos, excellent, 17:4, 17:3, 17:9, 17:7.

oc, yes, 24:25; **och,** 47:36; **hoc** *encara,* and indeed also, 73:41.

occas, occes, geese, 17:3, 11:27.

occipium, back of the head, 78:46.

ocels, birds, 63:3.

ocidentis, of the west, 2:7.

ociure, kill, 18:42; **aucidie** (3 imp.), 36:15; **auciés** (3 pluperf. subj.), 39:67; **aucirá** (3 fut.), 42:74; **auciu** (3 pr.), 52:12; **ociurá** (3 fut.), 42:20; **oucidrei** (1 fut.), 12:7; **ouciure** (inf.), 51:49.

octobr., of October, 11:28.

odides, s.v. [OIR].

odie, today, now, 9:5.

odir, s.v. [OIR].

odor, hodos, scent, 43:56, 57:6.

oent, s.v. [OIR].

offici, holy office, 74:15; **hoficis,** trades, 67:50.

ofisials, officers, 50:22.

[OIR], hear, give a hearing, heed: **audir** (inf.), 20:47; **auditz,** 42:14; **aujats** (imperat.), 45:2; **ausí** (3 pret.), 41:59; **ausit,** 43:16; **auzir** (inf.), 21:5; **auziren** (6 pret.), 21:43; **odides** 20:66; **odir** (inf.), 20:71; **oent** (pr. part.), 28:40; **ogans** (imperat.), 18:4; **ogen** (6 pr. subj.), 59:52; **oid,** 28:11; **oïda,** 64:44; **oides,** 28:19; **oiem** (4 imp.), 47:24; **hoim** (4 pret.), 47:23; **hoir** (inf.), 57:48; **hohiran** (6 pluperf.), 57:39; **hoirien** (6 cond.), 47:50; **ou** (3 pr. refl.), 76:49; **(h)oy** (3 pret.), 73:5, 52:29; **oydes,** 59:54; **(h)oyr,** 75:31, 59:68; **oyren** (6 pret.), 61:36; **hoyssets** (5 imp. subj.), 51:54.

ola, stewpot, 25:4.

olens (s.), scented, 43:57.

holives, olives, 42:68.

olla, worn out, 63:28.

olliver, olive grove, 26:12.

oltra, moreover, 55:7; **oltro,** apart from, 55:16.

om, a man, one, 12:4; any man, 12:10; man, 18:37; **hom,** liegeman, vassal, 10:43; *molt h.,* many men, 24:20; *rich h.,* nobleman, 51:15; **ome,** 18:35; men, 21:43; **homen,** 10:45; **(h)omens,** 18:1, 18:64; **omes,** 16:2; **omine,** 7:8, 8:4; **omo,** 2:22, 6:8.

homejer, murderer, 29:32.

homen, etc., s.v. **om.**

homey, murder, 76:22.

hominatico, allegiance, hommage, 10:16.

omine, s.v. **om.**

homnibus, by all, 30:1.

omnique, for all, 5:6.

omo, s.v. **om.**

[OMPLIR], fill: **honpliu** (imperat.), 75:48; **umple** (3 pr. refl.), 44:8; **umplert,** 76:17; **umplietz** (5 imp.), 35:45; **umplit,** 76:18; **unplits,** 44:46.

(h)on, where, of which, 14:22; wherefore, 18:24; whereby, 29:13; whither, 37:1; whence, 39:61; *on qe,* wherever, 22:12; *on se vula,* wherever it may be, 35:53; *hon son,* wherein are included, 40:25; *hon te vulles,* wherever you like, 59:23; *d'on,* wherefore,

28:18; whereby, 32:27; whence, 48:33; *per hon*, along which, 73:73; wherefore, 77:12.

hon., for *honorables,* 74:4.

onclo, uncle, 76:15.

honivessal: *ereu h.,* sole heir, 49:32.

(h)onor, (h)onore, onorem, fief, land held in fee, 15:107, 12:9, 10:81, 7:6, 10:5; *onor,* honour, 50:5.

onorare, honour, endow, 3:3.

honpliu, s.v. [OMPLIR].

onrad, honrade, onrat, honoured, worthy, 33:1, 57:26, 23:1.

honro: *us será h.,* it will be to your advantage, 72:87.

onsa parda, she-bear, 75:54.

onso, bear, 78:51.

onta, (h)ontes, affront, 42:39, 41:21, 41:23.

Oo, oh!, 71:52.

oposiopazis, aposeiopesis, 62:47.

ops, need, 33:5; *as ops de,* needed for, 50:11; *he ops de,* I need from, 37:24; *fiat ad opus de,* may serve the needs of, 11:12.

ora, hour, 7:2; *a l'ora,* then, 76:45; *en poca ora,* within a short space, 68:91; *tota ora,* always, 45:37; *per illas* **oras** *que,* when(ever), 10:25; *aqueles* **ores** *que,* when, 35:41.

orda, ordens, h o l y o r d e r, 54:37, 71:55.

[ORDENAR], ordain, order: **ordenaren** (6 pret.), 66:10; **hordonat,** 51:1.

ordenari, usual, 55:5.

ordens, s.v. **orda.**

ordeo, barley, 5:39.

ordinations, ordinances, 66:1.

hordonat, s.v. [ORDENAR].

ordy, barley, 70:29.

hores: *les h.,* then, 76:45.

oreyes, oreyllas, oreylles, ears, 42:42, 61:36, 59:52.

orguinetes, s a d d l e - b a g s, panniers, 78:47.

origentis, of the east, 2:6.

oroneta, swallow, 75:39.

ororis, of desolation, 13:6.

orp, blind, 61:3.

orresament, horribly, 58:24.

orreu, horrible, 59:63.

horribiliter, horribly, 58:24.

orsum: *de o.,* down, 20:43.

ort, ortis, orto, orchard, plot, 19:52, 3:24, 3:17.

orta, fertile plain, 46:36.

ortis, etc., s.v. **ort.**

orthographia, spelling, 76:57.

ortolissa, vegetables, 55:2.

os (MCat. *us*), you, 72:9.

hos, or, 14:9.

osava (1 imp.), dare, 27:17. Cf. [GOSAR].

oscillum, -i, swing, 78:37.

ost, army, 47:14. Cf. **ostes.**

hostalaria, inn, 34:31.

ostals, inns, 35:22.

(h)oste, landlord, host, 40:27, 40:32.

ostes, (h)osts, m i l i t a r y operations, 14:6, 15:93, 15:71.

otilitatz, benefits, 41:17.

otorgá, s.v. [ATORGAR].

ou, wherever (?), 22:9; or, 70:28.

ou, s.v. [OIR].

oucidrei, etc., s.v. **ociure.**

oula, worn out, 63:28.

ous (MCat. *us*), to you, 15:74.

outra, apart from, 18:10.

oveiles, ovelye, sheep, 18:73, 42:62, 55:10.

hoy, abhorrence, 79:16; *té en h.,* abhors, 79:15.

(h)oy, etc., s.v. [OIR].

oydor, hearer, 52:5, 52:12.

P

pac(h), s.v. [PAGAR].

pacions, sufferings, 77:27.

[PAGAR], pay, make reparation: **pac(h),** (3 pr. subj.), 42:106, 34:31; **pag** (id.), 45:47; **pagad,** 19:6; **pagads,** 19:5; **pagar...ien** (6 cond.), 39:14; **pagarets** (5 fut.), 68:18; **pagassem** (4 imp. subj.), 60:39; **pagé** (1 pret.), 27:38; **pagés** (3 imp. subj.), 39:55; **paguant** (pr. part.), 53:36.

p a g e s, pageses, peasants, villeins, 42:31 (pl.), 42:49.

pagine, page, 14:17.

pagos, peacocks, 63:47.

paguant, s.v. [PAGAR].

pailla, straw, 70:29.

paire, father, 31:15.

pala, straw, 38:2.

palafres, palfreys, 35:11.

palancha, (foot)bridge, 74:30.

pali, palit, canopy, 63:47, 63:40.

pallia, cloth, mantle, 4:11.

palliat, hidden, 44:71.

palm, hand, 48:59, 66:28.

palmes: *levade en p.,* treated with great affection, 61:32.

palos, hairy, 56:46.

panave (3 imp.), take possession of, 36:25.

panfiles, vessels, 60:19.

pansament, thought, 57:46.

pansar, etc., s.v. [PENSAR].
Pantagosta, Pentecost, 57:26.
panys, blemishes, 56:39.
paor, fear, 57:51.
paos, peacocks, 11:27.
papagayl, parrot, 59:48.
Pape, Pope, 39:21.
papello, papeyo, tent, canopy, 76:53, 76:52.
par, like, 61:27.
par, s.v. [PARÈIXER].
• Paraci: *lo dia de* • *P.*, Epiphany, 48:45.
parades: *blat de p.*, cereal contribution paid in lieu of hospitality due to a lord, 38:25.
parament, reciprocally, 77:40.
paran, s.v. drit.
parahons, snares, traps, 66:15.
paraulas, words, 57:45.
parays, paradise, 75:42.
parcesqe (3 pr. subj.), forgive, 20:71.
parçoner, partner, 36:15.
parda, s.v. onsa.
parech, s.v. [PARÈIXER].
pared, wall, 13:26.
[PARÈIXER], appear: par (3 pr.), 19:58; parech (3 pret.), 51:31, 77:20; pareg (id.), 27:26; pareschen (6 pr. subj.), 42:8; paria (3 imp.), 51:30, 68:97; parie (id.), 27:27.
parel, pair, yoke, 25:18.
parens, relations, 72:13.
pareschen, s.v. [PARÈIXER].
pareyl, pair, 40:23.
paria, etc., s.v. [PARÈIXER].
parilio, pair, 3:22.
pariyll, danger, 55:25.
parladors, speakers, 76:37.
parladura, speech, 62:29.
[PARLAR], speak, say, ask: parlá (3 pret.), 27:31; parlás (3 imp. subj.), 46:61; parlats (5 pr.), 61:6; parlavets (5 imp.), 61:7; parlí (1 pret.), 73:19.
paroquia, paroquies, parrochia, parish, 38:41, 74:29, 15:4.
part: *de p.*, through, 47:63; *de p. a p.*, right throught (the body), 67:61.
partesc, etc., s.v. [PARTIR].
partida, parcel of land, 19:49.
[PARTIR], leave, forsake, deny allegiance, share or divide: partesc (1 pr.), 23:35; partesca (3 pr. subj. refl.), 38:5; partescam (4 pr. subj. refl.), 39:2; partex (3 pr. refl.), 48:49; *id.*, (imperat. refl.), 54:34; partí (1 pret.), 44:61; *id.* (3 pret. refl.), 39:27; partia (3 imp. refl.),

14:9; partiats (5 pr. subj.), 68:18; partirems (4 fut. refl.), 15:52; partiren (6 pret.), 48:1; *id.* (refl.), 39:10; partirets (5 fut.), 68:37; pertí (3 pret. refl.), 46:33; pertís (3 imp. subj.), 46:16.
partissipar, communicate, 35:103.
parzoner, parzones, partner, 36:15, 36:21; *id.* (s.), 36:28.
pas, s.v. [PASSAR].
pas no, not (at all), 39:47.
pasa, etc., s.v. [PASSAR].
pasege (3 pr.), walk, 56:50.
[PASSAR], pass (through or over), enter, go beyond, infringe: pas (3 pr. subj. refl.), 29:35; pasa (3 pr.), 42:71; pasat, 67:55; pasava (3 imp.), 67:61; pasave (id.), 57:9; passá (3 pret.), 41:65; *id.* (refl.), 68:28; passaren (6 pret.), 73:1; passasem (4 imp. subj.), 60:37; passats (imperat.), 37:18; passava (1 imp.), 15:72; passave (3 imp.), 54:18; passés (3 imp. subj.), 45:22; passesen (6 imp. subj.), 41:65; pecat (p. p.), 60:6 (?).
passi, passia, Passion, 76:45, 76:44.
passionario, passioner, 5:9.
patites, small, 63:29.
paubr', paubres, poor, 35:19, 49:16.
pauc, little, 20:25.
pausa, etc., s.v. [POSAR].
payella, frying-pan, 63:24.
payers, places where straw is stored, 42:103.
payla, straw, 49:29.
payllers, places where straw is stored, 42:65.
payre, father, 43:9.
payssos, regions, 76:30.
paz, peace, 19:49.
pech, stupid, 65:11.
pecat, s.v. [PASSAR].
peccad, sin, 20:30.
peccador, sinner, 71:2.
[PECCAR = PECAR], sin: peccá (3 pret.), 75:75; peccara (3 past cond.), 75:70.
peccat, sin, 41:7.
pecijar, ransack, break into pieces, 21:32; pecijá (3 pret.), 21:26.
pedetentim, haltingly, 58:27.
pedo, vassal not possessed of a mount, 14:12.
peds, feet, 20:65.
peguea, stupidity, 65:8.
peguesca, a type of verse composition, lit. 'trifle, stupidity', 32.
peilla, (lining) cloth, 34:28.

peixcar, fish, 78:49.
pel, skin, 17:4, 70:24.
pel mels (for *pels meus*), on behalf of my family, 30:4.
pelegris, pilgrims, 35:1.
peliceria, skins, furs, 40:5.
pelleya, struggle, 77:27.
pellicea, fur garment, 5:23.
pelliçone, fur garment 5:25.
pelots, skins, 40:9.
peltrigar, tread (underfoot), 76:4.
pena, lining (fur), 32:23.
pendra, etc., s.v. [PRENDRE].
penetencia, repentance, 20:25.
pengat, hanged, 67:42.
penites, towards (?), 58:17.
penniculon, cloth, rag, 78:45.
penre, s.v. [PRENDRE].
[PENSAR], consider, think (to), begin to: pansar (inf.), 57:45; pansaren (6 pret.), 57:22; pens (1 pr.), 64:38; *id.* (refl.), 41:59; pensá (3 pret.), 51:47, 59:2; *id.* (refl.), 39:24; pensaren (6 pret.), 51:44; pensau (imperat.), 77:30; pensí (1 pret.), 77:15; penssa (3 pr.), 20:11; penssar (inf.), 79:21; penssava (1 pr.), 75:2.
pensat, resolve, 56:80.
penssa, thoughts, 79:20.
penssa, etc., s.v. [PENSAR].
Pentacosta, Pentecost, 29:6.
penyar, hang, 42:44.
penyor (3 pr. subj.), damage, 42:68.
penyorament, damage, 42:23.
pera, stone, 42:3.
peraula, word, 29:18.
[PERDONAR], pardon: perdinau (imperat.), 60:59; perdoná (3 pret.), 39:48.
[PERDRE], lose: perda (3 pr. subj.), 36:33; perdé (3 pret.), 24:2; perder (inf.), 36:21; perdet (3 pret.), 21:19; perdud, 18:31, 27:41; pert (3 pr.), 47:54.
perea, laziness, 76:10.
peregrini (gen.), pilgrim, 58:2.
perens, relations, 72:28.
pereroses (m. pl.), sluggish, 44:28.
perfi: *a la p.*, finally, 42:44.
perfonda, deep, 39:61.
peridors (f. pl.), mortal, 20:7.
peril, danger, 46:52.
perjuri, perjurer, 36:27.
permanead (3 pr. subj.), remain, 2:26.
permutable: *sens p.*, unbending, 56:80.
pernates (for *pernada*?), due tribute, 27:11.
perpetum: *usque in p.*, for ever, 30:12.

perpol, i'faith, 78:1.
perque, wherefore, whence, 18:10.
pers, type of cloth, 40:1.
personas, people, 48:47; persone, perssones, person, 10:72, 44:68.
pert s.v. [PERDRE].
pertí, etc., s.v. [PARTIR].
pertinenciis, dependencies, 15:28.
pesa, while, 57:1.
pesador, officer concerned with weights and measures, 66:9.
pesan, slow (?), 56:79.
peschadors, fishermen, 39:13.
pessa, piece, 40:1; *p. havia que*, some time ago, 60:45.
petit (MCat. *poc*), small amount, 58:37, 76:50.
petites, for *petits*, 63:23.
pex, fish, 67:48; *p. mular*, whale, 75:59.
peyll, skin, 34:15.
peys, fish, 67:1, 68:95 (pl.); *p. mular*, whale, 67:3.
pez, by the, 18:41.
phará, s.v. [FER].
philosofia, philosophy, 56:25.
phisica, physic, 56:25.
pices, fish, 78:49.
picons, pestles, 40:22.
pignora, surety, 15:55.
pignoren (6 pr.), hold to ransome, 18:50.
-pii, desinential ending of L. gen., 78:46.
pijor, worse, 35:24, 59:63.
pinedre, repent, 37:21.
·pines, thorns, 48:18.
pint', painted, 65:13.
píntens, combs, 34:28.
pinyons: *no·us sabrá a p.*, you won't like in the least, 61:20.
piquasa, (sledge)hammer, 63:12.
pis servida, done a disservice, 18:10.
pits, breast, 65:6 (s.), 68:26 (pl.); pitz (s.), 44:27.
pitxaneta, shell (dim.), 63:5.
pitxer, pitcher (?), 76:53.
piyorament, damage, 42:77.
pla, full, 57:6; *de p. en p.*, in full, outright, 60:39.
plac, etc., s.v. [PLAURE].
placuid, was found acceptable, 2:11.
pladegedor, argumentative, 56:73.
plaen, s.v. [PLAURE].
plagadis, flexible, 56:49.
planes, straight (?), 56:47; full, 57:9.
planetas, planets, 56:52.
planetes, planes, 63:12.
planets, planets, 56:63.

plans, straight, 56:34.
plansons, saplings, 55:18.
plasen, plasent, pleasant, 77:24, 61:36.
plaser, pleasure, 46:73.
plásia, s.v. [PLAURE].
plassa, square, 34:23.
plasse, place, 61:54.
[PLAURE], please: **plac** (3 pret.), 53:50; **plácia** (3 pr. subj.), 72:77; **plácie** (id.), 60:10; **plaen** (6 pr.), 61:57; **plásia** (3 pr. subj.), 50:27; **plat** (3 pr.), 33:3.
pled, litigation, 14:61.
[PLEDEJAR], litigate, institute a suit against, uphold ones case: **pledeg** (1 pr.), 33:16; *id.* (3 pr. subj.), 10:57; **pledege** (3 pr.), 33:6; **pledejants** (p. p.), 18:54; **pleidejar** (inf.), 23:19.
pleer, pleasure, 60:9.
pleid, lawsuit, 28:22; *fet pleid,* asked for justice to be done, 18:35.
pleidejar, s.v. [PLEDEJAR].
pleit, lawsuit, 23:10.
plen, full, 39:56.
plenisonança, open vowels (ꞈ), 62:42.
plers, favours, 60:57.
pleser, pleasure, 72:8.
plexels, stakes, props, 66:39.
pleyt, lawsuit, 76:23.
pliu, plivis, guarantee, surety, 42:69, 42:13.
ploch (3 pret.), rain, 74:25.
plomaç, down-filled pillow or mattress, 17:10.
[PLORAR], weep: **plor** (3 pr. subj.), 47:53; **ploran** (pr. part.), 47:4; **plorat** (imperat.), 48:14; **ploren** (6 pr. subj.), 79:34; **plorets** (5 pr. subj.), 48:14.
plublicade, impressed, 57:56.
pluge, rain, 68:78.
plumaçs, down-filled pillows or mattresses, 11:26.
plus, more, 28:12.
poblets (5 pr. subj.), build, abide, 37:18.
pobol, populace, 21:4.
pobrea, poverty, 67:51.
poch (adj.), MCat. *petit, curt:* short, 73:26; *a p. pas.* slowly, 70:6; **pocha,** little, 37:24; short, 43:15; **pochs,** small, 63:40.
poch (adv., subst.), MCat. *poc:* little, 39:24; *p. ho molt,* somewhat, 72:27; *a p. a p.,* little by little, 58:18; *tan p.,* neither, 73:45; *un p. ne molt,* not at all, 65:43.
poca (subst.), little, 33:12.
podadoras, pruning-knives, 5:38.

poder, maybe, 69:29.
[PODER], be able: **poc(h)** (3 pret.), 46:34, 21:15; **pod** (3 pr.), 10:58; **podems** (4 pr.), 19:25; **podets** (5 pr.), 51:53; **podetz** (id.), 20:47; **podez** (id.), 21:5; **podian** (6 imp.), 57:14; **podie** (3 imp.), 27:31; **pog** (3 pret.), 27:20 — probably, however, for *pogrem;* **pogés** (1, 3 imp. subj.), 27:33, 14:9; **pogesen** (6 imp. subj.), 30:10; **pogr'** (1 cond.), 65:64; **pogra** (3 past cond.), 20:49, 21:49; **pogran** (6 pret.), 57:47; **pogre** (3 past cond.), 19:34; **pogren** (6 pret.), 39:18; *id.* (6 past cond.), 16:11, 52:3; **pogron** (6 pret.), 16:3; **pogué** (3 pret.), 21:56; **poguem** (4 pret.), 47:73; **poguera** (3 cond.), 79:38; **poguessem** (6 imp. subj.), 47:48; **porá** (3 fut.), 27:49; **porán** (6 fut.), 35:29; **porem** (4 fut.), 35:91; **porets** (5 fut.), 59:11; **poria** (1, 3 cond.), 57:50, 44:68; **porien** (6 cond.), 70:20; **poscha** (3 pr. subj.), 36:28; **posseat** (id.). 10:16; **pot** (for *poc,* 3 pret.?), 57:55; **pote** (3 pr.), 6:8; **poyré** (1 fut.), 41:60; **puch** (1 pr.), 73:96; **pug** (id.), 50:10; **puga** (1, 3 pr. subj.), 73:32, 65:68; **pugudes,** 48:24; **puguen** (6 pr. subj.), 79:32; **pugut,** 33:16; **puix** (1 pr.), 32:4; **pusc** (id.), 52:53; **pusc(h)a** (3 pr. subj.), 24:26, 22:13; **puscam** (4 pr. subj.), 35:89; **puscats** (5 pr. subj.), 44:85; **puscatz** (id.), 58:35; **pusque** (1 pr. subj.), 60:48; **pusquen** (6 pr. subj.), 45:28; **pusquessem** (4 imp. subj.), 60:38; **pux** (1 pr.), 33:11; **puxa** (1 pr. subj.), 33:23; **puxen** (6 pr. subj.), 61:67; **puyx** (1 pr.), 57:37.
podstad, possession, dominion, 14:22.
poi, hill (?), 36:5.
poin, fist, 42:2.
pois, then, after, 21:17; *p. que,* 21:31.
polins, young horses, mules or asses, 42:102.
polit, fine, noble, 70:2.
polp, octopus, 75:61.
polvora, polvore, powder, 70:51.
poms, apples, 43:27.
poqua (subst.), little, 70:50.
porch, pig, 42:63, 55:15.
porcels, piglets, 11:27.
porcionem, common lot, 4:20.
porgar (refl.), purge, 42:55.
poroses (m. pl.), porous, 44:52.

pors, pigs, 38:27.

portadoras, recipients for carrying grapes, wine, etc., 5:15.

[PORTAR], carry or bear (away): **port** (1 pr.), 72:74; *id.* (3 pr. subj.), 34:30; *id.* (refl.), 68:74; **portá** (3 pret.), 20:41; *id.* (refl.), 72:94; **portan** (pr. part.), 52:44; **portar** (inf. refl.), stand, 52:31; **portaren** (6 pret. refl.), 18:67; **portás** (5 pret.), 35:8; *id.* (3 imp. subj. refl.), 43:29; **portats** (5 pr.), 61:3; **portave** (3 imp.), 54:3; **porten** (6 pr. subj.), 45:34.

pos, since, after, 28:13; *de p.,* 16:6; *de p. que,* 16:4.

posar, writing, style, 62:4.

[POSAR], place, establish, set (down), lodge, agree or settle: **pausa** (3 pr.), 45:46; **pausad,** 20:59; **pausaren** (6 pret.), 41:77; **pos** (1 pr.), 62:4; **posá** (3 pret.), 20:42; *id.* (refl.), 19:49; **posam** (4 pr.), 29:40; **posar...an** (6 fut. refl.), 24:14; **posaren** (6 pret.), 48:18; *id.* (refl.), 48:26; **posarie** (3 cond.), 27:20; **posat,** 22:14.

posat, although, even if, 77:9.

posecio, holding, 55:2.

poseyr, possess, 59:46; **poseheix** (3 pr.), 73:88; **poseida,** 31:15; **poseys** (3 pr.), 67:23; **possedia** (3 imp.), 31:5.

posible, possible, 56:16.

possedia, s.v. **poseyr.**

postat, holder of supreme power, 42:34.

pot, lip, 42:44.

potencia: *ad sua p.,* to the best of his ability, 10:77.

potestad, dominion, possession, 15:81.

poxant, thriving, 72:59.

prase, s.v. [PRENDRE].

pratica, pratiques, practises, actions, 75:25, 77:10.

praticar, practise, carry out, 65:27; **preticat,** 72:25; **pretiqua** (3 pr.), 72:25.

pre, for L. *prae,* 44:58.

[PREAR], value, prize, boast (refl.): **preá** (3 pret.), 24:12; *no fa a menys* **prear,** is not to be despised, 35:72; *no·us* **presats,** you take no pride, 61:15.

prec(h) s.v. [PREGAR].

prech, request, 72:13.

preciata, valued, 4:12.

precii (gen.), value, 78:9; **precio, precium,** price, 2:11, 11:16.

precizions, compressions (?), 62:46.

preco (1 pr.), entreat, 14:57.

precravata, burdened, 3:4.

predicti, etc., aforementioned, 26:4. 8:4.

predita, aforementioned, 74:35.

prefata, aforementioned, 13:9.

[PREGAR], beg (for), pray (to), entreat, ask, 53:54 (trans.); **prec(h),** 1 pr., 60:15, 23:16; **preg** (id.), 27:44; **pregá** (3 pret.), 46:42; **pregam** (4 pr.), 33:37; **pregaria** (1 past cond.), 46:72; **pregave** (3 imp.), 64:30; **pregé** (1 pret.), 27:4; **pregen** (3 pr.), 33:27; **pregrar** (inf.), 72:17; **preguaren** (6 pret.), 41:78.

preicacio, preaching, 52:10.

preicar, preach, harangue, promulgate, 52:15; **preicada,** 64:54; **preychá** (3 pret.), 51:7; **preycat,** 71:36.

premen (6 pr. subj.), squeeze, 37:31.

[PRENDRE], take or sieze, accept, receive, suffer: **pendra** (inf.), 56:9, 77:37; **pendrá** (3 fut.), 19:47, 65:13, 79:25; **pendre** (inf.), 19:26, 46:29, 62:40; *ab qui·d creus p.,* who do you think you're talking to?, 78:4; **pendrem** (4 fut.), 39:7; **pendria** (3 cond.), 73:50; **penre** (inf.), 40:32, 66:13; **prase** (p. p.), 55:12; **pren** (3 pr. — for pr. subj. *prena?*), 20:25, 35:1, 36:19; *ne pren* (3 pr.), happens, 59:67; *veus com na pren,* look what happens to, 60:57; **prena** (3 pr. subj.), 34:25; **prendrei** (1 fut.), 12:7; **prenet** (imperat.), 44:84; **prenets** (5 pr. — or imperat.?), 70:31; **prengua** (1 pr. subj.), 75:12; **prenguí** (1 pret.), 71:49; **prent** (imperat.), 70:51; **pres** (3 pret.), 14:19, 27:18; **pres** (p. p. pl.), 21:7; **prese** (p. p. fem.), 55:9; **preseren** (6 pret.), 18:68; *p. se de noves,* they began to argue, 46:10; **preses** (p. p. masc. pl.), 22:11; **presés** (3 imp. subj.), 21:63; **presod** (3 pret.), 10:73; **pressa** (p. p.), 67:16; **pressren** (6 pret.), 27:14; **pris** (1 pret.), 14:22.

prenominatu, called, 9:6.

prent, s.v. [PRENDRE].

preo: *meins p.,* contempt, 33:7.

preposam (4 pr.), propose, 35:111.

pres, s.v. [PRENDRE].

pres, prisoner, 22:3; **preses** (m. pl.), 22:11.

pres de, near, 51:2; *tot p.,* very soon, 60:15.

presa: [fer] presa, sieze, 42:101; pre-
ses, s.v. pres.
presats, s.v. [PREAR].
presbiter, presbiteri, priest, 2:30,
28:47.
prescripta, prescripti, prescriptum,
aforementioned, 15:56, 15:51,
15:38.
prese, s.v. [PRENDRE].
presens (f. pl.), present, 50:22.
presenscia, presence, 49:49.
present: de p., forthwith, 53:7; de p.
que, as soon as, 53:4.
presentalyes, corroboration (?), 48:7.
[PRESENTAR], present: presentá (3
pret.), 44:78; presentás (3 imp.
subj.), 44:83.
presente: de p., presently, 2:14.
presentibus (abl.), present, 30:2.
preseren, etc., s.v. [PRENDRE].
presichs, teachings, 65:21.
presioes, precious, 53:38.
presiquadors, Dominican friars, 49:15.
presod, s.v. [PRENDRE].
presona, person, 72:55.
presons: males p., usurpations, 19:17.
pressa, etc., s.v. [PRENDRE].
[PRESTAR], lend: prestassetz (5 imp.
sub.), 35:43; prestatz (p. p.), 24:6.
prestator, lender, 34:20.
presumex (3 pr.), be presumptuous,
52:16.
pret, price, cost, 18:74.
preticat, etc., s.v. praticar.
prets (for prests), speedy, 64:31.
preychá, s.v. preicar.
preycador, preacher, 71:34.
preycat, s.v. preicar.
prezent, present, 62:1.
prida: [fer] prida, sieze, 42:61.
primer: de p., straightway, 21:56.
primeramen, first of all, 35:87.
primerr, primers, first, 8:14, 8:19 (s.).
primia, first fruits, 33:41.
primis: in p., first of all, 11:7.
primitia, first fruits, 76:14.
Princessa, princess, 73:2.
pris, s.v. [PRENDRE].
privats, natives, 45:3.
pro, benefit, 33:10.
pro., for L. procedit, 20:39.
prob, near, 18:2.
probea, probesa, poverty, 76:10,
72:98.
processionaliter, in procession, 74:18.
proclame (3 pr.), claim, 8:1.
prod, prode, benefit, 20:25, 20:21.
profasso, procession, 74:35.
profecto, first (?), last (?), 58:38.
professo, professons, proffesso, proces-

sion, 74:28, 74:41, 74:19.
profitaria (3 cond.), profit, 41:2.
prolis, son, 13:4.
promes, worthies, 33:27.
promet (1 pr.), promise, 59:31.
promeya, first fruits, 76:13.
promissio, promise, 65:54.
promptitut, haste, desire, 73:74.
prohome (m. pl.), worthies, 21:51;
prohomes, 45:41.
propi, same, 73:40.
propiament, in person, 20:76.
propositio, proposition, 44:75.
propozam (4 pr.), propose, 35:87.
propri, own, 16:10; proper, 76:27;
propria, 23:27.
propria ment, properly, 20:2; propria-
ment, exactly, 53:10.
proprietat, properties, 35:92.
prosaich, prose, 62:4.
prosaichament, in prose, 62:3.
prosario, proser, 5:9.
prosperitatz, benefits, 41:19.
prostratim, prostrate, 58:15.
prou, profit, 60:10.
prou, s.v. [PROVAR].
prous (s.), worthy, 65:19.
[PROVAR], prove (ones right), corrobo-
rate: prou (3 pr. subj.), 28:23;
provás (3 imp. subj.), 24:23; pro-
vasen (6 imp. subj.), 31:20.
provehit, provided, 75:44.
provesio, provision, 72:66, 72:94.
provesso: de p., processional, 63:41.
proximi (gen.), neighbour, 20:1.
proximos, present, near, 26:3.
prumer, first, 50:29.
prumerament, first of all, 38:43.
pual, bucket, 63:31.
puar, take water from a well, 63:31.
pubils, younger sons, 61:68.
publichs, public, 66:34.
pude (3 pr. subj.), stink, 61:25.
puelle, girls, 78:38.
pug, hill, 13:23.
pugar, s.v. [PUJAR].
pugeres, measures, 38:25.
pugeses, farthings-worth (?), 38:30.
Probably, however, for pugeres.
puget, hillock, 53:61.
puis, afterwards, 27:6.
puix, since, 73:73.
[PUJAR], go up, raise, amount (to):
pugar (inf.), 30:11, 72:37; pujá
(3 pret.), 79:36; puxá (id. refl.),
67:33; puya (3 pr.), 38:16; puyá
(3 pret.), 48:53.
pujos, hills, 15:30.
puli, pulins, young horse, mule or ass,
11:15, 42:61.

puluyera (for *pulnyera?*), measure, 25:15.

punt: *a mal p.,* in an unpleasant situation, 59:65.

punxor, prick, 76:28.

pupliches, public, 19:18.

pur: *no romendrá pur demenar,* it won't be for lack of asking, 60:54.

pus, most, 20:4; since, 23:15; more, 27:43; as long as, 34:12; then, next, 51:38; any longer, 75:11; *pus enant,* further, 30:11; *pus pijors,* worse, 35:24; *axi que pus,* as soon as, 46:31; *de pus,* more, 27:42; *james pus,* never again, 74:24; *no pus,* never, 64:79; *nuyl temps pus,* never again, 39:62.

putoys, (skins of) polecats, 40:7.

putput, hoopoe, 75:40.

pux, thereafter, 20:19.

puxá, s.v. [PUJAR].

puya, etc., s.v. [PUJAR].

puyera, measure, 38:28.

puys, then, 43:21.

puyx, after, 48:60.

Q

q., for L. *quod,* 20:39.

qu', for *que,* 10:60, 31:14, 72:20.

qua, qa (MCat. *que, què*): which, that, 20:13; during which, 57:1; who, 57:4; what, 57:50; *qa·s fo fet,* what had become of it, 57:12; *de so qua,* because, 57:15; *en tro qua,* until, 57:36; *mantinent qua,* as soon as, 57:5; *per qa,* wherefore, 57:32; *tal...qa,* such...that, 57:46; *tant fins qua,* until, 57:50; *tant qua,* so that, 57:12.

quada, each, 49:12.

quadra, estate, tract of land, 13:7.

quaix, almost, 70:3.

qual, qal (adj., pron.), that which (MCat. *la que*), 15:66; what (MCat. *quin*), 20:21; as (MCat. *com*), 21:5; whatever (MCat. *qualsevol*), 27:30; which (MCat. *quina*), 57:4; who, such as (MCat. *la qual*), 75:19; what course of action, 77:7; *qual qe,* any, 16:8; *qual...se voyla,* whatever, 35:53; *le qual,* concerning which (?), 60:4; **quala,** which one (MCat. *quina*), 75:21; **quals qe,** whosoever, 22:16, 36:32 (s.).

quale: *en q. que remanserit,* whoever may turn out victorious (?), 8:15.

qualiter (MCat. *que*), that, 13:4.

qualsque, some, 60:46.

quamu, (just) as, 6:7.

quan, qan (MCat. *quan, quant*): although, 19:42; when, 20:11; since, because, 21:15; *qan porá,* as much as he can (?), 27:49; *per ço quan,* because, 28:10; *per qe qan,* id., 20:87; *per zo quan,* id., 19:15. Cf. **quant.**

quanem, hemp, 55:23.

quant, qant (MCat. *quant, quan):* all that which, 14:16; as, 16:11; when, 21:53; *qant qe,* all that which, 20:81; *aixi qant,* id., 26:13; *tot quant,* as much as, 39:50; *per* **quantas** *vegadas,* whenever, 15:79. Cf. **quan.**

quantra, against, 7:8.

quar, qar, since, because, 14:19; *per aizo qar,* id., 20:54; *per ço...quar,* id., 14:34; *per qe qar,* id., 20:18; *per tal quar,* id., 27:10.

quare, because, 10:72.

quarels, crossbow bolts, 25:9.

qarentena: *la senta q.,* Lent, 20:69.

quars, bodies, 15:106.

quartals, measures, 38:6.

quarteras, measures, 10:39.

quartes, documents, a g r e e m e n t s, 49:24.

quarts, tax equivalent to a quarter of a tenant's produce, 18:17.

quasa, house, 49:30.

quascu, quascuna, each, 28:37, 28:20.

quasta, levy, 38:28.

·qasta, ·qastes, this, these, 57:51, 57:52.

quat, robe, 11:26.

quatius, captives, 49:15.

quatres, four, 70:25.

quatuor, four, 5:35.

quax, quayx, like, 39:26, 39:54; almost, 44:69.

que, qe (MCat. *que, què*): when, 8:17, 10:25; let, 10:9, 10:38; to whom, 10:30; since, after, 15:73; with the result that, 16:3; since, because (?), 18:3; in order that, 18:59, 33:22; to the effect that, 21:23, 23:6; that which, what, 33:17; (r e d u n d a n t in 33:33, 33:34, 33:40); of which, 62:2; to which, 69:9; whom, 69:50; t h r o u g h which, 79:52; *que los,* whose (?), 27:29; *que... ·n,* of which, 29:37, 37:10; *que no tany que hom li deman,* from whom it is not proper that a man should request it, 37:30; *de que,* wherefore, 67:23; *del que·ns dolem,* of

that which causes our pain, 79:10;
on qe, wherever, 22:12; *per qe,*
wherefore, 20:31; *id.,* because,
20:49; *per que,* why, 37:14; *id.,*
in order that, 70:32. Cf. **ques,
quez,** and **que** below.
que (Latin texts), for *qui,* 2:6; for
quod, 3:11; for *quae,* 5:7, 5:18,
5:27; etc.
quega, each, 42:14.
·quel, ·qel, ·quela, ·quell, ·quells, quels,
that, those, 18:37, 20:25, 48:30,
55:9, 59:67, 21:20.
queocom d', some, 18:39.
quer, rock, 45:7.
queram (1 fut.), seek, 15:89.
qerí, s.v. [QUERIR].
querimonia, querimonias, grievance,
complaint, 17:1, 19:1.
[QUERIR = DEMANAR], ask, seek: **qerí**
(3 pret.), 48:31; **qerit** (imperat.),
48:31; **ques** (2 pr.), 52:43.
ques (MCat. *que*), that, which, 18:39,
50:14.
·qest, ·questa, ·qcsta, this, 48:15, 49:39,
48:39.
questa, levy, 38:14.
qcsta, quest, 57:33.
quez (MCat. *que*), that, 18:6, 43:61.
qui, qi (MCat. *qui, que,* etc): which,
who, 2:9 (and passim in M.L.
and OCat. nom. case relative);
those who, 20:78; which (MCat.
les quals), 66:13, 77:38; that
(MCat. conj. *que*), 70:27; *qui
crema l'una branque,* whose one
branch burns, 37:26; *qui l'es co-
vinent,* to whom it is of use, 37:12.
quia (MCat. *que*), that, 15:26.
quicquid, whatever, 5:5.
quiega: *una q.,* each, 18:65.
quina, whose (?), 52:18; **quinia,**
what, 24:8.
quiquid, whatever, 2:18.
quis: *si q. sane,* if indeed, 2:19.
quislibet, any, 2:21.
quisque, even though everyone,
51:27.
quod (MCat. *que*), 3:9, 5:11, 5:29;
8:10; 15:105.
quom, as, 28:17; that, 28:33.
quomodo, as, 9:3; *acsi q.,* just as,
15:17; *sic q.,* id., 8:7.
quor: *per raso q.,* because, 50:24.
quovengudes, s.v. [COVENIR].

R

racionalitat, reasoning faculty, 35:95.
rado, reason, cause, 23:11; *redre r.,*
answer for, 20:73; *respondre a r.,*
give satisfaction, 19:55. Cf.
ra(h)o.
radona, round, 57:39.
raels, root causes, 56:10.
raids, rail, roots, 26:15, 41:1.
ramar, cut branches from a tree, 45:4.
ramey: *bon r. hage,* God help, 61:34.
rampagolls, rampagoyls, grapples,
51:35, 51:21.
[RANCURAR = QUEIXAR, RECLAMAR],
complain, dispute or claim: **ran-
cur** (1 pr. refl.), 14:21; **rrancur**
(id.), 14:53; **rancur** (3 pr. subj.),
10:75; **rancuré** (1 pret.), 14:34;
rencura (3 pr. refl.), 62:23.
rancuras, grievances, 10:80.
rancuros, aggrieved, 14:18.
ra(h)o, ra(h)on, reason, cause, 56:2,
27:21, 62:1, 31:5; word, 62:41;
a dreta rahon, indeed, 51:16;
ffeya·m rahons, I sought justifi-
cation (?), 75:7; *per aquella
rahon,* at that same rate, 34:22;
per raho, because of, 70:15; *per
raho de,* id., 44:56; *sots rao de,*
under the influence of, 35:95.
rahonables, reasonable, 56:19.
[RAONAR], discuss, reason: **rahona** (3
pr. refl.), 73:33; **raonatz,** 42:15;
reonave (3 imp.), 77:27.
rapanadí (3 pret. or imperf.), would
have repented, 57:54.
rapina, rapine, 19:44.
raquesta: *a vostra r.,* of your own
accord, 61:17.
ras, anything, 57:35.
rasi (m. pl.), level, 38:34.
raso: *per r. quor,* because, 50:23. Cf.
ra(h)o.
rasora, grater, rake (?), 17:11.
rasposés, s.v. [RESPONDRE].
rastre, string, 73:54.
raubá, etc., s.v. [ROBAR].
rauberies, depradations, 21:8.
raumatigues, damp, 44:24.
raura, grate, 63:22.
rauza, argol, crude tartar, 40:17.
raymes, reams, 40:11.
razo: *de r.,* right, 19:58; *per r.,* by
right, 19:26; *per r. de,* because
of, 22:18. Cf. **ra(h)o.**
re, anything, 14:16; nothing, 20:41;
ges e re, not at all (?), 36:28.

-re, for L. desinential ending *-rae,* 78:47.

reabí, s.v. [REBRE].

realme, kingdom, 67:23.

rebella (m. sing.), rebellious, 52:25.

[REBRE]. receive: **reabí** (1 pret.), 60:3; **receb** (3 pr.), 10:45; **redebre** (inf.), 20:85; **reebé** (3 pret.), 47:3; **reebuda,** 35:107; **reseben** (6 pr.), 53:3; **resebuda,** 50:6; **retebam** (4 pr. subj.), 29:31.

[REBUTJAR], reject: **rebuya** (inf.), 53:32; **rebuyassen** (6 imp. subj.), 61:61.

recapte, opportunity, conditions, 72:80.

receabendi, for L. *recipiendi,* 2:17.

receb, s.v. [REBRE].

recebiment, reception, 56:41.

recherás, s.v. [REQUERIR].

recet, receto, dues of hospitality, 10:51, 10:38.

rechirás, s.v. [REQUERIR].

recitats, related, 64:19.

recobrá (3 pret.), recover, 14:36.

recolçador, support, stay, 64:66.

recolí (3 pret. refl.), take refuge in, 67:21.

[RECOMANAR], commend: **recoman** (1 pr. refl.), 72:3; **recomanau** (imperat.), 72:33.

[RECOMPTAR = CONTAR], relate: **recompta** (3 pr.), 59:38; **recontats,** 64:9.

recort: *fa r.,* recalls, 77:1.

rechulirá (3 fut.), collect, 8:14.

redé, s.v. redre.

redebre, s.v. [REBRE].

redeger, repair, 42:78; **rederdre** (inf.), 42:24; **rederga** (1 pr. subj.), 15:74; **redretum** (p. p.), 10:8.

redempço, ransom, 22:14.

rederdre, etc., s.v. **redeger.**

rredí, s.v. redre.

redobtador, respected, 33:25.

redona, round, 56:38.

redre, return, restore, repay, 14:47, 20:53: **redé** (3 pret.), 14:24; **rredí** (1 pret.), 14:23. Cf. [RETRE].

redretum, s.v. redeger.

reebé, etc., s.v. [REBRE].

reembre, etc., s.v. **rembre.**

reffugi, refuge, 77:25.

refocillo (1 pr.), warm, 78:3.

reforsarem (5 fut.), renew strength, 39:6.

refreges (2 pr. subj. refl.), relent, 41:55.

refrescament, provisioning, 51:18.

reger, stream, 13:13.

regidor, ruler, 64:48.

regiren (6 pret.), direct, 74:19.

regonehc (1 pr.), acknowledge, grant, 49:21; **regoneg** (3 pret.), 19:22.

regresiis, regressiis, (rights of) entrance, 3:25, 11:10.

reguades, reguat, watered, 48:42, 44:37.

reia, ploughshare. 11:20.

releu, left-overs, 53:58.

relia, ploughshare, 3:21.

religioses (m. pl.), religious, 35:28; monks (?), 35:30.

remanides, etc., s.v. [ROMANDRE].

rembre, redeem, (pay a) ransom, deliver, 18:42; **reembre** (inf.), 47:47; **reemé** (3 pret.), 18:72; **reemutz,** 41:2; **resembre** (inf.), 49:15; **resemés** (3 imp. subj), 41:5.

remembransa, record, 24:25.

remembre: *si·m r.?,* do I remember?, 71:45.

rememoratorium, record, 4:1.

remey, remedy, comfort, 73:32.

remirat: *es r.,* looked out, 43:3.

removiment, elision, suppression, 62:56.

ren, anything, in any way, 15:72; *non ren,* nothing, 40:12.

renante, reigning, 2:28.

rencura, s.v. [RANCURAR].

rengu, baldric (?), 4:8.

renpí, vessel, 60:4.

renunciaren (6 pret.), rest ones case (?), 28:17; **renunciás** (3 imp. subj.), renounce, 27:34.

reonave, s.v. [RAONAR].

reparo, help, comfort, 73:106.

[REQUERIR]. entreat, request (discharge of a duty), urge, force: **recherás** (2 fut.), 15:100; **rechirás** (id.), 15:100; **requeregués** (3 imp. subj.), 44:81; **reqererin** (pr. part.), 27:15; **reqeria** (3 imp.), 46:49.

reredeume, tithe of a tithe, 38:38.

res (pl.), property, 16:12; *bell no res,* nothing at all, 76:52; *nula res,* anything, 20:2; **rres,** nothing, 19:28.

resaludar, return a greeting, 52:8; **ressaludá** (3 pret.), 52:35.

reseben, etc., s.v. [REBRE].

resedit (3 pr.), descend, 13:28.

resembre, etc., s. v. **rembre.**

residui (1 pret.), reside, 5:18.

respalle, back, 63:49.

respiracion, breathing, 44:29.

resplandent, resplendent, 54:22.

[RESPONDRE], reply: **rasposés** (3 imp. subj. refl.), 57:53; **responch** (1

pr.), 75:55; **responguí** (1 pret.), 73:52; **respós** (3 pret.), 20:38; **respos** (p. p.), 60:52; **respús** (1 pret.), 46:27.
respos, prayer for the dead, 74:32.
respost, reply, 23:18.
respús, s.v. [RESPONDRE].
ressaludá, s.v. **resaludar.**
restí (1 pret.), remain, 77:23.
resureccio, resurrection, 20:85.
ret, s.v. [RETRE].
retdamus, for L. *reddamus,* 20:77.
retebam, s.v. [REBRE].
reteng (3 pret. refl.), reserve, 19:15.
retenuit (3 pret.), reserve, 10:40.
reterei, etc., s.v. [RETRE].
rethorica: *color de r.,* rhetorical ornament, 62:46.
[RETRE], render, surrender, return: **ret** (3 pr.), 65:4; **reterei** (1 fut.), 12:7; **retés** (3 imp. subj.), 24:4; **retudes,** 29:8; **retut,** 24:10. Cf. *redre.*
retrets, reviewed, 42:17.
retudes, etc., s.v. [RETRE].
retxat, grille, 76:41.
reva, purchase tax, 34:8.
revenensia, reverence, 50:5.
reverents, reverend, 64:1.
rexat, grille, 76:41.
rey, king, 37:1.
reya (3 imp. refl.), laugh, 78:41.
reyal, tent, pavilion, 47:71.
reyarán (6 fut.), reign, 41:41.
reyes, ploughshares, 42:67.
reyna, queen, 72:62.
rial: *cami r.,* highway, 45:7.
rriba, shore, 79:18.
ribe, beside, 45:7.
rich, rich, 51:53, 61:62; *richs homens,* nobles, 47:46.
richees, money, valuables, 42:50.
rictat, riches, 65:1.
rinxo rinxo, scarcely, only just, 76:51.
riubàrber, rhubarb, 34:5.
riueta, valley (?), 36:29.
[ROBAR], steal, pillage: **raubá** (3 pret.), 21:34; **raubar** (inf.), 21:32; **rauben** (6 pr. subj. ?), 20:22; **robá** (3 pret.), 18:26; **robada,** 18:7; **robans** (p. p. — or pr. part. ?), 18:51; **robaren** (6 pret.), 27:15.
robaries, pillage, 59:64.
robriques, rubrics, 35:80.
rocha, rochas, stone, rock, hill, 24:19, 45:17, 15:29.
rocega, dragged, 67:40.
roci, horse, 40:14, 47:15.
roech (3 pr. subj.), gnaw, graze, 55:17.
rogitus, requested, 2:31.

roige, red, ruddy, 56:35.
[ROMANDRE], remain (undone), be delayed: **remanides,** 27:43; **remás** (3 pret.), 21:40; **remasa,** 21:39; **romanents** (pr. part.), 61:67; **romangen** (6 pr. subj.), 45:37; **romanguem** (4 pret.), agreed (?), 72:18; **romás** (3 pret.), 67:48; **romasés** (3 imp. subj.), 14:9; **romassessen** (6 imp. subj. — pluperf. subj.), 42:52; **romendrá** (3 fut.), 60:54.
romanen, remainder, 49:20.
romanents, etc., s.v. [ROMANDRE].
romaratges, shrines, 48:9.
romaria, pilgrimage, 48:8.
romás, etc., s.v. [ROMANDRE].
rominant, thinking about, 75:1.
rompé (3 pret.), break, tear, 68:39, 79:50.
ronceria, flattery, 75:27.
ros de tona, argol, crude tartar, 34:9.
rosses (m. pl.), fair, 43:55.
rossynols (s.), nightingale, 32:29.
roura, oak-tree, 61:39.

S

·s (pron.), MCat. *es, se*: 10:2, 14:37, 20:37; MCat. *us*: 35:41, 50:23;
·s, s.v. [ÉSSER].
s' (pron.), MCat. *es, se*: 14:45, 43:32.
s' (adj.), his, 21:3.
s' (for OCat. *si?*), 18:51, 27:7.
S., s., for *Seinor,* 20:7; for *sesters,* 27:39.
ss., for *subscripsi,* 2:31; for *sesters,* 11:13; for *sous,* 38:17.
sa (art., pron.), the, 47:3; each other, 57:2.
ssa, his, 14:20.
[SABER], know, know of or how to, hear of, find out, be able: **sab** (3 pr.), 20:12; **sabé** (3 pret.), 39:11; **ssaber** (inf.), 29:21; **saberan** (6 pret. refl.), 57:12; **sabés** (1 imp. subj. — pluperf. subj.), 46:71; **sabets** (5 pr.), 57:28; **sabets** (imperat.), 47:57; **sabida,** 21:1; **sabie** (3 imp.), 54:31; **sabs** (2 pr.), 32:3; **sabude,** 72:16; **sápia** (1, 3 pr. subj.), 57:50, 22:13, 53:7; **sapiats** (imperat.), 23:34; **sapiatz** (id.), 46:69; *id.* (5 pr. subj.), 50:7; **sapiau** (imperat.), 72:95; **sápies** (id.), 41:56; **saub** (3 pret.), 41:64; **saubessen** (6 imp. subj.), 41:76; **sce** (1 pr.), 61:6;

sebé (3 pret. refl.), 57:53; seber (inf.), 60:3; sub (1 pret.), 14:35.
sabina, Sabine, 52:19.
saclit, mattress, 49:28.
ssacrifis, masses, 27:42.
sacristia, sacristy, 11:12.
sadolats, imbued, sated, 57:16.
saer, s.v. [SEURE].
sagel, sagell, seal, 72:83, 73:67.
sagellades, sealed, 73:67.
[SAGNAR], bleed: sagne (imperat.), 70:48; saigna (id.), 70:23.
sagons, in accordance with, 55:5.
sagueix, s.v. [SEGUIR].
saigna, s.v. [SAGNAR].
sal, s.v. [SALVAR].
salda, saldas, sultan, 48:2, 48:24 (pl.).
salidonia, celandine, 70:51.
salluda, s.v. [SALUDAR].
saltá (3 pret.), leap, 43:20.
saltze, willow, 44:41.
[SALUDAR], greet, aid: salluda (3 pr.), 60:28; saludás (5 pret.), 61:10; saludez (5 pr. subj.), 33:27.
saluts: dir les s. de, pray to, praise, 54:16; salutz, saluz, greetings, 50:5, 33:27.
salvaina, wild animal, 40:8.
[SALVAR], keep safe, save, reserve: sal (3 pr. subj.), 62:58; salvan (pr. part.), 31:18; ssalvar (inf.), 49:10; salve (3 pr. subj.), 62:57.
salvazina, wild animal(s), 40:6.
salvs, salvus, safc, 48:5, 39:66.
samit, samite, 57:3.
sanamente, of sound mind, 5:1.
sanc(h), blood, 42:9, 42:3.
sanct, sancta, holy, 73:49, 73:92.
sancte, for L. sanctae, 4:19; for sancti, 74:32.
sanctedat, holiness, 35:84.
sanctimoniales, nuns, 3:8.
sandel, sandal-wood, 44:44.
sanguinea, sanguinary, 44:15.
sanguonera, leech, 75:46.
sans, sante, santz, holy, 35:30, 72:38, 41:43.
sanyor, sanyos, lord, 57:24.
saho: mala s., failure to reach fruition, 65:33.
saquetz, sachets, 44:46.
sarrahins, sarrayns, Saracens, 47:39, 39:62.
sartre, tailor, 60:56.
sarvits, s.v. [SERVIR].
sas, his, 36:9.
saub, etc., s.v. [SABER].
sauma, she-ass, 40:21.
saumada, load (carried by a pack-animal), 40:23.

sauzeda, willow-grove, 62:19.
savana, kerchief, 17:4.
savieza, wisdom, 20:89.
sayor, lord, 57:41.
sbromadora, skimmer, 63:45.
scala, stairs, 59:25.
scalfadament, hotly, 58:45.
scandol, disturbance, 74:23.
scarns, affronts, injuries, 48:19.
scarpre, (cold) chisel, 63:4.
scatir, dress (of poultry), 63:3.
scayre, set-square, 63:12.
sce, s.v. [SABER].
sceleriter, quickly, 58:19.
sciencia, sciencies, science, knowledge, 56:14, 56:56.
scient: a s., wittingly, 22:5.
sciente: me s., to my knowledge, 15:66; scientes, you shall know, 20:60.
scodatz, leather used for clothing and for lining armour, 40:13.
scodes, masons' picks, 63:12.
scorcollar, search, 66:14.
scorxa, bark, 53:29.
scriptu, written, 6:8.
scriptura, will, testamentary disposition, 16:11; official deed, 73:9; per exvacuatio scripture, by the drawing up a deed, 8:16.
scrivans, scribes, 77:36.
scudella, scudelles, bowl, pot, 71:50, 78:45.
scuder, esquire, 68:28.
scuredat, darkness, 68:79.
scures: a les s., in the dark, 73:11.
sczo, that, 29:21.
· sderocants (p. p.), rased, 18:45.
se, the, 55:27; its, 63:41; se lavors, then, 76:45.
sse (pron.), MCat. se, es: 18:67, 19:49, etc.
sebé, s.v. [SABER].
seber, wisdom, 37:11. Also s.v. [SABER].
sebes, onions, 38:19.
sebo, soap, 37:17.
sech (3 pr. subj.), reap, 55:29.
sech, secha, dry, thin, 37:31, 70:10, 45:33.
secha, mint, 53:35.
secgle, secle, world, 54:7, 20:8.
secte: decem s., seventeen, 2:27.
secula, centuries, 26:19.
Sed, bishopric, see, 29:9.
sedaços, sieves, 17:8.
seder: que. l faça s. a dreit, that his right be recognised, 31:17. Also s. v. [SEURE].
seen, s. v. [SEURE].

seens, who sit, remain, 41:15. Cf. [SEURE].

segel, seal, 23:34.

segelades, sealed, 23:34.

segent, following, 41:67.

segir, s. v. [SEGUIR].

segon, according to, 23:17.

segrament, oath, 42:96.

segretament, secretly, 67:22.

seguea, blindness, 41:30.

[SEGUIR], follow, h a p p e n , pursue: **sagueix** (3 pr. refl.), 56:22, 69:1; **segir** (inf.), 33:11; **seguent** (pr. part.), 35:112; **segueyx** (3 pr. refl.), 48:10; **seguí** (3 pret.), 79:45; *id.* (refl.). 51:44.

seguonament, secondly, 75:41.

seguons, according to, 44:2.

segus, safe (?), 36:5.

seiger, seigor, lord, 33:4, 33:1.

seigoria, lordship, 33:9.

seiner, seinner, seinnors, seinor, lord, 23:16, 22:2, 31:2, 20:46.

sela, that, 57:43.

selades, occult, 56:59.

sella, sellas, saddle, 5:32, 4:11.

sellut, health, 60:11.

sels, those, 57:14.

selvement, safe keeping, 60:11.

semblança, ascendant (?), 56:64; example, 71:4; **semblances,** comparisons, 75:30.

semblans, semblants de, like, similar to, 44:41, 53:62; *com semblants,* like, 70:15.

semblansa, image, likeness, 35:109; appearance, 57:32.

semblant, likeness, 20:58; *a lur s.,* as they may see fit, 42:42; *fan s. que,* they pretend, 61:66; *feu s. que,* made as if to, 51:31. Cf. **semblans.**

semblás, (3 imp. subj.), seem, appear, 75:19.

semisonança: *ab s.,* with closed vowels, 62:43.

semmana, week, 72:14.

sen (prep.), without, 12:3.

sen (subst.), saint, 15:109, 36:31.

senblant, similar, 79:10.

sencio (1 pr.), feel, 3:4.

sendat, silken fabric, 47:69.

sendema, morrow, 41:67.

sene, without, 15:101.

sener, lord, 33:28.

senes, without, 7:3; *s. el,* without his permission, 27:49.

sengore, senior, seniore, seniori (abl.), lord, 7:4, 12:4, 6:5, 3:9.

senmanes, weeks, 18:34.

sennior, senor, lord, 29:4, 18:10, 21:19.

sens, rent, payment for tenure of land, 26:20.

sens el, without his permission, 14:26; *a sens,* without, 15:32.

sensada, sensate, 35:94.

sensime, gradually, 58:18.

sensum, *tornáo a s.,* mortgaged it, 18:15.

sent (subst.), hundred, 72:30.

sent (1 pr.), feel, 65:46.

sent, senta, sentz, holy, 20:59, 18:2, 29:26.

sentenciat, verdict, 77:38.

sentes, hundreds, 72:30.

sentida, sensible, 73:21; heartfelt, 77:30.

seny, bell, 66:12; *en s. so que,* I've a good mind to, 78:33; *tamal s.,* ?, 76:55.

senyer, lord, 35:4; **senyor,** possessor, 37:11; **senyos,** gentlemen, 72:68.

senyoregerá (3 fut.), rule, 56:37.

senz, saints, 36:31.

separants, drawing away from, 56:67.

sepmanes, weeks, 21:54.

sequada, drought, 67:49.

sequar, to dry (up), 67:48; **sequa** (3 pr. refl.), 70:13; **sequats,** 67:46.

sequet (3 pr.), follow, 13:15.

serca, etc., s.v. [CERCAR].

serena, mermaid, siren, 75:61.

serpelera, serpeleres, sacking, canvas, 40:27, 40:24.

serquen, s.v. [CERCAR].

serrat, enclosed, 43:13.

sert, sure, certain, 72:28.

sertes, indeed, 57:23.

sertificar, confirm, 72:18.

serv, serf, s e r v a n t , 39:48; **serva,** handmaiden, 35:40.

servell, brain, 76:3.

servesis, service, tributes, 53:37.

servey, service, 47:47.

servici, servicio, servicium, tribute, service, 14:40, 10:59, 14:48.

[SERVIR], serve, make use of (refl.): **sarvits,** 57:11; **servesch** (1 pr. refl.), 62:1; **servexen** (6 pr. refl.), 62:2.

serviy, service, 46:74.

ses (prep.), without, 7:17.

sesens, immovable, 49:7; Cf. [SEURE].

sesent, s.v. [SEURE].

sesse (1 pr.), cease, 77:35.

set, bishopric, see, 18:8; *ac set,* was thirsty, 48:29.

sete, seven, 18:65.
setembris, of September, 26:17.
setrot, jug, pitcher, 76:53.
seua, his, 41:79.
[SEURE], sit, dwell, be: **saer** (inf.), 44:54; **seder** (inf.), 31:17; **seen** (6 pr.), 24:19; **sesent** (pr. part.), 41:9; **seura** (inf.), 61:23; **seyan** (6 imp.), 57:23; **sigua** (3 pr. subj.), 44:50.
seyal, sign, mark, 41:69.
seyer, lord, 39:2.
seyn, sense, 35:85; *bon s.,* sound mind, 49:2.
seyna, trace, sign, 46:57.
seynals, traces, 46:57.
seynor, lord, 44:61.
seynoria, lordship, 46:5.
seyo, seyor, lord, 38:25, 38:5; owner, 39:24.
seyoria, lordship, 52:18.
seyyor, lord, 53:26.
·sfrais (3 pret.), tear up, 21:26.
sglesia, church, 74:3.
sguarda (1 pr.), look towards, 73:76. Cf. [GUARDAR].
sí (adv.), thus, even so, 6:8; *sí alt,* so loud, 57:47; *sí com,* just as, 65:1; *sí qua,* so that, 57:46; *sí qe,* id., 20:50.
si, ssi (pron.), themselves, 7:6; himself, 14:20; *si elex,* himself, 20:3; *ab si,* in herself, 20:89; *ad si,* him, 10:81.
ssi (conj.), if, 19:34.
siant, siat (6, 3 pr. subj.), be, 78:14, 10:77.
sic quomodo, just as, 8:7.
sie...sie, whether...or, 27:45.
sies, without, 36:11.
sigua, s.v. [SEURE].
siino: *d'altra guisa...siino com,* otherwise than as, 14:54.
silhaba, syllable, 62:56.
silicet, to wit, 13:1.
simple: *en s.,* fully (?), 42:71.
sin: *d'altra gisa...sin no com,* otherwise than as, 14:30.
sinch, five, 66:8.
sincagesma, Pentecost, 46:6.
sincs (3 pret. refl.), gird, 41:75.
sindichs, councillors, syndics, 74:4.
sines, without, 7:16.
sinestra, left, 41:34.
sinquena, fifth, 74:42.
sisures, cracks, 56:29.
siular, whistle, 76:42.
sivada, oats, 38:7.
so, sso (adj.), his, 8:13?, 16:10, 19:51.

so, sso (pron.), that, 35:1, 45:50; *de so qua,* because, 57:15; *en so de,* in condition for, 68:72; *per so car,* because, 35:93; *per so com,* id., 74:40; *per so cor,* id., 41:45; *per so que,* in order that, 24:25; *id.,* because of what, 37:14.
soberch, large, heavy, 66:30.
sobiranament, above all, 69:33.
sobra, above, 21:26; concerning, 44:77.
sobredites, above-mentioned, 29:27.
sobreria, act of violence, 36:20.
sobud, knowledge, 14:33.
socha, trunk, bole, 45:11.
societamen, pact, alliance, 15:42.
socorer, aid, 77:34.
sodrach, bump, blow, 76:24.
[SOFERIR = SOFRIR], suffer, permit or exempt, bear (up), give shelter, desist from (refl.): **soferán** (6 fut.), 20:44; **sofere** (inf.), 18:22; **soferís** (1 imp. subj.), 27:5; **soffira** (3 pr. subj.), 29:36; **soffiram** (4 pr. subj.), 29:33; **soffriren** (6 pret. refl.), 47:59.
sofirent, straining (?), 70:10.
sofistmes, sophistries, 41:48.
sogas, ropes, halters, 3:21.
sogovinas (for *sogovians = segovians*?), knives, 27:16.
sol (subst.), bottom, 45:13.
sol (adv.), only, 41:55; *sol que,* so long as, 77:19.
sol., for *solidos* (MCat. *sous*), 18:9.
solas, pleasure, 53:1.
solatge, proportion of harvest due to a lord, 38:38.
soldada, one *sou*'s worth, 10:38.
soliament, simply, only, 62:39.
solidar: *e·l sí fed a ssi s.,* and he made him his vassal absolutely, 14:20; *solidá de la mia onor a,* he commended my property absolutely to, 14:37. Cf. Rodón, *solidus.*
solidos, 'shillings', 2:12.
solie (3 imp.), be wont or used, 18:13; **ssolien** (6 imp.), 18:18.
solitarie, by oneself, 58:31.
soll, floor, 44:25.
soll., for *solidos* (MCat. *sous*), 55:16.
sollempnament, solemnly, 74:38.
sollempniter, solemnly, 74:14.
soloecisme, solecism, 62:11.
sols (subst.), earth in which a tree stands, 26:15; 'shillings', 27:38.
sols (adv.), so long as, 75:13.
solver, release, free, pardon, make reparation, 21:14; **sols** (2 pr.),

32:21; **soltz,** 22:12; **solva** (3 pr. subj.), 42:70; **solvia** (3 imp.), 46:48.
some, ass, 2:12.
sompni, dream, 56:62, 79:13.
son, sound, 35:106.
sson, its, 37:11; her, 61:2.
soná (3 pret.), ring, 53:63.
soniloses (m. pl.), sleepy, 44:28.
soplicara, s.v. [SUPLICAR].
sopta, suddenly, 56:81.
soptosament, suddenly, 44:8.
soptoses, sudden, 44:10.
sor, sister, 49:33.
sort, lot, 63:16; **sorts** (f. sing.), 63:20; **sortz,** 53:14.
sortileyadors, fortune-tellers, 42:91.
sos (adj.), his, 10:43 (s.).
sos (subst.), 'shillings', 38:31.
sosha, soda, 40:18.
sostengut, borne, 64:12.
sotaratz, s.v. [SOTERRAR].
soterranies, subterranean, 44:24.
[SOTERRAR], bury: **sotaratz,** 53:68; **soterrar...an** (6 fut.), 69:17; **soterraren** (6 pret.), 47:60; **soterrás** (3 imp. subj.), 47:36.
sotil, worn(-out), 63:22.
sotlicita, solicitous, 79:20.
sotreita, usurpation, deprivation, 18:55.
sots rao de, under the influence of, 35:95; **sotz,** 32:4.
[SOTSMETRE = SOTMETRE], subject, submit: **sotsmeses,** 64:11; **sotsmesos,** 64:11; **sotsmeten** (6 pr. refl.), 61:58.
sotzmes, servant, 35:40.
sotzsoles, subterranean, 44:25.
soven, sovin, often, 60:24, 65:60.
spada, sword, 5:27.
spanescho, Spanish, 5:33.
spata, spatas, sword, 4:7, 4:9.
spay, space of time, 73:26.
special, especial, 61:30.
specialment, especially, 53:51.
speciaria, spices, 34:6.
species, spices, 76:15.
spera, sphere, 58:2.
sperança, speransa, hope, 68:85; 69:51.
sperant, etc. s.v. [ESPERAR].
sperits, spirits, 77:5.
sperons, spurs, 68:21.
spia, spy, 61:10.
spicies, spices, 76:15.
spirit, spirit, 60:22.
spiritual, of the spirit, 71:58.
sporas, spurs, 4:13.
sposada, married, 73:105.

spulga, cave, 13:28.
squaquades, chequered, 63:30.
squeleta, little bell, 53:61.
squivar, eschew, 73:86.
stabilimentum, authority, 14:51.
stabliren, s.v. [ESTABLIR].
stendre, extend, flow, 65:68.
stima, etc., s.v. [ESTIMAR].
stiu, summer, 76:19.
stivalots, ?, 63:29.
stocadz, touched, 29:25.
stona: *ja ha bona s.,* for some time now, 78:40.
storcio, extortion, 61:57.
stotger, case, container, 63:41.
stovalles, (table)cloths, 63:30.
stox, case, 63:3.
stralles, darts, 77:38.
stranger, stranger, 53:5.
strany, stranya, straya, strayes, strange, from another place, 66:23, 75:25, 53:27, 53:3.
strem, extreme, 73:74.
strènyer, pull (girths) tight, 68:10.
sua, suam, their, 68:72, 10:5, 30:12.
suaris, kerchiefs, winding-sheets, 63:39.
sub, s.v. [SABER].
subirana, upper, highest, 31:7, 56:17.
subrepelliceo, surplice, 5:25.
substanciam, goods, substance, 11:6.
subtilea, subtlety, 41:49.
subtiliat, tempered, 44:33.
succre, sugar, 34:3.
sues, his, 18:5; her, 38:46; their (?), 44:44.
sufficient, quite a lot, 74:25.
sufficientment, sufficiently, 66:36.
sui, their (?), 10:4; **suis,** their, 5:36.
[SULLAR = EMBRUTIR], make dirty, soil: **sullades,** 71:16; **sulle** (3 pr. refl.), 71:13.
sumitat, top, 68:83.
suo, their, 7:16; **ssuos,** his, 10:76.
superius, above, 10:12.
[SUPLICAR], beg, entreat: **soplicara** (1 cond. — past cond.), 46:72; **suplich** (1 pr.), 73:91; **suplicá** (3 pret.), 73:14; **suplicam** (4 pr.), 69:53.
supotil, stupid, 76:48.
supposats, pretended, false, 61:67.
suprascripta, etc., aforementioned, 15:7.
suptil, subtle man, 65:12.
sursurari, whisper, 77:8.
sus, up, 20:42; *sus a,* on, 18:35; *sus axi,* even so, 71:22; *sus e·l batcoil,* on the back of the head, 43:34; *de sus,* above, 29:12; *de*

20

XXX ans en sus, for upwards of 30 years, 31:16; *tro sus a,* up to, 70:4.

suspita, suspicion, 42:96.

sutza, filthy, foul, 61:61, 69:27; *aygues* **sutzes,** slops, 66:34; **sutzeu, sutzees,** dirty, 71:16, 71:31.

sutzor, foulness, 69:19.

synnal, mark, 49:48.

T

·t (pron.), MCat. *et, te:* 12:6, 12:7, etc.

t' (pron.), MCat. *et, te:* 12:14, 32:3.

t' (adj.), your, 32:6.

ta (L. *tua*), your, 12:8.

ta' (MCat. *tan*), so, 32:1.

tagells, battens, 66:40.

taginats, roofing materials, 45:30.

tal: *per tal,* therefore, 44:12; *per tal com,* because, 62:5; **tals,** such, 41:46 (s.).

tal (3 pr. subj.), cut down, 42:67.

tala, fine (?), 66:37.

talar, s.v. [TALLAR].

talaya: *tenia la t.,* kept watch, 67:42.

tali...quod, such...that, 10:3.

taliad (3 pr. refl.), cut, 13:23; **taliat** (id.), 13:25.

[TALLAR], cut, cut off or down: **talar** (inf.), 39:45; **talyar** (inf.), 42:42; **talyat,** 48:55; **tayar** (inf.), 25:17; **tayl** (3 pr. subj.), 45:38; **taylar** (inf.), 45:22.

tamal seny, ?, 76:55.

tan, so much, 32:13; *tan be,* also, 72:87; *tan com,* as much as, 65:3; *tan tost,* forthwith, 52:49; **tans,** 77:9. Cf. **tant.**

tanals, halls, 57:7.

tanbe, also, 75:73.

[TANCAR], close: **tancaren** (6 pret.), 48:22; **tancats** (imperat.), 48:21.

tant (MCat. *tan*) *solament,* only, 45:28; *tant...no,* no matter how much, 73:14; *tant...quant,* as much... as, 16:10; *tant quant,* as long as, 65:22; *tant tro que,* until, 39:11; *dus tant,* twice as much (?), 19:55; *en tant que,* so much so that, 71:34; *per tant com,* because, 74:42; *si tant e per aventura que,* if it so happens that, 28:7; *si tant es que,* if it so be that, 28:26. Cf. **tan.**

tantost: *aci t.,* just there, 78:6.

tany (3 pr.), be fitting, 37:30.

tara: *donar t.,* pay by gross weight, pay for the weight of the container, 34:13.

[TARDAR], delay: **tardara** (3 past cond.), 79:47; **tardaren** (6 pret.), 77:32.

targa, shield, 5:26.

tarrats, roof-tops, 66:34.

tasca. a tax amounting to the eleventh part of produce, 38:29.

taula, funds, exchequer, 49:14.

taulell, bench, 63:49.

tava, gadfly, 75:43.

tavega, jail, dungeon, 42:43.

tayadors, carving tables or dishes, 63:15.

tayar, s.v. [TALLAR].

tayl *de dit,* finger's breadth, 48:25.

tayl, s.v. [TALLAR].

tayla, tayles, felling, 45:30, 45:27.

tayladors, carving tables or dishes, 40:22.

taylar, s.v. [TALLAR].

te (MCat. *tu*), 6:1, 9:1, etc.

tea, torch, 76:55.

teich, tubercular, 76:13.

tella, torch, 76:55.

[TÉMER], fear: **tem** (1 pr. refl.), 33:16; **temes** (2 pr. subj. refl.), 61:65; **temi** (1 pr.), 41:54.

temiau, not only (?), 76:56. Cf. *DCVB, tamiats.*

temns: *tonts t.,* always, 18:30.

temple, temple (of Knights Templars), 19:2.

tempms, time, 49:23; *tots* **temps,** always, 74:17; **tems,** 29:12.

temprats, fit, vigorous, 51:34.

temtacio, temptation, 69:47.

ten, such, 57:25.

tenaix, tenacious, 56:78.

tendes, canopies, 25:6.

tene, s.v. [TENIR].

tenebros (for *tenebres),* shadows, 41:15.

tenebroses (m. pl.), dim, 41:11.

tenent (6 pr. refl.), belong, 15:4; **tenet** (3 pr. refl.), 12:8.

tenguda: *aiya t.,* be valid, 45:43.

[TENIR], have, hold (to), keep (faith), consider, uphold, fulfill: **té** (3 pr. refl.), bound with, 38:49; **ten** (3 pr.), 19:54; **tenc(h),** 3 pret., 51:19, 21:61; **tendria** (3 cond.), 47:5; **tendrien** (6 cond.), 47:50; **tene** (3 pr. refl.), belong, 7:6; **tenent** (pr. part.), 28:19; **tener** (inf.), 15:32; **teng** (3 pret.), 18:34; **tenga** (3 pr. subj.), 23:27; *id.* (refl.), 42:11; **tengatz** (5 pr. subj.), 50:26; **tengés** (3 imp. subj.), 27:21; **tengren** (6 pret.), 18:70; **tengua** (3 pr. subj.), 44:51; **tengud**, obliged, 28:10; **tenguda**, 31:15; **tengunds** (p. p.), 18:52; **tengut**, 61:30; **tenian** (6 imp. aux.), 77:32; **tenie** (3 imp.), 27:12; **teniems** (4 imp.), 15:54; **tenir** (inf.), fulfill, 29:17; **tenits** (5 pr.), 47:6; **tenrán** (6 fut.), 28:44; **tenré** (1 fut.), 9:12; *id.* (refl.), 72:47; **tenrei** (1 fut.), 12:14; **tenrey** (1 fut.), 15:65; **teré** (1 fut.), 15:13; **ti** (imperat.), 70:27; **tinch** (1 pr.), 46:70; **tinent** (pr. part.), 28:1; **ting** (1 pr. refl.), 26:20; **tinga** (1 pr. subj.), 73:58; **tingam** (4 pr. subj.), 29:27; **tingeseu** (5 imp. subj.), 72:88; **tinguau** (5 pr. subj.), 65:39; **tingue** (3 pr. subj.), 44:87; **tinguem** (4 pret.), 47:17; **tingueren** (6 pret.), 74:15.

tentacio, temptation, 20:67.

tentar, tempt, 20:35; **tentá** (3 pret.), 20:57.

tentost com, as soon as, 72:36.

tepms, time, 52:13.

tera, ground, 20:64; earth, 20:76; piece of land, 30:9.

terciam, tercio, third, 3:9, 2:28.

tere, piece of land, 27:39.

termen, area, locality, 10:57; **termine**, boundary, limits, 8:1.

terz, third, 21:22, 42:16.

tesores, shears, scissors, 63:29.

test, skull, 47:65.

tests, witnesses, 16:9.

ti (pron.), MCat. *et, te,* 7:2, 7:5; MCat. *tu,* 7:1. Also s.v. [TENIR].

tint, dyed, 40:2.

tlr, ?, 75:51.

tiran, tyrant, 68:69.

[TIRAR], pull, fire a shot: **tirá** (3 pret.), 47:63; **tiran** (pr. part.), 42:9; **tire** (3 pr.) *a morat,* is mauve-ish, 63:49.

toç, back of the head, 78:46.

todores, shears, scissors, 63:17.

[TOLDRE = LLEVAR], deprive, take from: **tol** (3 pr.), 33:40; **tola** (3 pr. subj.), 12:11; **tolé** (3 pret. ?), 18:72; **tolen** (6 pr. subj.), 15:70; **tolent** (id.), 15:70; **tolgesen** (6 imp. subj.), 15:34; **tolgren** (6 pret.), 18:63; **tolie** (3 imp.), 27:30; **toll** (3 pr.), 19:23; **tollré** (1 fut.), 15:99; **tolrá** (3 fut.), 42:22; **tolrán** (6 fut.), 7:9; **tolre** (inf.), 7:9; **tolré** (1 fut.), 15:37; **tolrei** (1 fut.), 12:7; **tolrey** (id.), 15:63; **tolt**,

27:29; **tolta**, 14:45; **toltes**, 42:66; **toyl** (3 pr.), 44:29.

tolhiment, suppression, omission, 62:55.

toll, etc., s.v. [TOLDRE].

tolta, toltes, usurpation, exaction, 20:24, 14:39. Also s.v. [TOLDRE].

thona, barrel, tun, 63:19.

tonina, tunny-fish, 40:18.

tonna, tonnas, barrel, tun, 5:37, 5:14.

tons, tonts, all, 18:1, 18:24; *tonts temns,* always, 18:30.

[TOQUAR = TOCAR], concern, sound: **toquás** (3 imp. subj.), 44:70; **toquave** (3 imp.), 44:82; **toque** (3 pr.), 71:14.

tor, fortified tower, 36:3, 15:61.

tormentar, torture, 42:36.

[TORNAR], return, turn, change into: **torn** (1 pr. subj.), 48:22; **torná** (3 pret.), 18:14, 18:33; *id.* (refl.), 48:20; **tornad** (imperat.), 20:16; **tornades**, 18:19; **tornar...hia** (3 cond.), 70:39; **tornaren** (6 pret. refl.), 53:64; **tornatz**, 35:23; **torne** (3 pr. refl.), 56:81; **tornen** (6 pr. subj. refl.), 20:37; **torns** (2 pr. subj.), 54:33.

tornes, cash or other adjustment to make up the value of an object bartered, 40:33.

tornis (for *torneris?*), lathe-turned, 49:28.

torns, s.v. [TORNAR].

torquar, wipe, 78:45.

tortum, wrong, 14:26.

tosca, Tuscan, 77:31.

tosoras, shears, scissors, 17:11.

tot, any, 23:25, 29:4; *ab tot que,* although, 79:7; *de tot,* entirely, 77:11; *de tot en tot,* altogether (?), 70:17; *del tot,* very, 67:35; *si tot,* if indeed, 68:16; **tota**, any, 22:13; **totas**, all, 10:73; **totes**, any, 26:18; **tots** *temps,* always, 74:17; **totz**, 20:55, 35:20.

totavia, still, forthwith (?), 21:18.

totora que, whenever, 72:71.

totus (m. pl.), all, 9:4.

tout: *en la (tout) ge,* for *en la tavega* (?), in the jail, 18:71.

tovaies, tovales, tovalia, tovalias, towel, 17:6, 25:6, 3:22, 11:26.

tovalons, napkins, 25:6.

toyl, s.v. [TOLDRE].

toz temps, always, 33:39.

tradidor, traitor, 36:27.

tragichs, tragedians, 79:31.

trairia, s.v. [TREURE].

[TRAMETRE], send: **tramatia** (1 imp.), 51:17; **tramés** (3 pret.), 39:36; **tramesí** (1 pret.), 50:15; **tramesses**, 23:14; **tramet** (1 pr.), 33:12; **trametats** (5 pr. subj.), 33:22; **trametau** (id.), 72:61; **tramete** (imperat.), 52:17; *id.* (3 pr. subj. ?), 33:15; **trameteren** (6 pret.), 44:82; **trameteseu** (5 imp. subj.), 72:53; **trametet** (imperat.), 33:14; **trametrets** (5 fut.), 23:32; **tramís** (1 pret.), 23:6; **tremesos**, 74:7; **tremeteren** (6 pret.), 74:10; **tremetra** (inf.), 74:4.

tranchades, etc., s.v. [TRENCAR].

transsumpt, copy, 44:75.

trash, etc., s.v. [TREURE].

traselet (3 pret.), trampled on (?), 21:27.

traseren, etc., s.v. [TREURE].

trauc, hole, 20:22.

trautz, tributes, taxes, 53:37.

travers: *pendre a t.*, misunderstand, 62:41.

travessats (imperat.), cut through, 70:47.

trazia, etc., s.v. [TREURE].

trebal, plight, 27:31.

[TREBALLAR], strive, work (upon): **trebalam** (4 pr.), 41:25; **trebalar** (inf.), 72:79; **trebalats**, 39:35; **trebaleu** (5 pr. subj.), 72:98; **treballen** (6 pr. subj.), 70:32; **trebayllar** (inf.), 56:76; **trebellar** (inf.), 56:58.

trebuch, catapult, 51:20.

treguam, truce, 15:66.

treit, distance, journey, 23:22.

tremesos, etc., s.v. [TRAMETRE].

[TREMOLAR], tremble: **tremolan** (pr. part.), 52:31; **tremolen** (6 pr. subj.), 61:60.

tremunja, hopper, 63:4.

trencadura, cutting powers, 35:73.

[TRENCAR], cut (off), break (down), infringe: **tranchades**, 61:41; **trancar** (inf.), 63:15; **trenchá** (3 pret.), 75:76; **trencada**, 18:6; **trenchades**, 29:13; **trencam** (4 pret.), 47:68; **trenchar** (inf.), 51:41; **trenc(h)aren** (6 pret.), 27:14, 18:67; **trencasem** (4 imp. subj. refl.), 59:21; **trencat** (for *trencar*), 42:92; **trenccar** (inf.), 19:18; **trenque** (3 pr. refl.), 71:62; **trenquen** (6 pr. subj.), 37:31.

trepes, slashed hose, 25:10.

trer, s.v. [TREURE].

tresaurer, treasurer, 50:1.

treslat, copy, account, 48:9.

tresos: *tots t.*, all three, 76:39.

[TRESPASSAR = TRASPASSAR], pass through, pass over: **trespassá** (3 pret.), 47:65; **trespassat**, 65:37.

tresponti, mattress, cushion, 63:50.

[TREURE], bring (forth), take out or away, carry (off), fire: **trairia** (3 cond.), 21:52; **trash** (3 pret.), 18:9; **trasc** (3 pret.), 18:8; **trascen** (6 pret.), 18:69; **traseren** (id.), 18:66; **trasqua** (3 pr. subj.), 55:23; **trasqés** (3 imp. subj.), 27:31; **trau** (3 pr.), 55:2; **trazia** (3 imp.), 21:27; **tre** (imperat.), 41:9, 70:50; **trer** (inf.), 42:42; **treya** (3 imp.), 51:20.

treuvam, truce, 15:41.

treves, *de t. de*, across, 70:50.

treya, s.v. [TREURE].

treyt, shot, 48:16.

treyta, production, 50:9.

-tri, desinential ending of L. gen., 78:12.

triás (1 imp. subj.), choose, 75:18.

[TRIGAR], delay: **trigá** (3 pret.), 43:18; **trigen** (6 pr.), 38:9.

trilye, enclosed cultivated plot, 55:2.

tristicia, melancholy, 79:10.

trihunfant, triumphing, 67:24.

trihunfo, one of Petrarch's *Trionfi*, 77:28.

tro, until, 14:61; *tro a*, as far as, 22:8; *tro que*, until, 37:25; *tro sus a*, up to, 70:4.

trob, too, 70:18.

[TROBAR], find: **trobá** (3 pret.), 18:29; **trobam** (4 pr.), 20:28; *id.* (4 pret.), 60:43; **trobaren** (6 pret.), 39:13; *id.* (refl.), 51:49; **trobarie** (1 cond.), 72:8; **trobás** (3 imp. subj.), 18:55; **trobassen** (6 imp. subj. refl.), 47:12; **trobe** (1 pr.), 77:7; *id.* (1 pr. refl.), 65:60; **troben** (6 pr. subj.), 45:30; **trobo** (3 pr. subj.), 71:64.

trop, too (much), 57:51.

trosos, bits, pieces, 63:9.

trossel, bundle, pack, 58:1.

troter, courier, 47:23.

·ts (MCat. *se*), itself, 70:45.

tu, to you, 41:58.

tuas, tue (dat.), your, 15:92, 2:2.

tuit all, 21:40, 36:21.

tunyna tunny-fish, 34:12.

turmens, tortures, 41:54.

tuynols, rolls, 32:14.

tuyt, all, 48:49.

tysich, tubercular, 76:13.

U

·u (pron.), it, 44:72.
u, hu (subst.), one, a, 38:27, 50:11.
ubertes, s.v. [OBRIR].
uffanas, pride, 69:31.
ui, today, now, 7:7.
ujat, wearied, 52:53.
hul, s.v. [VOLER].
uls, huls, eyes, 41:11, 35:33.
ultracuydament, affectation, 62:8.
ultrage, injury, wrong, 75:63.
um (for MCat. on?), where, 60:37.
uma, human, 75:62.
umanitad, humanity, 20:90.
humilitad, humility, 20:54.
humils (s.), humble, 33:2.
humit (subst.), damp., 56:30.
umple, etc., s.v. [OMPLIR].
un, where, 44:4; de un, whence,
    69:5; la un, ?, 27:29.
hun, huna, a, 37:13, 67:21; unas,
    some, 4:13.
uncias, gold coins, ounces, 10:63.
unflat, inflated, 76:18.
ung, a, 70:36.
ungla, hoof, 70:24.
ungle, cataract (?), 70:42.
unplits, s.v. [OMPLIR].
uns, for Cast. uña, 70:44.
huns, MCat. uns, 57:11.
untá (3 pret.), annoint, 43:52.
unumquisque, each, every, 10:51.
·us, MCat. us, 15:70; MCat. es,
    70:39.
husances, practices, 75:31.
usats, accustomed, 39:23.
usitat, accustomed, 64:46.
usque, until, 15:66; u. ad, within,
    10:8; until, 10:61; as far as,
    13:31; u. in, id., 13:18; u. in per-
    petum, for ever, 30:12.
usquequo, as far as, 5:30.
ut, whatever, 13:8. Elsewhere as
    MCat. que.
util: en u. meu, to my advantage,
    78:10.
utriusque, both, 44:59.
huy, today, 71:5.
uyl, huyl, uyll, huylls, eye, 44:55,
    47:72, 42:43, 59:45, 56:26, 70:43,
    70:50.
uyl, s.v. [VOLER[.

V

v., for L. verbo, 20:39.
vaca, vachas, vaches, cow, 3:20, 5:36,
    42:62.

vaeran, s.v. [VEURE].
vaga, s.v. [ANAR] and [VEURE].
vairs, lining or trimming fur from
    an animal of the marten type,
    40:11.
vaixel, vessel, 40:29.
val, valley, 13:24.
valeant, (6 pr. subj.), aid, 15:18.
valedors, allies, 22:15.
valença, protection, 15:72.
[VALER], be worth, avail, be valid:
    valets (5 pr.), 61:14; valg (3 pret.),
    18:27; valga (3 pr. subj.), 33:17;
    valie (3 imp.), 18:65; valrá (3
    fut.), 18:30; valrán (6 fut.), 41:47;
    valria (3 cond.), 61:48; vauc (3
    pret.), 21:25; vayla (3 pr. subj.),
    49:40.
valeta, valley, 41:36.
vaná (3 pret. refl.), boast, 21:2.
vangran, etc., s.v. [VENIR].
vanovota, counterpane, quilt, 63:29.
varitat, truth, 57:54.
varvessors, varvassors, 42:86.
vasen, s.v. [ANAR].
vaser, s.v. [VEURE].
vaste (gen.), vast, 13:6.
vasvassors, varvassors, 42:35.
vauc, s.v. [VALER].
vaura, s.v. [VEURE].
vaxels, vessels, 53:58.
vay, s.v. [ANAR].
vayla, s.v. [VALER].
vayrs, lining or trimming fur from an
    animal of the marten type, 40:9;
    martens, 40:10.
ve, indeed, 67:26.
[VEDAR], deny (access to), refuse (to
    fulfill an obligation): ved (3 pr.
    subj.), 10:23; vedad, 27:25; ve-
    darei (1 fut.), 15:63; vedarey (id.),
    15:63; vedave (3 imp.), 36:25;
    vede (3 pr.), 19:22; veden (6 pr.
    subj. refl.), 15:15; vet (3 pr.
    subj.), 37:12; vetaré (1 fut.), 7:12.
vedent, etc., s. v. [VEURE].
vedi, neighbour, 20:80.
veds, times, 12:12.
vegada: tota v., all the time, 53:9;
    moltas vegadas, often, 62:50; per
    quantas v., whenever, 15:79.
veger, royal judge or magistrate, 45:2.
veguades, times, 44:7.
vehi, neighbour, 59:20.
vel, vela, veles, old, 25:15, 33:31,
    53:35, 25:16.
vellant, s.v. [VETLLAR].
ven, s.v. [VENDRE] and [VENIR].
vena, s.v. [VENDRE].

[VÈNCER], conquer, overcome, win: vençre (inf.), 56:77; vens (3 pr.?), 56:34; venserás (2 fut.), 41:71; vensut, 41:58, 42:79; venz (3 pr.), 8:4.

[VENDRE], sell: ven (1 pr.), 33:13; vena (3 pr. subj. refl.), 40:5; vene (id.), 34:6; vené (3 pret.), 18:8; venés (3 imp. subj.), 39:49; venessetz (5 imp. subj.), 35:43; venrá (3 fut.), 66:4; venre (inf.), 66:6.

vené, s.v. [VENDRE] and [VENIR].

venema, grape-harvest, 66:23.

vener, come (?), sell (?), 36:28.

venerit, cf. dimens, menus.

venés, etc., s.v. [VENDRE].

venguda, arrival, 79:20.

venidor: es v., will come, 41:35.

[VENIR], come, befall, occur: vangran (6 pret.), 57:46; vanir (inf.), 69:9; ven (3 pr.), 44:11; venc (1 pr.), 22:2; venc(h), (3 pret.), 47:13, 21:22; venhc (id.), 48:6; vené (3 pret. refl.), 46:21; veng (3 pret.), 18:28; venga (3 pr. subj.), 35:52; vengau (5 pr. subj.), 72:85; vengés (5 pret.), 35:5; vengés (3 imp. subj.), 39:60; vengetz (5 pret.), 35:6; vengra (3 cond. — past cond.), 46:22; vengren (6 pret.), 39:12; venguda, 60:62; vengudes, 50:21; vengués (3 imp. subj.), 24:22; venguí (1 pret.), 76:12; vengut, 27:50; vengutz, 52:37; veni (imperat.), 41:1; venie (3 imp.), 59:18; venits (5 pr.) 61:27; venrá (3 fut.), 20:84; venria (3 cond.), 15:24; vine (imperat.), 41:8; vinga (3 pr. subj.), 72:77; vingam (4 pr. subj.), 29:29; vingau (5 pr. subj.), 72:77; vingé (3 pret.), 74:13; vingés (3 imp. subj. refl.), 23:14; vingeseu (5 imp. subj.), 72:73; vingu (3 pret.), 18:31; vingua (3 pr. subj.), 79:12; vingué (3 pret.), 74:18; vinguen (6 pr. subj.), 71:7; vingueren (6 pret.), 74:16; id. (refl.), 74:16.

venit: de...minus v., dies, 10:29.

venrá, s.v. [VENDRE] and [VENIR].

venre, s.v. [VENDRE].

vens, inclining towards (?), 56:34.

vens, s.v. [VÈNCER].

ventresques, belly-fur, 34:15.

venture: per v., perchance, 70:20.

vens, s.v. [VÈNCER].

ver: metéss·o el en ver, he should prove it (?), 24:10; vers (s.), true, 21:6.

veramen, truly, 43:9.

veraya, true, 57:32.

verdader, verdadera, true, 65:21, 73:69.

verger, orchard, 43:8; vergers (s.), 43:4.

verges, wicker, 40:26.

vergoina, shame, 20:14.

vergoynans, ashamed to demand alms, 49:16.

veritad, truth, 28:42; faré v., I will affirm (?), prove (?), 27:46.

vermela, red, 72:60.

vermens, worms, 69:18.

vermeyles, red, 40:12.

vermeyló, vermilion, 34:3.

vernigatz, bowls, platters, 40:21.

vert, green, 37:31, 44:39 (f.); verts (f. pl.), 54:4.

vertuos, virtuous, 35:57.

vertut, grace, aid, 35:84; force, validity (?), 44:85.

ves, towards, 45:18; en ves, id., 41:68.

vespertin, vespertinas, evening, 56:54, 56:52.

vespre (f.), eve, 74:33.

vestadura, vestadures, vestedures, clothing, 44:15, 44:14, 34:28.

vestid, put on, 27:17.

vestiment, vestments (?), 27:17; vestimens, clothing, 35:20.

vestir, clothing, 49:27.

vestit, dressed, cured, 40:4.

vestre, for L. vestrae, 2:24.

vet, s.v. [VEDAR] and [VEURE].

vetare, refuse, deny, 7:12. Cf. [VEDAR].

[VETLLAR], be awake, keep vigil: vellant (pr. part.), 72:92; vetlava (3 imp.), 51:28; veytlen (6 pr.), 48:47.

[VEURE], see, examine: vaeran (6 pret.), 57:13; vaga (1 pr. subj.), 57:36; vaser (inf.), 57:4; vaura (inf.), 57:31; vé (3 pret.), 54:21; vedent (pr. part.), 28:39; veder (inf.), 15:15; veé (3 pret.), 43:4; ve(h)ent (pr. part.), 71:38, 68:32; veer (inf.), 47:73; veg (1 pr.), 41:56; id. (refl.), 72:51; vege (3 pr. subj.), 70:27; vegen (6 pr. subj.), 61:62; veges (imperat.), 61:57; vejam (4 pr. subj.), 41:13; vejau (imperat.), 71:33; vesec (3 pret.), 41:66; vesem (4 pr.), 35:4; vesen (pr. part.), 52:28; veser (inf.), 41:11; vessen (6 imp. subj.),

68:75; **vet** (imperat.), 52:37; **veu** (3 pret.), 59:26; **veura** (inf.), 59:45; **veus** (imperat.), 47:14, 47:20; **veyatz** (imperat.), 53:38; **veyen** (pr. part.), 44:82; **veyg** (1 pr.), 37:14; **vid** (1 pret.), 23:3; **vien** (6 imp.), 67:13; **vim** (4 pret.), 47:26; **viren** (6 pret.), 21:21; **vissen** (6 imp. subj.), 47:42; **vvist,** 72:29; **vists,** 68:71; **vit** (3 pret.), 20:40; **vits** (p. p.), 72:5; **viu** (1 pret.), 77:23; *id.* (3 pret.), 51:29; **vouré** (1 fut.), 60:47.

veure, drink, 67:47.

veus, times, 70:53.

vexell, vexels, vessel, 53:44, 71:50, 27:41.

vey, veya, old, 63:16, 60:10.

veyl marí, seal, 34:15.

veyll, old man, 61:59.

veytlen, s.v. [VETLLAR].

via, manner, 59:6; on your way! 61:25; *via fora,* alarm, battle cry, 51:42; *per via de,* by way of, 62:42; **vies,** ways, 68:58.

viada, quickly (?), 32:15.

viaire: *nos es v.,* it seems to us, 21:63.

vianda, viandes, food, 48:3, 57:10.

vice: *alia v.,* again, on another occasion, 18:28.

vicecomitatum, viscountcy, 15:87.

vicecomite, viscount, 15:91.

vidra, glass, 63:42.

viduas, widows, 61:63.

vigare: *es v.,* it seems, 19:40; *fo* **vigares,** 57:20; **vijares,** opinion, 76:22; *no·ls era v.,* 68:11.

vilar, village, hamlet, 38:12.

vilas, viles, estates, villages, 10:10, 10:3.

vill, foul, 69:20.

villa, estate, village, 3:14.

vindere, sell, 5:32.

vinum, wine, 66:20.

vinye, vineyard, 55:1.

virtuosament, powerfully, 68:24.

vis almirayl, vice-admiral, 49:52.

visci, vice, 35:53.

visoatge, widowhood, 49:27.

vispe, bishop, 27:38.

vissa sum, I am seen, 3:23.

vistam (4 pr. subj. refl.), put on, 39:8.

vituperosament, ignominiously, 68:41.

viu, s.v. [VEURE] and [VIURE].

viudas, widows, 61:67.

[VIURE], live: **viu** (1 pr.), 24:13; **viur'** (inf.), 65:32; **viven** (6 pr.), 56:2; **vixch** (1 pr.), 73:94.

vivenz: *dies v.,* lifetime, 27:49.

viyares: *es los v.,* they believe, 61:62.

voce, vocem, legal claim or right, 5:12, 13:10. Cf. Rodón, *vox.*

vociferem (1 pr. subj.), uphold, 15:94.

voguen (6 pr. subj.), row, 68:77.

volantes, willingly, 57:29.

volentad: *per bona v.,* of my own free will, 30:5; **volentat,** will, 35:55; dictates of the will, 37:27; **volentats** (s.), 43:23; **volentatz,** wishes, 52:21; *per ses v.,* to do with as she will, 49:26.

volenter, willingly, readily, 54:2; **volenters,** 39:15; **volentes,** 53:57.

[VOLER], wish, seek to, see fit to, try to, like or love: **buegan** (6 pr. subj.), 7:9; **hul** (1 pr.), 57:33; **uyl** (1 pr.), 49:10; **volc(h),** 3 pret., 45:42, 21:10; **volems** (5 pr.), 19:47; **volen** (pr. part.), 52:21; **volents** (*id.*), 74:21; **volés** (3 imp. subj.), 36:32; **volets** (5 pr.), 47:37; **voletz** (id.), 62:38; **volg** (3 pret.), 14:27; **volgés** (5 pret.), 35:12; *id.* (3 imp. subj.), 14:8; *ld.* (3 imp. — pluperf. subj.), 19:34; *id.* (3 pluperf. subj.), 20:50; **volgesen** (6 imp. subj.), 15:33; **volgeseu** (5 imp. subj.), 72:59; **volgren** (6 pret.), 21:43; **volgué** (3 pret.), 73:14; **volguem** (4 pret.), 47:43; **volgueseu** (5 imp. subj.), 72:17; **volguessen** (6 imp. subj.), 73:57; **volguéssets** (5 imp. subj.), 64:31; **volguts,** 65:18; **volie** (3 imp.), 18:40; **volla** (3 pr. subj.), 29:14; **vollets** (5 pr.), 60:7; **volls** (2 pr.), 69:7; **volrá** (3 fut.), 53:7; **volria** (3 cond.), 60:56; **volries** (2 cond.), 73:24; **volriue** (1 cond.), 72:17; **volrrés** (5 fut.), 44:85; **voyla** (3 pr. subj.), 35:54; **vul** (1 pr.), 23:10; **vula** (3 pr. subj.), 27:46; *id.* (refl.), 35:53; **vulams** (4 pr. subj.), 20:7; **vules** (2 pr. subj.), 41:1; **vulgí** (1 pret.), 46:59; **vulia** (3 imp.), 39:58; **vullen** (6 imp.), 39:14; **vullen** (6 pr. subj.), 22:9; **vulles** (2 pr. subj. — imperat.), 37:33; *id.* (refl.), 59:23; **vullya** (3 pr. subj. refl.), 42:48; **vulrien** (6 cond. refl.), 41:5; **vuyla** (3 pr. subj. refl.), 40:33.

volonat, volonat, will, wishes, 20:68, 16:6.

volps, foxes, 40:7.

voltades, vaulted, 44:23.

volvem (4 pret. refl.), turn, 47:61.

vos (MCat. *us*), 6:4, etc.
vostara (for *vostra*), of yours, 50:20.
vostr': *sen vostr' engan,* without deceiving you, 15:75; vostra (m.), your, 60:27, 72:3; vostre (f.), 72:43; vostro, 6:9; vostron, 60:10.
vou, speech, word, 35:99; voice, 44:29.
vouré, s.v. [VEURE].
voyla: *qual...se v.,* whatever, 35:54.
vui, today, 64:27.
vula: *on se v.,* wherever it may be, 35:53.
vulles...vulles, whether...or, 66:28; *hon te v.,* wherever you like, 59:23; *cuy se* vullya, anyone at all, 42:48.
vus, you, 2:14.
vuy, vuyl, today, 47:7, 52:54.
vuyla, hole in head of tool into which handle fitted, projecting through on farther side, 63:10.
vuyla: *qual se v.,* whatever (it may be), 40:33.
vuyt, the eighth day, 72:39.
vys (?) pocs (for *uns p.*), some few, 60:45.

X

xalons, cloth from Chalons, 40:11.
xentilles, lentils, 63:36.
xich, small, 63:32.

Y

y (conj.), and, 73:21.
y, ·y (adv., pron.), there (i.e. in the duel), 8:4; towards it, 21:42; thereon, 45:36; to him, 68:50; in this matter, 72:68; to her, 72:71.
yair, yesterday, 50:19.
yamay, never, 72:47; yames no, never, 57:41.
·yc (adv.), hence, 52:53; ych, here, 60:51.
ydiota, imbecile, 52:15.
yglea, church, 48:15.
ymagenalitat, imaginative powers, 35:96.
ymaginat, the thing imagined, 77:20.
yo, I, 39:3.
yorn, day, 57:26; *tots yorns,* every day, 57:43.
ypocresia, hypocrisy, 75:26.
yra, wrath, 56:74.
ysque, s.v. exir.
yvas, quickly, 37:33.

Z

·z, z', the, 18:29, 18:40.
za (adv.), here, this side, 8:3.
za (art.), the, 18:39, 20:88.
zarchs, pale blue, 56:33.
zel, that, 18:35.
zo (art.), the, 18:29.
zo (pron.), these, 18:1; that, 19:21, 20:5; it, 19:40; *per de zo que,* because of what, 19:56; *per zo car,* because, 18:41; *per zo...car,* therefore, 23:35; *per zo quan,* because, 19:15; *per zo qe,* id., 20:30; *id.,* in order that, 20:32.

INDEX

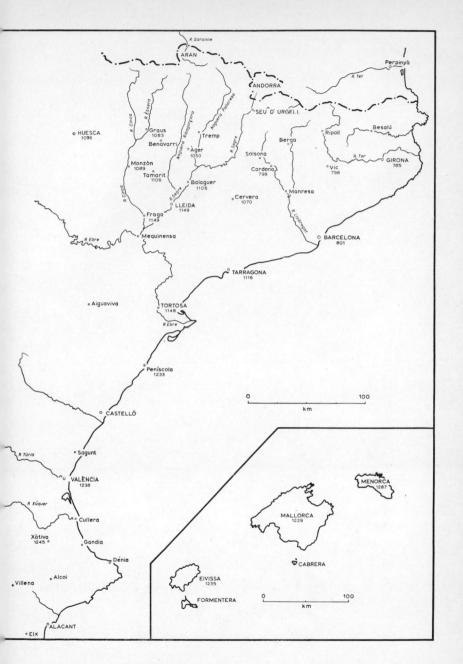

THE CATALAN-SPEAKING DOMAIN: RECONQUEST

THE CATALAN-SPEAKING DOMAIN: 'COMARQUES'